Découvrir Rome

Ici on flirte et on dort, on mange et on boit, on lit et on danse. Bref, l'escalier de la Trinité-des-Monts est le lieu de rencontre de Rome!

Découvrir Rome

Le coucher de soleil dans le ciel plonge les maisons parsemées de coupoles dans un bain doré.
La lumière tamisée accentue les contours des palais, tandis que dans le lointain se profilent les bandes vertes du Tibre. Les coupoles de Saint-Pierre semblent extrêmement proches.

Vous vous trouvez sur le Piazzale Napoleone I°, sur le Pincio, vous percevez la magie qui enveloppe les rues et vous comprenez soudain pourquoi Goethe a déclaré dans son ouvrage "Voyage en Italie" avoir eu le sentiment de naître, le jour de son arrivée à Rome.

Comme beaucoup d'autres, vous vous trouvez au centre de la vie-passion et vous aurez beaucoup de mal à résister à la tentation du Sud. Au cours des siècles, des millions de commerçants, de seigneurs, de pèlerins, de savants, de poètes et d'artistes sont venus à Rome. Et beaucoup de ceux qui avaient prévu de n'y faire qu'un court séjour s'y sont attardés des mois, voire des années...

Rome, la tentatrice

Il est facile de tomber sous le charme de l'ambiance romantique de la Ville Eternelle et de se perdre dans ses coins et recoins dès le premier regard jeté sur les monuments. De se laisser attirer par les sons langoureux d'une musique douce et par le parfum frais des **bucatini all'amatriciana**, dans une petite trattoria perdue dans une ruelle secondaire, bref de s'adonner aux délices romaines.

D'oublier le temps, par un dimanche après-midi langoureux, sur une place magnifique, agrémentée d'une fontaine rafraîchissante – œuvre des plus célèbres bâtisseurs –, ou de laisser couler le temps dans une oasis de verdure à l'ombre des pins parasols et des cyprès majestueux. Se joindre à la joie de vivre ambiante, un soir tiède de printemps, en dégustant une glace ou en mâchonnant des graines de potiron.

Attendre avant d'avoir envie de travailler

Les Romains sont passés maîtres dans l'art de profiter de la vie. Pour le travail, ce n'est pas tout à fait la même chose.

Un proverbe romain célèbre met les choses au point: "Voglia de lavoro saltame adosso", ce qui donne à peu près: "Oh, ardeur au travail, quand viendras-tu donc chez moi?" Bien souvent, cet appel n'est pas entendu... "Milano produce i soldi, Roma li spende", "C'est à Milan que l'on gagne l'argent, c'est à Rome qu'on le dépense", voilà un dicton que les

Pour se rafraîchir le corps et l'esprit: les fontaines de Rome.

gens du Nord rappellent souvent, pleins de colère, aux habitants du Sud.

Rome l'entend, se réjouit – et continue à faire prospérer le commerce. Le rôle de la femme est aussi fort différent. Faire carrière n'est pas la préoccupation principale de la **signora** du Sud. La jolie Romaine aime se promener dans les rues, vêtue d'une mini-jupe achetée chez un couturier en vogue, parée de nombreux bijoux. La Milanaise, au contraire, va de l'avant, préfère l'attaché-case au sac à main et poursuit sa carrière chaussée plus confortablement qu'élégamment. La Ville Eternelle mène un combat sans fin contre les voitures. Le smog devient de plus en plus dense, le périmètre d'interdiction aux véhicules (**fascia verde**) s'étend continuellement dans la ville et le port de la chemise blanche est de plus en plus risqué.

C'est dans un bar que l'on palpe la vraie vie romaine – et cela toute la journée.

Amendes sévères pour les pollueurs

Le maire "écolo" Francesco Rutelli, au pouvoir depuis 1993, a pris des mesures draconiennes: il a prévu un catalogue d'amendes progressives pour les pollueurs. Celui qui jette un papier ou des paquets de cigarettes dans la rue doit débourser 40 000 lires d'amende, à condition évidemment d'être pris en flagrant délit... La lutte contre le smog à Rome n'est pas seulement une nécessité. Elle devient une obligation. Car ce qui a survécu à des siècles d'histoire est fortement menacé par l'air pollué des temps modernes. Après les résultats catastrophiques d'une analyse – la matière rocheuse des bâtiments était détruite à 25 % – 150 milliards de lires ont été débloqués en mars 1981, par loi d'exception, pour permettre une vaste restauration.

Cure de beauté réussie

Des années durant, les joyaux antiques ont dû être grillagés et enveloppés – au grand dam des visiteurs. Vous avez pourtant de la chance. La plupart des monuments – comme l'arc de Titus ou la fontaine de Trevi – ayant terminé leur cure de beauté, ont été délivrés des grillages qui les cachaient et brillent à nouveau de leur ancien éclat. Cependant, les témoignages de la Rome antique ne sont pas encore sauvés pour autant. Le travail de restauration risque de tourner à un travail digne de Sisyphe: les monuments sont provisoirement emballés, nettoyés à grands frais pour être à nouveau exposés aux influences destructrices de l'environnement.

C'est particulièrement grave pour les statues en travertin et en marbre, car elles ne sont pas seulement salies par les gaz d'échappement mais sont littéralement dévorées et donc irrémédiablement perdues.

"Engins tueurs de marbre"

L'arc de Constantin et la colonne Trajane, à peine libérés de leur enveloppe de crasse, se recouvrent aussitôt d'un voile grisâtre. La pollution atmosphérique, provoquée surtout par les gaz des voitures et des industries, ainsi que par le chauffage, doit être stoppée par des mesures drastiques.

Cependant, toutes les tentatives mises en place pour laisser les voitures hors de la ville se sont révélées jusqu'à présent inutiles. L'amour des Italiens pour les **"macchine"** est trop grand et les autorisations spéciales pour le **"centro storico"** sont données trop facilement pour que l'on puisse aboutir à un résultat.

Il existe des projets de construction d'une route suspendue au-dessus de la zone des antiquités, pour décharger le Colisée de sa fonction d'îlot de trafic et préserver ainsi, pour les générations futures, les derniers vestiges du Forum romanum. Depuis plusieurs années, des plans, destinés soit à conserver "l'aspect antique" de la ville, soit à créer un parc archéologique, englobant les fouilles du centre-ville, ont été dessinés.

Le chaos: une tradition

Rome a toujours été victime de sa célébrité. Jules César déjà se plaignait de la circulation chaotique, conséquence de la politique et de la gestion d'une grande puissance, même si la pollution causée par les chars à bœufs n'était ni aussi salissante ni aussi toxique...

Les empereurs et les papes ont offert à Rome des palais magnifiques et des monuments grandioses, tout en se laissant immortaliser par des œuvres d'art insolentes. Ils ne se préoccupaient pas de banalités telles que la création d'un réseau routier digne de ce nom.

Ce n'est qu'au cours des siècles derniers que la ville a connu deux transformations fondamentales. En 1870, Rome devint la capitale de l'Italie unifiée; le nombre d'habitants explosa, les zones vertes furent remplacées par des blocs d'immeubles de hauteur moyenne. Dans les années trente, de nombreuses petites ruelles tortueuses furent démolies, victimes du gigantisme du régime fasciste: une bonne partie de Rome fut anéantie pour pouvoir créer la via della Conciliazione, route rectiligne qui mène au Vatican.

Francesco Rutelli,
le maire écolo de Rome

Il est jeune, dynamique et écolo: le maire de Rome, Francesco Rutelli. Comme candidat de la Lega Ambiente, durant l'hiver 1993, il s'est débarrassé, au grand étonnement de beaucoup de personnes, de son opposant Gianfranco Fini, chef de la très populaire Aleanza Nazionale.

"Francesco Rutelli a déjà fait plus pour Rome que n'importe qui avant lui", telle est l'opinion de plus de 60 % de la population, parlant des efforts réalisés par le premier citoyen de la Ville Eternelle. C'est ce qui est ressorti d'un sondage réalisé début novembre 1994. Un bilan qui se remarque après à peine une année de gouvernement. Certains ajoutent, avec un brin d'ironie, qu'il n'est pas très difficile de faire mieux que ses prédécesseurs, mais le résultat illumine quand même le travail du maire écolo. C'est un homme du peuple qui aime se mêler à ses semblables et c'est ce que 84 % des Romains apprécient le plus chez lui. Vient ensuite l'honnêteté – une valeur qui possède un taux de popularité

très élevé dans l'Italie secouée par les scandales. Et 58,2 % des habitants ont une confiance totale en leur nouveau maire.

Avec l'accord de la population, une des premières mesures prise par l'administration de Rutelli a été appréciée: le shopping du dimanche. Celui qui le désire peut ouvrir son magasin sept jours sur sept – ce que 60 % des Romains approuvent.

Ce n'est que lorsqu'il s'agit du trafic automobile que Rutelli reçoit une mauvaise note: 58,8 % lui reprochent que le chaos, qui règne dans le trafic, reste inchangé et 18,5 % assurent qu'il s'est même encore aggravé par rapport à l'année précédente, bien que Rutelli donne l'exemple: il se rend à vélo à son bureau.

Mais le maire "écolo" s'est mis au travail pour régler le problème de la circulation: le périmètre d'interdiction au trafic, en cas de smog, a été élargi et le nombre de rues interdites à tout trafic est plus élevé que jamais. Rutelli ne craint pas de prendre des

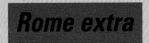

mesures impopulaires, même dans ses propres rangs.

Le chaos de la circulation: le premier combat de Rutelli

Fin novembre 1994, une loi est entrée en vigueur, interdisant de fumer dans toutes les administrations publiques! Celui qui est pris une cigarette à la main doit payer une amende. Les zones où il est interdit de fumer ne se limitent pas seulement aux salles publiques, mais aussi aux piscines, corridors et escaliers.

"Cela a probablement été l'année la plus difficile pour Rome", dit Rutelli, en faisant le bilan. "Cependant, nous avons réussi à faire bouger Rome. Je veux que Rome vive d'espoir.

Je veux apporter des changements et moderniser la ville, tout en respectant les besoins quotidiens des Romains!"

Les touristes aussi seront gâtés. Rutelli promet d'allonger les heures d'ouverture des musées et de fournir un meilleur service. Il a fait placer trois kiosques d'information dans la ville, ce qui est déjà un début. Le touriste peut aussi aller demander de l'aide au premier citoyen de la ville; Rutelli dispose depuis peu d'une ligne de fax urgente pour la population: "Chiedi al Sindaco Fax 67 10 35 90"...

Découvrir Rome

L'homme qui changea la face du monde: Jules César

Nous avons gardé trois choses de la grandeur de Rome, trois choses qui ont changé la face du monde: la division de l'année en 365 jours, la tentative de rassembler différents peuples en en faisant des citoyens égaux ayant les mêmes droits et assurer, de cette manière, la paix.

Caius Julius César naquit en 100 av. J.-C. Comme sa famille avait perdu ses richesses, César entra d'abord dans l'armée pour y gagner de l'argent. Son but professionnel était de devenir prêtre et, en 63 av. J.-C., il était effectivement Pontifex Maximus. En 59 av. J.-C., César commença sa carrière politique; il forma avec Crassus et Pompée le premier triumvirat. Il s'en suivit une série de batailles victorieuses: de 58 à 49 av. J.-C., il combattit les Germains en Gaule. Ses succès éveillèrent l'envie et la résistance de Pompée qui essaya de monter le sénat contre César. Julius traversa le Rubicon et , de retour à Rome, triompha de ses adversaires. En 48 av. J.-C., il devint le maître absolu de Rome. La ville devint florissante; de nouveaux temples et des bâtiments publics furent créés. César demanda à être considéré comme un dieu et les conséquences se firent rapidement sentir: le 15 mars de l'an 44 av. J.-C., César fut assassiné par un groupe de conjurés du sénat, parmi lesquels son fils adoptif Brutus. Mais de nombreux autres "grands" hommes ont marqué le cours de la vie à Rome, dont un certain instituteur italien.

Projet ambitieux de Mussolini

La garde architecturale de Mussolini offrit à Rome le quartier pompeux de l'**EUR (Esposizione Universale di Roma)**, construit en vue de l'exposition universelle de 1942, prévue mais jamais réalisée, et conçu comme une "troisième Rome" qui devait rivaliser avec la métropole antique et la ville de la Renaissance.

Jusque dans les années cinquante, le projet grandiose du **Duce** est resté une ville fantôme. A ce moment-là, les conseillers municipaux s'occupèrent de transformer l'héritage fasciste en faubourg. Actuellement, l'EUR est devenu un quartier agréable, malgré les gigantesques blocs de béton.

C'est de cette manière qu'un dixième des Romains peut enfin se permettre de vivre dans l'ancienne Rome. 90 % des 3 millions de Romains vivent dans les zones extérieures.

Spéculations immobilières et envolée des loyers

La population de Rome a plus que triplé au cours de ce dernier siècle. La Rome de l'après-guerre a vécu une augmentation fulgurante due à l'afflux de personnes originaires du Sud, plus pauvre, et venues chercher du travail dans la ville.

Dans les années quatre-vingt, plus d'un demi-million d'immigrants, en provenance de l'Afrique et de l'Asie, ont trouvé une nouvelle patrie dans la capitale italienne – ce qui a placé Rome devant de nouveaux problèmes sociaux, allant de la drogue au racisme. Et, lorsque les loyers explosent et que les prix des terrains grimpent en flèche, les spéculateurs immobiliers ne sont pas loin.

Dans les années 70, époque de croissance économique et de bien-être, des quartiers satellites entiers ont surgi des prairies vertes, malheureusement assez monotones. A ce jour, la capitale romaine doit faire face à un héritage de plus d'un demi-million de maisons construites de manière illégale, situées dans les quartiers extérieurs, qui n'embellissent pas toujours l'environnement mais qui sont des témoins et vestiges des erreurs de planification et le fruit d'une politique communale corrompue.

Action "mani pulite" dans Rome

L'administration communale romaine a, pendant des années, joué le jeu de la spéculation, fermant les yeux et croisant les bras.

Pour faire bouger les choses au niveau politique, il a fallu un événement de masse comme la Coupe du monde de football en 1990. Grâce au "calcio", l'ancienne garde s'est occupée temporairement de résoudre les problèmes de circulation propres à la ville en construisant de nouvelles rues et en instaurant de nouvelles lignes de chemin de fer. Cela permet au moins d'entrevoir une possible amélioration, car les messieurs haut placés de Rome ont trébuché, tout comme le gouvernement démocrate-chrétien italien, sur la campagne **mani pulite,** avec les enquêtes anti-corruption et la recherche des pots-de-vin.

Les actions "mains propres" ont démarré en 1992: les premiers avocats courageux ont enquêté d'abord dans l'océan de corruption de l'administration milanaise, ce qui a conduit à l'arrestation de quelques figures politiques dominantes.

La **Lega Nord,** tournée vers la droite, sous la direction d'Umberto Bossi, a gagné en popularité. Les Milanais, fatigués des scandales à répétition, ont favorisé en 1993 l'élection, au mois de juin, du candidat de la Lega Nord au poste de maire.

Parallèlement, les chasseurs de "tangenti" travaillent avec ceux que l'on a nommé **pentiti,** les célèbres **mafiosi,** qui s'achètent des peines plus légères en dénonçant les autres.

Les premiers grands chefs de la mafia ont été arrêtés et leurs déclarations ont éclairé le réseau enchevêtré d'intérêts privés et publics, tout en chargeant les politiciens et les chefs commerciaux. "Tangentopoli", voilà le mot, créé de toute pièce, désignant à la fois corruption et pots-de-vin, qui a dominé les titres pendant l'hiver 1993-1994.

Silvio Berlusconi, la star des médias, a réussi à créer un nouveau parti, **Forza Italia,** en se basant sur la colère populaire. A la suite de quoi, il devint, après élections, chef de gouvernement.

Malgré tout, lui aussi fut pris dans l'action **mani pulite.** Il fut cité devant le Ministère public milanais — et se retira ensuite.

C'est ce que fit aussi, peu de temps après, le super chasseur de tangenti de Milan, le procureur de la République Di Pietro, qui déplorait l'ingérence politique au sein de la justice. Néanmoins, pendant la période durant laquelle il exerça sa fonction, Di Pietro, figure symbolique de l'action "mains propres", a réalisé un travail complet, remontant jusqu'à l'Olympe du monde politique italien. Ainsi, l'ex-chef d'Etat Giulio Andreotti attend son jugement à Palerme. Des dossiers de 30 000 pages s'empilent sur la table du juge.

Découvrir Rome

Bettino Craxi a dû être jugé par contumace; le chef socialiste a quitté le pays à temps et s'est réfugié en Tunisie pour échapper à l'arrestation judiciaire.

L'action **mani pulite** ne s'arrête pas pour autant; le procureur de la République n'en finit pas de compulser les dossiers.

Une ville se met en mouvement

Dépités par cette politique des mains sales et pleins d'espoir en un avenir meilleur, les Romains ont placé l'avenir de leur ville entre les mains de Francesco Rutelli.

Cet écolo très engagé, âgé de 36 ans, veut remettre la Ville Eternelle au premier plan.

Rimettere Roma in moto, remettre Rome en mouvement, voilà le but que s'est fixé ce jeune politicien engagé qui fut élu en 1993, de manière assez étonnante, maire de la ville (voir Francesco Rutelli, le maire écolo de Rome p. 10-11).

Rutelli mène un combat sur la non-compromission, avec le gouvernement italien, qui a choisi Rome comme siège de représentation, et rend de nombreux services valables à la ville. Pendant l'hiver 1994, à l'atmosphère chaudement anti-Berlusconi, les rues ont été, presque quotidiennement, envahies par des manifestants opposés au gouvernement, arrivés du nord de l'Italie en bus et en train.

La ville était paralysée mais ne reçut cependant pas une lire de plus en compensation.

Roma capitale a dû s'en tirer avec, en moyenne, 4,4 milliards de lires en moins par an, par comparaison avec d'autres grandes villes.

Mode et médias

Bien que Rome soit la capitale de l'Italie, elle n'a le premier rôle ni en ce qui concerne la mode ni les médias. Les dieux de la haute couture ont depuis longtemps émigré à Milan. Les grands journaux, donnant les tendances politiques, sont édités dans le Nord. Les publications romaines n'ont plus qu'une influence locale. Même la **RAI,** l'ensemble des télévisions d'Etat italiennes, subissant en son temps une forte pression politique, envisage de déplacer son siège principal vers Milan.

Ce qui subsiste, c'est le gigantesque appareil administratif. Rome compte près d'un demi-million d'employés de bureau – la plupart occupés au bien de la nation – dans ses innombrables palais. Entamer une cure d'amaigrissement de l'administration de la ville serait du suicide, de sorte que Rutelli prévoit dans un premier temps une nouvelle répartition.

Cours de langue pour gardiens de musée

Les fonctionnaires sous-employés devaient être répartis dans les services des musées et de cette manière faciliter l'accès aux temples de la culture et de l'art pour les touristes. Même les gardiens de musée bien établis sentent passer la tornade. Ils sont envoyés sur les bancs d'écoles de langue pour pouvoir mieux renseigner les visiteurs étrangers.

La population en a assez: la "politique des mains sales" doit définitivement appartenir au passé.

Découvrir Rome

Les portes de magasin fermées qui, surtout le week-end, donnent un aspect peu convivial à la ville, feront bientôt partie du passé. Depuis la fin 1994, le jour de repos hebdomadaire n'est plus obligatoire.

La fin de la pause-pâtes de midi

Rutelli s'en est même pris à la sacro-sainte sieste. L'administration communale veut donner l'exemple et mène une expérience pilote qui ressemble à une révolution pour l'Italie: certains bureaux restent ouverts en continu!
Rutelli prévoit les premiers gratte-ciel pour l'an 2000, en forme d'obélisque bien entendu. Le premier citoyen de Rome a de grands projets pour la ville. Mais seront-ils réalisés? **Pazienza**...

L'invasion du tourisme: "Parlez-vous l'italien?"

Parmi les problèmes éternels de Rome que sont la circulation, le commerce et la spéculation foncière, il ne faut pas oublier le tourisme de masse. Des files sans fin de cars de touristes devant le château Saint-Ange, le Forum romanum, le Vatican ou le Colisée...
Des millions de visiteurs par an, venant du monde entier, apportent bien sûr des devises à la ville mais surchargent également son infrastructure fragile. A certaines périodes, Rome compte plus d'étrangers que d'habitants. Les chances pour un Romain d'avoir à nouveau la ville pour lui sont minimes. En 1994, le tourisme a augmenté de 16 %. L'invasion débute peu avant Pâques et se prolonge jusqu'à Noël.
L'escalier de la Trinité-des-Monts est pratiquement toujours envahi par une foule bariolée.

Tapis rouge pour clients bien nantis

Devant les boutiques élégantes et chères, situées le long des rues commerçantes autour de la **via dei Condotti,** on déroule le tapis rouge pour les clients étrangers fortunés.
A quelques mètres de là, se trouve le gouffre à maisons que constitue la **via Margutta,** un autre pôle d'attraction pour les étrangers. Il y a à peine un siècle, cette rue célèbre, au pied du Pincio, était presque exclusivement habitée par des peintres et des sculpteurs. Ensuite, elle fut bordée par des galeries d'art. Maintenant, ce sont les photographes qui la traquent. La maison du réalisateur de films, Fellini, fut vendue à un étranger pour la modique somme de 100 000 FF – 600 000 BEF le mètre carré.
Le symbole de la **dolce vita,** la **via Veneto,** autrefois superbe, déçoit beaucoup actuellement. Ce ne sont plus les stars et les starlettes qui sont attablées dans les cafés, mais des touristes en mal de photos.
La Ville Eternelle considère tout ce va-et-vient d'un air un peu blasé, car rares sont ceux parmi ces envahisseurs qui ont exercé une réelle influence sur elle.
Pazienza, la patience est ici le mot clé.

La mutation du tourisme

Finalement, c'est depuis l'Antiquité que Rome est une adresse cosmopolite. Dans les forums, du temps des empereurs, on pouvait déjà rencontrer des Macédoniens ou des Gaulois, et les pèlerins gravent depuis plus de 1500 ans leurs initiales sur les murs des catacombes.

Avant que le voyage pour le plaisir du voyage ne devienne à la mode, les seuls hôtes de Rome n'y apportaient que des expériences négatives, car ils y venaient pour piller ou pour conquérir la ville.

Mais la roue tourne et Rome propose maintenant à ses visiteurs la possibilité de déguster en été les boissons fraîches et en hiver les marrons chauds les plus chers au monde! Le marron vous est offert au prix astronomique de 1000 lires.

Mano d'opera, c'est la main-d'œuvre qui est chère...

Les commerçants ambulants de la ville ne sont pas les seuls à pratiquer des prix exorbitants; les chambres d'hôtels, les restaurants et les magasins ne sont pas en reste...

L'industrie du tourisme est actuellement la plus grande source de revenus de Rome.

Le tourisme apporte chaque année 5 000 milliards de lires dans les caisses de la ville.

Le petit monde des marchandes de quatre-saisons et des poissonniers

Rome a pu conserver son originalité et son indépendance, sans devenir une métropole anonyme. C'est le caractère romain bien trempé qui a permis aux statues, aux quartiers et aux traditions de survivre, toutes choses qui normalement auraient dû disparaître depuis longtemps si l'on avait suivi les règles de la vie moderne.

Le long des ruelles étroites du **Trastevere,** quartier pittoresque sur la rive droite du Tibre, les grands monuments semblent très éloignés. Au XIXe siè-

cle, ce côté du Tibre était le plus pauvre de la ville.

Aujourd'hui, il est devenu l'un des préférés. Se promener dans les rues tortueuses, traverser des places intimes, devant des **trattorie** appétissantes, tout cela forme un véritable contraste avec la vieille ville.

Dans l'Antiquité, le Trastevere se trouvait près du port.

C'est pourquoi des marins, des immigrants et des artistes s'y sont toujours installés. Actuellement, c'est un monde d'artisans et de poissonniers, de vendeuses de marché et de ménagères qui vivent ici, avec les traditions et les habitudes d'une province d'Italie du Sud.

Vie nocturne sur les montagnes de tessons

Une discussion sur la **piazza,** battre les cartes devant la maison, le café rituel après le repas, font aussi partie des traditions historiques du quartier ouvrier du **Testaccio.**

Le progrès n'y fait son apparition que le soir, avec des moteurs pétaradants et une musique assourdissante. L'ancienne "montagne de tessons", et ancien abattoir de Rome, s'est transformée ces dernières années en haut lieu de la vie nocturne.

Des night-clubs, des bars, des discothèques et les meilleures pizzerias attirent la jeunesse de Rome vers le Testaccio.

Hospitalité juive

Les juifs comptent parmi les plus anciens habitants de Rome. Ils vivent dans la ville depuis près de 2 000 ans et ont constitué, au cours des siècles, l'une des communautés juives les plus durables du monde.

Découvrir Rome

Les origines de l'ancien quartier juif, longeant le Tibre, remontent au XVIe siècle. Le pape Paul IV a ordonné, en 1555, la création du ghetto et a fait construire en plein centre de Rome un mur inhumain. Paradoxalement, ces murs ont permis de préserver une partie de Rome. Aujourd'hui, il est encore possible de venir faire ses petits achats dans ce que la langue populaire appelle encore le ghetto, qui résiste courageusement contre les puissants investisseurs financiers.

Dans une des principales pâtisseries de Rome, les clients sont attirés par des pâtisseries à la levure et à la pâte d'amandes.

Dans le restaurant judéo-romain, qui est établi là depuis des lustres, on sert de savoureux carciofi alla giudea, des artichauts à la manière juive.

Vivre et survivre dans la vieille ville

Le véritable esprit de la ville ne subsiste pas uniquement dans la Rome populaire, les quartiers élégants sont aussi très conscients des traditions. Le centro storico en est un bel exemple: on trouve côte à côte des galeries d'art exclusives et des aiguiseurs de couteaux ou des rempailleurs de chaise, des restaurants très chers y côtoient des petites rosticcerie, pizzerias et bars, et les boutiques avec des étalages savamment agencés rivalisent avec des magasins à façade d'église pour attirer le client.

La brise bienvenue du soir ne rafraîchit pas seulement les scènes baroques en plein cœur de la piazza Navona mais aussi les petits bars anonymes d'une place moins célèbre.

Réunis dans la foi catholique

Les plaisirs profanes de Rome sont étroitement liés à la foi la plus profonde – encore un des nombreux contrastes que recèle la ville et qui contribuent à son éternelle fascination.

Le Vatican, bastion de la chrétienté et la plus petite ville du monde, sous l'autorité gouvernementale du pape, est le siège de la direction spirituelle de l'Eglise catholique. Sur la place Saint-Pierre, unique en son genre et tout entourée de colonnes, des milliers de pèlerins se rassemblent chaque année, réunis par leur foi. Une tradition qui est presque aussi ancienne que l'église elle-même.

Alors qu'il en coûtait beaucoup aux pèlerins de l'ancien temps pour réaliser leur pèlerinage à Rome, les visiteurs actuels du Vatican ont plus de facilités. Il suffit de s'armer d'assez de patience et de temps pour ne pas se perdre dans la cohue des croyants qui s'y pressent.

Piété touchante

A la richesse spirituelle de la basilique Saint-Pierre et des musées du Vatican, s'ajoute une quantité incommensurable d'œuvres incomparables. Rome est le centre organisé du catholicisme et cependant la piété des Romains croyants n'a pas vraiment besoin de cette puissance et de cette magnificence. Ils vénèrent des endroits sacrés qu'ils ont eux-mêmes aménagés.

Partout dans la Ville Eternelle se cachent de minuscules niches accrochées aux reliefs des murs, contenant une image de la Madone ou une petite statue surmontée d'une bougie ou d'une ampoule avec en dessous quelques œillets artificiels. Car, malgré l'abondance d'éléments historiques et culturels, Rome ne s'est pas transformée en musée. L'antique et le moderne, l'ancien et le neuf, le passé et le futur, vivent en parfaite communion.

Rome est comme toute autre ville l'expression visible des gens qui l'ont construite, qui y ont vécu et qui y vivent encore.

L'énigme du caractère populaire romain

Le Romain élégant et habillé à la dernière mode, qui profite du **dolce farniente** au soleil, en sirotant un apéritif, la rentière qui jour après jour est assise sur sa chaise pliante devant ses locations, le **gran signore,**

Dans les nombreuses petites ruelles étroites, on découvre une Rome paisible.

seigneur de l'ancien style, le commerçant ambulant qui passe avec l'Alfa dernier modèle dans les ruelles étroites, le jeune Romain arborant la dernière coiffure à la mode sur une barbe de trois jours: tous font partie de Rome et font Rome. Le caractère romain n'est pas facile à percer pour un étranger. Les Milanais sont des commerçants durs au travail, les Florentins des hommes d'affaires, les Vénitiens sont spirituels, et les Romains?

Les habitants de la Ville Eternelle manifestent beaucoup de retenue. Si un étranger leur demande une indication, il devra se contenter d'une réponse qui se résume en une esquisse de geste de la main ou de la tête. Le mieux est de prendre exemple sur les Romains, dont la devise résume la mentalité: "Non t'arrabbiare, la vita è breve, morire si deve, questo si sa...". "A quoi ça sert de t'énerver, la vie est trop courte pour cela et tu mourras quand même un jour..."

Mais il existe une situation qui per-

Découvrir Rome

met de pénétrer un tant soit peu l'esprit romain: **a tavola,** à table, car c'est à ce moment-là que le Romain est vraiment dans son élément. Entouré du cercle de ceux qu'il aime, des enfants bruyants et des amis bavards, autour d'une assiette de pâtes fumantes avec un bon verre de vin des Castelli Romani, c'est comme cela qu'il se sent le mieux.

Antonello Venditti contra Renato Zero

La relation que les Romains entretiennent avec leur ville, que 2 000 ans d'histoire mouvementée n'ont pas vraiment pu changer, porte toujours les marques d'une attitude entre amour et haine.

Car la fascination de vivre à Rome est ternie par l'insuffisance de la vie quotidienne.

Dans les années 70, le chansonnier Antonello Venditti écrivit sa chanson d'amour **"Roma capoccia"**, ce qui équivaut à Rome n° 1, et qui se transforma rapidement en une sorte d'hymne à la capitale italienne. Près de vingt années plus tard, son collègue, Renato Zero, avec **Roma malata (Rome malade)**, lui a donné une réponse assez négative. Venditti jurait hier encore de ne jamais quitter Rome.

Aujourd'hui, il s'en va avec de grands reproches et réussit de ce fait un tube.

Ce sont vingt années de commerce mal conduit et de scandales qui passent dans ce **cantautore.**

Rome est-elle vraiment devenue cette cité malade qu'il décrit?

C'est l'avis de Guido, le chauffeur de taxi qui se bat quotidiennement dans le trafic infernal, qui peste contre le smog et qui affirme à grands coups

de klaxon "Roma malata".

Ou encore Toni, qui se plaint de la manière dont on est traité selon le quartier où l'on vit: "S'il y a une panne de courant dans le quartier des Parioli, tout est immédiatement remis en ordre. Si cela se passe chez nous, dans le Quadraro ou au Centocelle, il faut aller acheter des bougies".

C'est aussi ce que pense Mario, le garçon de café vieillissant du Caffè Greco dans la via dei Condotti, qui regrette la bonne vie qu'il connaissait à Rome, il y a trente ans, lorsqu'il servait plus de sculpteurs et d'artistes que de touristes.

Avec de l'aspirine et un peu de magie

Il y a le conseiller culturel qui compare les problèmes que connaît Paris ou Londres avec ceux de Rome et qui se plaint, malgré quelques succès, de ne pas posséder de lanterne magique. Et le journaliste qui donnerait bien une double dose d'aspirine à la ville pour lui faire passer sa migraine.

Et le chanteur Claudio Baglioni, dont la chanson **"Piccolo grande amore"** fut choisie comme chanson du siècle et qui ne saurait ni vivre ni travailler ailleurs mais qui en même temps éprouve de la nostalgie pour une Rome qui n'est plus ce qu'elle était. Et la star de TV, Rita Della Chiesa, qui certifie que les plus beaux couchers de soleil au monde sont romains et qui préfère par-dessus tout le **giardino degli aranci**, mais qui vit la majeure partie du temps à Milan. Et la fleuriste de 64 ans, dont les yeux s'embuent lorsqu'elle entend la musique de Venditti et qui sent ce que tous les autres ressentent également: Rome est le point capital, dans les cœurs et dans les esprits des Romains – et le restera toujours.

C'est ainsi qu'ils sont, les Romains. Toujours prêts à se plaindre des maladies qui rongent la ville, à se fâcher contre le chaos qui y règne – mais jamais prêts à échanger Rome contre une autre ville.

Rome est chaotique et entêtée, à la fois enchanteresse et fascinante. **Federico Fellini** avait trouvé les mots justes lorsqu'il disait: "Lorsque le charme de la Rome antique s'insinue en vous, vous oubliez tout ce qu'on raconte sur cette ville, et vous comprenez que c'est un réel privilège de pouvoir y habiter..."

La basilique Saint-Pierre et les pèlerins: que l'homme est petit face à la plus grande maison de Dieu du monde...

Un peu d'histoire

753 av. J.-C. Romulus fonde une ville sur le Palatin; des rois latins et sabins s'y succèdent.

616-510 av. J.-C. Hégémonie étrusque.

510 av. J.-C. Rébellion contre les Etrusques, fin de la monarchie; fondation de la République romaine.

390 av. J.-C. Invasion gauloise.

60 av. J.-C. Domination du premier triumvirat: Pompée, Crassus et César.

49 av. J.-C. César se nomme dictateur à vie.

15 mars 44 av. J.-C. Assassinat de César.

27 av. J.-C.-14 ap. J.-C. Auguste fonde l'empire.

98-117 Règne de l'empereur Trajan.

250 Premières persécutions contre les chrétiens sous l'empereur Decius.

303 Point culminant de la persécution sous l'empereur Dioclétien.

313 Edit de Milan garantissant la liberté religieuse.

455 Les Vandales pillent Rome.

476 Déclin de l'Empire romain.

568 Invasion des Lombards.

590-604 Le pape Grégoire Ier règne sur la ville.

756 Fondation de l'Etat ecclésiastique.

800 Le roi des Lombards, Charlemagne, devient empereur de Rome; l'Empire romain porte à nouveau son nom.

1057 Stéphane IX est élu pape sans l'assentiment de l'empereur.

1075 Début du conflit entre l'Eglise et l'Etat.

1122 Concordat de Worms.

1309 Clément V déplace le siège de la papauté à Avignon.

1585-1590 Sous le pape Sixte V, grande activité de construction.

A partir du XVIe siècle Rome perd de son importance politique, commerciale et culturelle.

1809-1814 Rome fait partie de l'empire napoléonien.

1820-1861 Bataille pour l'unification de l'Italie.

1870 Rome devient la capitale du nouvel empire impérial.

1922 Mussolini prend le pouvoir en Italie.

1926 Mussolini devient chef de gouvernement.

1929 Accords de Latran entre le Saint-Siège et l'Etat italien.

4 juin 1944 Rome est libérée par les Alliés.

1946 L'Italie devient une république, divisée en vingt régions; Rome devient la capitale de la région du Latium.

1960 Les XVIIe Jeux olympiques d'été ont lieu à Rome.

Rome extra

1962 Le deuxième concile du Vatican sous le pape Jean XXIII apporte quelques réformes.

1979 Le cardinal polonais Karol Wojtyla devient le pape Jean-Paul II, le premier pape non italien depuis 1523.

1984 Début de la restauration de la chapelle Sixtine.

1990 Championnat du monde de football à Rome.

1992 L'action "mani pulite" marque le début d'une nouvelle ère en Italie. Les enquêtes menées par les juges d'instruction conduisent à l'arrestation de politiciens et de financiers de haut rang. La classe gouvernante italienne n'est plus intouchable.

Juin 1993 La Lega Nord, parti de droite, gagne des voix dans le nord de l'Italie.

Novembre 1993-1994 De plus en plus de politiciens et de dirigeants en vue doivent répondre de corruption. Le baron des médias milanais, Silvio Berlusconi, fonde un nouveau parti, Forza Italia.

27 mars 1994 Forza Italia gagne les élections législatives et forme une alliance politique avec la Lega Nord et les néo-fascistes et compose un gouvernement. Berlusconi est élu chef de gouvernement à Rome.

Novembre 1994 Manifestations, grèves, marches de protestation contre des décisions gouvernementales. Berlusconi est cité par le juge d'instruction Di Pietro pour faits de corruption.

6 décembre 1994 Le plus célèbre des chasseurs de tangenti, Di Pietro, se retire pour cause d'immixtion politique, l'ex-chef d'Etat Bettino Craxi est condamné par contumace – il s'est retiré en Tunisie – à 4 ans 1/2 de prison.

22 décembre 1994 Berlusconi se retire après seulement 7 mois de fonction, suite à trois motions de censure dont une des membres de sa coalition la Lega Nord, ce qui sonne la fin du 53e gouvernement italien de l'après-guerre.

Janvier 1995 Lamberto Dini se voit confier le gouvernement de transition par le président de la République, Oscar Luigi Scalfaro.

Avril 1996 Nouvelles élections. Le parti communiste est au pouvoir, dans une coalition. Armando Prodi est le nouveau président du Conseil et Dini est désigné ministre des Affaires Etrangères.

Ne vous laissez pas tromper: la jolie piazza Venezia est souvent le centre d'une circulation chaotique.

Rome pratique

Tous les chemins mènent à Rome, vous connaissez? Et c'est on ne peut plus juste: impossible de rater Rome!

En voiture

En partant du Nord, prendre à partir de Florence, l'**autostrada del Sole** (A1) qui mène jusqu'à l'autoroute qui fait le tour de la ville, le **Grande Raccordo Anulare** (GRA). Vous arriverez au centre par la via Salaria ou la via Cassia ou la via Flaminia; suivez toujours le panneau "**centro**". Aux périodes de circulation intense et en plein été, les routes sont toujours bouchées. Celui qui arrive du Sud arrive aussi sur le GRA, ou bien il emprunte la via Appia Nuova ou la via Casilina pour arriver au centre. Toutes les pompes à essence sur l'autoroute et la plupart des pompes de la ville vendent de l'essence sans plomb (**benzina senza piombo**).

En avion

Des vols aériens en provenance de France et de Belgique arrivent à l'aéroport **Leonardo da Vinci**, à Fiumicino, à 26 km de Rome. Le moyen le plus facile, pour se rendre de l'aéroport en ville, est le **train de l'aéroport**, avec un départ toutes les 30 minutes et un trajet direct vers le terminus de la gare de Rome. Le ticket coûte 13 000 lires et s'achète d'avance ou directement dans le train, mais avec majoration. Un **trajet en taxi** vers le centre se révèle un début de vacances assez onéreux; il faut compter 65 000 lires. Attention aux conducteurs travaillant "au noir". Les taxis officiels sont d'un jaune éclatant.

En train

Les trains intérieurs et internationaux arrivent généralement à la gare principale **Stazione Termini**. Dans certaines grandes villes, il existe une liaison quotidienne directe. Les billets (**biglietti**), permettant de continuer le voyage, ainsi que les billets de retour, doivent s'acheter de préférence (**biglietti per posti prenotati**) à l'avance dans les agences de voyage, car la délivrance des billets au guichet des gares se fait avec une lenteur désespérante. Quelques trains longue distance s'arrêtent la nuit aux gares **Tiburtina** à l'est de la ville et **Ostiense**, sinon ces gares n'accueillent que des trains régionaux. La Stazione Termini est reliée aux **lignes de métro A** (rouge) et **B** (bleu); des taxis et des **bus ATAC** de couleur orange attendent à la piazza dei Cinquecento, où malheureusement les constructions se poursuivent.
Aussi bien à l'aéroport (tél. 65 95 44 71) qu'à la gare (quai 4; tél. 487 12 70), vous trouverez un bureau d'informations pour touristes **ETP-Bureau du tourisme**.

Une œuvre d'art de verre, marbre et béton: Stazione Termini, la gare principale.

Rome pratique

Sous le nom d' "opération tortue", les autorités ont démarré, fin novembre 1994, une action test de circulation entre le piazzale del Verano et la piazza Ungheria, visant à couronner le vainqueur de la course que se font perpétuellement voitures, taxis, mobylettes et trams.

C'est le taxi qui a gagné, suivi de près par les mobylettes, avec en troisième place le tram et loin derrière la voiture. Pour sauver l'honneur de la mobylette et du vélo, il faut quand même dire que le cycliste a dû se battre avec une chaîne cassée, que la mobylette s'est trouvée coincée dans un embouteillage et que le taxi était conduit par Achille Finamore, un des meilleurs chauffeurs de taxi de Rome. Mais aucune excuse possible pour l'automobiliste. "Opération tortue" l'a prouvé une fois de plus: c'est en voiture qu'on se déplace le moins vite à Rome!

Voitures

Celui qui se laisse tenter par l'aventure qui consiste à parcourir les rues de Rome en voiture doit faire attention à ce qui suit: le **centro storico** est fermé au trafic privé de 6 h à 19 h 30 et le vendredi et le samedi également de 22 h à 2 h. Des autorisations exceptionnelles sont données aux habitants, travailleurs, représentants de commerce – et à ceux qui peuvent prouver l'absolue nécessité de passer par là. Le smog s'est entre-temps tellement épaissi que les autorisations ne sont plus données que très parcimonieusement. Beaucoup d'autres rues ne sont libres d'accès que pour les bus, taxis et habitants. N'oubliez pas: la police romaine est sans pitié!

Il existe au centre deux grands **garages-parkings**. L'un se situe sous la Villa Borghese, près de la porta Pinciani, le deuxième dans la via Ludovisi 60. Un autre parking souterrain – gigantesque – est en préparation.

Vélos et mobylettes

Un trajet en vélo, à travers Rome, dépend des conditions météo. Car, en cas d'alerte au smog, une balade à deux roues devient rapidement peu agréable, à moins de s'équiper d'un masque à gaz.

Les vélos peuvent être loués à la piazza di Spagna (sortie métro) et à la piazza del Popolo (près du bar

D'un jaune éclatant, terriblement cher et "difficile à saisir": obtenir un taxi est une question de chance. Appelez-le plutôt par téléphone.

Rome pratique

Rosati), en été de 18 h à 1 h (sinon uniquement le dimanche matin) ou à la piazza S. Lorenzo à Lucino (via del Corso; en été de 10 h à 2 h, sinon de 10 h à 18 h).

Le centro turistico (CTS) organise aussi occasionnellement des visites guidées à travers Rome à vélo, sous la bannière du "Pedala Roma" et cela gratuitement. Les informations s'obtiennent à tous les points CTS, par exemple dans la via Genova, 16, tél. 467 92 52. Vous préférez traverser Rome à mobylette? Vous pouvez en louer une, par exemple à la via Veneto 156, tél. 322 52 40.

Transports publics

Il y a des bus, des trams et un réseau de métro encore assez réduit. La ligne A et B du **métro** sont en service de 5 h 30 à 23 h 30. D'ici à l'an 2000, on prévoit la construction de sept autres lignes, comportant 80 arrêts. Les **bus ATAC**, de couleur orange, sont un bon moyen de transport, du moins si on ne souffre pas de claustrophobie – ils sont généralement plus que bondés – et si on n'est pas très pressé. La ponctualité n'est pas vraiment leur point fort; de plus le style de conduite des chauffeurs est très téméraire. Depuis l'augmentation de prix, à la fin 1994, on ne peut plus dire que les bus soient vraiment bon marché. La carte s'achète avant le départ: le **biglietto** le plus économique (valable 75 minutes) coûte 1 500 lires, un carnet de 11 billets revient à 15 000 lires, un ticket valable pour une journée entière (**biglietto métrobus giornaliero**) coûte 6 000 lires. Il existe aussi une carte hebdomadaire pour 24 000 lires, une carte mensuelle pour 50 000 lires, ainsi qu'un ticket pour touristes (**biglietto circuito turistico**) de 15 000 lires qui est valable pour 3

Aventure urbaine: traverser Rome en bus tient de l'exploit sportif.

heures de visite en bus à partir du terminus de la gare.

Les cartes s'achètent dans les bureaux ATAC (**Azienda Tramvie e Autobus del Comune di Roma**), aux guichets automatiques et dans la plupart des bureaux de tabac (**tabacchi**), bars et kiosques à journaux. Lorsque les rues sont trop encombrées, pourquoi ne pas passer par l'eau, en empruntant l'**aquabus?** Une ligne mène du ponte d'Aosta jusqu'à l'isola Tiberiana, une autre va du ponte Marconi jusqu'à Ostia Antica.

Les navettes partent deux fois par jour, à 11 h et à 16 h 30, uniquement en été. (Informations par téléphone: 446 34 81).

Calèches

Il est encore possible de traverser Rome en calèche au XXe siècle! Chevaux et cochers vous attendent par exemple à la piazza San Pedro, piazza Venezia, piazza di Spagna et piazza Navona.

Taxis

Quand on n'en a pas besoin, on les voit partout, les fameux taxis romains jaunes, mais dès qu'on sort de chez le coiffeur et qu'une averse menace, il n'y en a évidemment pas un en vue!

Prendre un taxi est cher. Le prix de base se situe aux alentours des 6 400 lires, auquel il faut encore ajouter un supplément pour les bagages (1 000 lires par bagage) et, à partir de 23 h, un supplément pour trajet de nuit.

On peut commander un taxi par téléphone aux numéros suivants: 35 70, 881 77, 66 45 ou 41 57.

Ce genre de pauses rafraîchissantes et humides sont les bienvenues quand on traverse Rome en moto.

Promenade au clair de lune

La meilleure manière, et aussi probablement la plus rapide, pour découvrir Rome est encore de s'y promener à pied. En flânant dans les ruelles, on découvre toujours quelque chose de nouveau. Pendant les mois d'été, la variété de promenades est très grande. Par exemple, une balade au clair de lune à travers le Forum impérial. Les visites guidées par des archéologues amateurs commencent à 21 h et à 22 h et sont également effectuées chaque mercredi en anglais. Pour participer à cette promenade, il faut s'adresser pendant la journée à la Biglietteria dei Mercati Traianei dans la via IV Novembre.

Assurances anti-vol et autres mesures préventives contre le vol

Vous voulez vous rendre à Rome en voiture? Même les plus téméraires hésitent. Ces craintes ne sont pas totalement injustifiées mais si vous prenez quelques précautions élémentaires comme fermer les portes à clé, verrouiller le coffre, fermer les fenêtres, garer votre voiture dans un parking gardé, il y a de grandes chances qu'il n'arrive rien. De plus, les propriétaires de marques chères peuvent être tranquillisés: l'objet de convoitise par excellence des voleurs italiens est la petite voiture.

Qu'il faille cacher les appareils photos et les objets de valeur, cela semble évident.

Mais que cachent ces nombreux Italiens dans une petite boîte carrée, qui jure avec leur élégante garde-robe, et qu'ils portent sous le bras? La plus simple assurance anti-vol. Ils transportent leur autoradio ou leur radiocassette avec eux en promenade, ce qui évite des surprises désagréables. Cependant, si vous trouvez cette solution peu pratique, le mieux est de faire démonter l'installation avant le départ en vacances.

Vous avez pris toutes les mesures de protection nécessaires et malgré tout, au retour d'une promenade, votre auto a disparu? Cela ne signifie pas nécessairement le pire, elle peut simplement avoir été remorquée et amenée à la fourrière. Les voitures mal garées sont placées illico dans les parkings communaux, où elles vous seront restituées contre un paiement important. Votre voiture est encore là, mais les roues ont disparu? Les habitants ont pris leurs précautions pour ce genre de mésaventure. Dès qu'on s'approche de trop près d'une voiture, une alarme stridente se fait entendre.

Celui qui tient vraiment à sa voiture doit la laisser à la maison. Cela vaut d'ailleurs aussi pour les sacs à main, ce qui n'est pas toujours pratique. Rome est le terrain d'activité de prédilection des **scippato-**

Rome extra

Gardez toujours un œil sur vos affaires, même quand vous admirez un monument.

ri, des pickpockets aux méthodes raffinées, qui s'emparent de votre sac en quelques instants. Les bijoux ne sont pas non plus l'idéal lors d'une promenade à travers Rome, ni le sac en croco avec de l'argent liquide. Il faut surtout faire attention aux cohues des bus, trams et métro ou lors des fêtes. Faites comme les Romains, serrez votre sac fermement sous le bras qui longe le mur. Des histoires sinistres courent au sujet des voleurs à moto, qui arrachent le sac des passants à partir de leur vespa. Ici aussi, il s'agit de faire attention, sans pour cela croire que, tous les deux jours, un touriste se fait traîner dans la ville par la lanière de son sac accrochée à une vespa.

La probabilité de se faire voler par un enfant tsigane est bien plus élevée. Les petits implorent les touristes et, tandis qu'ils vous demandent quelques pièces, ils vous arrachent votre porte-monnaie. Il existe plusieurs bandes à Rome qui se sont spécialisées dans ce genre de tactique de vol et qui utilisent des mineurs qui ne sont pas inquiétés.

Rome pratique

La vie est chère à Rome et y passer la nuit n'est pas gratuit. Pour un hôtel de troisième classe, il faut débourser près de 140 000 lires pour une nuit en chambre double.

Les hôtels situés au centre de la ville font pratiquement tous partie de la classe de prix élevée, mais ils présentent un avantage indéniable en été. Après une matinée épuisante passée en excursion, on se réjouit d'une douche rafraîchissante aux environs de midi, et, pendant les chaudes nuits d'été, vous ne regretterez certainement pas la climatisation de votre chambre.

La taille et l'équipement des chambres peuvent varier énormément d'un hôtel à l'autre. Demandez par principe une chambre avec balcon ou terrasse et faites-vous montrer le logement avant de signer. Il faut faire preuve de prudence, surtout en hiver, dans le choix des hôtels deux étoiles qui se trouvent à tous les coins de rue dans les quartiers entourant les gares. Des sols en pierres glacés et des salles de bains non chauffées peuvent rendre un séjour très désagréable.

Pendant les périodes d'été, ainsi qu'à Pâques et à Noël, il est recommandé de réserver la chambre deux à trois mois à l'avance. Si votre séjour est assez long, vous pourrez probablement négocier des tarifs préférentiels, ce qui est d'ailleurs valable pour le week-end.

Croissants frais au bar du coin

L'Italien déjeune très rapidement. Un cappuccino, un **caffè con latte**, quelques biscuits (**biscotti**) ou un croissant, en passant rapidement dans un bar, et le tour est joué. Il ne faut pas espérer trouver du fromage, du jambon ou du muesli. Et l'hôtel suit cette habitude de déjeuner réduit, à moins qu'il ne serve un buffet-déjeuner ou qu'il ne se soit adapté à d'autres habitudes de petits déjeuners copieux. Néanmoins, une **prima colazione**, prise dans un bar, fait partie du charme. De plus, l'odeur des croissants fraîchement sortis du four est irrésistible...

Classes de prix

Les prix sont donnés pour une nuit en chambre double, pour deux personnes, sans petit déjeuner.
Classe de luxe: à partir de 450 000 lires
Classe de prix élevée: à partir de 260 000 lires
Classe de prix moyenne: à partir de 150 000 lires
Classe de prix inférieure: à partir de 80 000 lires

Aspect romantique qui ne laisse personne indifférent: l'hôtel Raphaël est revêtu d'un manteau de lierre.

Rome pratique

Hôtels

Abruzzi ■ c 2, p. 100
Le point fort de cet hôtel est sa situation, juste en face du Panthéon. Les chambres sont équipées simplement, celles sur le devant assez bruyantes, à l'arrière un peu plus calmes.
Piazza della Rotonda 69
Tél. 679 20 21
Bus 46, 62
25 chambres
Classe de prix inférieure

De' Borgognoni ■ b 4, p. 61
Le service est de bonne qualité et, ce qui est encore mieux, beaucoup de chambres de ce petit hôtel ont leur propre terrasse ou un petit jardin.
Via del Bufalo 126
Tél. 6 78 00 41, Fax 69 94 15 01
Bus 61, 52
50 chambres
Classe de prix élevée (EC, Visa, DC, Amex)

Campo de'Fiori ■ b 2, p. 100
Voir Les 10 hôtels les plus confortables, p. 40-41.

Cardinal Hôtel ■ a 2, p. 100
Palais dessiné par Bramante, datant du début du XVIe siècle, situé dans l'une des plus belles rues de Rome.
Via Giulia 62
Tél. 68 80 27 19, Fax 6 78 63 76
Bus 23, 65
74 chambres
Classe de prix élevée (EC, Visa, DC, Amex)

Carriage ■ b 3, p. 61
Le hall d'entrée avec ses miroirs dorés et ses candélabres est assez tape-à-l'œil, les chambres sont partiellement meublées avec des antiquités.
Via delle Carrozze 36
Tél. 6 99 01 24, Fax 6 78 82 79
Métro: Spagna
27 chambres
Classe de prix moyenne (EC, Visa, DC, Amex)

Colonna Palace ■ a 4, p. 61
La Chambre des députés est située à proximité. C'est pourquoi ici on rencontre souvent des politiciens. Avec jardins sur le toit et piscine.
Piazza di Montecitorio 12
Tél. 6 78 13 41, Fax 6 79 44 96
Bus 56, 62
110 chambres
Classe de prix élevée (EC, Visa, DC, Amex)

Columbus ■ e 3, p. 170
Voir Les 10 hôtels les plus confortables, p. 40-41.

Eden ■ c 3, p. 61
Après une cure de rajeunissement, cet hôtel de luxe à rouvert ses portes en septembre 1994. Lors de la fête d'ouverture, la jet-set s'y est donné rendez-vous.
Via Ludovisi 49
Tél. 4 74 24 01, Fax 4 82 15 84
Métro: Spagna
112 chambres
Classe de luxe (EC, Visa, DC, Amex)

L'Excelsior ■ c 3, p. 61
Si Arnold Schwarzenegger passe par Rome, il fait savoir qu'il a loué une villa à l'extérieur de la ville. Du simple camouflage. En réalité, il réside à l'Excelsior.
Via Veneto 125
Tél. 47 08, Fax 4 82 62 05
Métro: Barberini
282 chambres
45 appartements
Classe de luxe (EC, Visa, DC, Amex)

Flora ■ c 3, p. 61

Situation de prestige dans la via Veneto, avec de belles et grandes chambres agencées à l'ancienne et à l'atmosphère romantique.
Via Veneto 191
Tél. 48 99 29, Fax 4 82 03 59
Métro: Barberini
176 chambres
Classe de prix élevée (EC, Visa, DC, Amex)

Fontana ■ b 2, p. 208

Voir Les 10 hôtels les plus confortables, p. 40-41.

Forum ■ b 1, p. 142

Voir Les 10 hôtels les plus confortables p. 40-41.

Compris dans le prix de la nuitée à l'hôtel Fontana: le murmure de la fontaine de Trevi.

Le Grand Hôtel ■ d 1, p. 208

Lorsque la dynastie de la joaillerie fête son jubilée avec son invitée d'honneur Sophia Loren, cela se fait au Grand Hôtel.
Via Vittorio Emanuele Orlando 3
Tél. 47 09, Fax 4 74 73 07
Métro: Repubblica
171 chambres
Classe de luxe (EC, Visa, DC, Amex)

Gregoriana ■ b 3, p. 61

Ce petit hôtel impeccable est un ancien couvent, avec des chambres d'aspect uniforme: tapisseries à fleurs au mur et portes laquées noires. Le petit déjeuner est servi dans la chambre.
Via Gregoriana 18
Tél. 6 79 42 69, Fax 6 78 42 58
Métro: Spagna
19 chambres
Classe de prix moyenne

Hassler-Villa Medici ■ b 3, p. 61

Voir Les 10 hôtels les plus confortables, p. 40-41.

Rome pratique

*Il n'y a pas que les archéo-
logues qui apprécient l'hôtel
Forum qui permet d'admirer
toute la Rome antique.*

Hôtel d'Inghilterra   ■ b 3, p. 61
Voir Les 10 hôtels les plus confortables, p. 40-41.

Locarno   ■ a 2, p. 61
Voir Les 10 hôtels les plus confortables, p. 40-41.

Lord Byron   ■ b 1, p. 61
Une oasis de calme: au Lord Byron, le
plus petit des hôtels de luxe, au bord
de la Villa Borghese, l'atmosphère
intime a droit de cité. Le restaurant
attenant (p. 86) compte parmi les
meilleurs de Rome.
Via Giuseppe de Notaris 5
Tél. 3 22 45 41, Fax 3 22 04 05
Métro: Flaminio; bus 52
50 chambres et suites
Classe de luxe (EC, Visa, DC, Amex)

Majestic   ■ c 3, p. 61
Elton John a passé la nuit ici. Mais,
lors de la dernière visite de la super-
star, les fans ont attendu en vain: la
star du rock a uniquement employé la
suite réservée au Majestic pour
changer de vêtements et pour s'en-
voler ensuite vers Milan. Evidem-
ment, avec une telle garde-robe...
Via Veneto 50
Tél. 48 68 41, Fax 4 88 09 84
95 chambres
Métro: Barberini
Classe de luxe (Visa, DC, Amex)

Margutta   ■ a 3, p. 61
Il faut demander une chambre à
l'étage supérieur, car c'est le seul qui
a des terrasses.
Sinon situation centrale, plutôt calme
et simple.
Via Laurina 34
Tél. 3 22 36 74, Fax 3 20 03 95
Métro: Flaminio
21 chambres
Classe de prix moyenne (EC, Visa,
DC, Amex)

Mozart
■ a 3, p. 61

Les chambres ne sont ni particulière-
ment grandes ni luxueuses, mais le
service est bon et le bar de l'hôtel La
Luna d'oro n'est pas mauvais.
Via dei Greci 23b
Tél. 36 00 19 15, Fax 6 78 42 71
Métro: Flaminio
31 chambres
Classe de prix moyenne (EC, Visa, DC,
Amex)

Ponte Sisto
■ b 3, p. 100

Hôtel simple, propre et pratique,
avec parking et jardin. Surtout choisi
par des groupes mais, si l'on réserve
à temps, on a peut-être encore une
chance...
Via dei Pettinari 64
Tél. 6 86 88 43, Fax 68 30 88 22
Bus 23, 65
98 chambres
Classe de prix inférieure (EC, Visa,
DC, Amex)

Portoghesi
■ b 1, p. 100

Petit hôtel simple, rénové récem-
ment, près de la piazza Navona, avec
une belle terrasse sur le toit.
Via dei Portoghesi 1
Tél. 6 86 42 31, Fax 6 87 69 76
Bus 70
27 chambres
Classe de prix moyenne (EC, Visa)

Quirinale
■ d 2, p. 208

Hôtel traditionnel dans les environs
de la gare.
Chambres décorées dans le style
impérial, possibilité de jacuzzi. Beau
jardin.
Via Nazionale 7
Tél. 47 07, Fax 4 82 00 99
Métro: Repubblica
200 chambres
Classe de prix élevée (EC, Visa, DC,
Amex)

Raphaël
■ b 1, p. 100

L'ancien palais, derrière la piazza
Navona, est complètement recouvert
de lierre – idéal pour le romantisme.
La situation est aussi agréable. Sous
Bettino Craxi, le Raphaël était un
point de rencontre favori des socia-
listes, mais ces temps sont bel et
bien révolus...
Largo Febo 2
Tél. 4 88 43 42, Fax 4 74 49 05
Bus 46, 62, 64
83 chambres
Classe de prix élevée (EC, Visa, DC,
Amex)

La Residenza
■ c 3, p. 61

De jolies chambres dans une villa
transformée, avec un buffet de déjeuner abondant. Demandez une
chambre avec balcon.
Via Emilia 22
Tél. 4 88 07 89, Fax 48 57 21
Métro: Barberini
28 chambres
Classe de prix moyenne (EC, Visa)

Sant'Anselmo
■ c 5, p. 187

Cette jolie villa, à la situation très
tranquille, est dirigée par un sympathique duo féminin. Jardin superbe,
dans lequel il est agréable de déjeuner.
Piazza Sant'Anselmo 2
Tél. 5 78 32 14, Fax 5 78 36 04
Bus 94
45 chambres
Classe de prix moyenne (EC, Visa,
DC, Amex)

Sole al Panthéon
■ c 2, p. 100

Voir Les 10 hôtels les plus confortables, p. 40-41.

Teatro di Pompeo
■ b 3, p. 100

Voir Les 10 hôtels les plus confortables, p. 40-41.

Les 10 hôtels les plus confortables

Campo de'Fiori ■ b 2, p. 100
... parce qu'on aimerait passer toutes ses vacances sur le toit-terrasse de cet hôtel confortable et que le plus beau marché de Rome est à portée de main.
Via del Biscione 6
Tél. 6 87 48 86, Fax 6 87 60 03
Bus 62, 64
27 chambres
Classe de prix moyenne (EC, Visa)

Columbus ■ e 3, p. 170
... parce qu'il règne tant de spiritualité et une atmosphère si cordiale dans ce palazzo du XVe siècle, où les cardinaux aiment descendre, parce que le Vatican se trouve au coin, qu'il a quelque chose de reposant.
Via della Conciliazione 39
Tél. 6 86 52 45, Fax 6 86 48 74
Bus 41
100 chambres
Classe de prix moyenne (EC, Visa, DC, Amex)

Fontana ■ b 2, p. 208
... parce que le doux murmure de la fontaine de Trevi fait rêver à la **dolce vita**.
Piazza di Trevi 96
Tél. 6 78 61 13, Fax 6 79 00 24
Métro: Barberini
25 chambres
Classe de prix élevée (EC, Visa, DC, Amex)

Forum ■ b 1, p. 142
... parce que même les archéologues amateurs peuvent réaliser tous leurs souhaits. Après une longue journée passée dans les forums impériaux, on continue avec le repas du soir avec vue sur les mêmes forums.
Via Tor de' Conti 25
Tél. 6 79 24 46, Fax 6 78 64 79
Métro: Colosseo
76 chambres
Classe de prix élevée (EC, Visa, DC, Amex)

Hassler Villa-Medici
■ b 3, p. 61
... parce que cela vaut la peine de passer au moins une nuit dans un de ces hôtels fabuleux et parce que le bar dans la chambre compte 15 différentes marques de champagne.
Piazza Trinità dei Monti 6
Tél. 6 79 26 51, Fax 6 78 99 91
Métro: Spagna
103 chambres et suites
Classe de luxe (EC, Visa, DC, Amex)

10x10

Hôtel d'Inghilterra
■ b 3, p. 61

... parce que Hemingway y a mis les pieds et que, juste à côté, se trouvent les meilleures adresses pour les achats.
Via Bocca di Leone 14
Tél. 6 99 81, Fax 69 92 22 43
Métro: Spagna
100 chambres
Classe de luxe (EC, Visa, DC, Amex)

Locarno
■ a 2, p. 61

... parce que l'excellent service est certainement responsable du fait que tant d'artistes et d'intellectuels descendent dans ce confortable hôtel.
Via della Penna 22
Tél. 3 61 08 41, Fax 3 21 52 49
Métro: Flaminio
38 chambres, 1 suite
Classe de prix moyenne (EC, Visa, DC, Amex)

La Scalinata di Spagna
■ b 3, p. 61

... parce que, de cette pension, on peut presque déjeuner sur les marches de l'escalier de la Trinité-des-Monts et que l'intérieur est axé sur la vie romaine.
Piazza Trinità dei Monti 17
Tél. 6 79 30 06, Fax 69 94 05 98
Métro: Spagna
15 chambres
Classe de prix moyenne (EC, Visa, DC, Amex)

Sole al Panthéon
■ c 2, p. 100

... parce que la vue débouche directement sur le Panthéon – ce qui le rend parfois un peu bruyant – mais c'est ce qui depuis 500 (!) ans attire les visiteurs dans cet hôtel.
Piazza della Rotonda 63
Tél. 6 78 04 41, Fax 6 84 06 89
Bus 46, 62, 30 chambres
Classe de prix moyenne (EC, Visa, DC, Amex)

Teatro di Pompeo
■ b 3, p. 100

... parce que vous y dormirez tout près de la cour intérieure du teatro di Pompeo, où César fut assassiné par Brutus il y a 2 000 ans...
Largo del Pallaro 8
Tél. 6 87 25 66
Fax 68 80 55 71
Bus 46, 62, 64
12 chambres
Classe de prix moyenne (EC, Visa, DC, Amex)

Réservation d'hôtels facile: en faisant le numéro de téléphone gratuit 6 99 10 00, vous pourrez réserver une chambre dans 200 hôtels romains.

Rome pratique

Villa Borghese ■ c 2, p. 61
Chambres petites mais agencées
avec goût – et derrière l'hôtel, une
place au soleil.
Via Pinciana 31
Tél. 8 54 96 48, Fax 8 41 41 00
Métro: Barberini
31 chambres
Classe de prix moyenne (EC, Visa,
DC, Amex)

Pensions

Discrète ambiance familiale, peu de
clients, prix bas mais, bien sûr, il ne
faut pas avoir de trop grandes exi-
gences.

Florida ■ e 1, p. 170
Via Cola di Rienzo 243
Tél. 3 24 18 72
Métro: Lepanto, Ottaviano
10 chambres
Classe de prix inférieure

Davos ■ B1, carte avant
Via degli Scipioni 239
Tél. 3 21 70 12
Métro: Ottaviano
10 chambres
Classe de prix inférieure

La Scalinata di Spagna
■ b 3, p. 61
Voir Les 10 hôtels les plus confortables, p. 40-41

Logements chez des particuliers

C'est une manière bon marché et
confortable de se loger au cœur de la
ville, chez des connaissances ou non.
Il existe de nombreuses possibilités
de louer une chambre dans Rome.

Renseignements auprès du
Bureau du tourisme
■ d 1, p. 208
Via Parigi 11
Tél. 48 89 91

Hôtel-résidence

Si vous désirez séjourner plus longtemps à Rome, que vous appréciez
confort, goût et service, il est possible de louer un appartement dans un
hôtel (residenza).
Selon l'équipement et la situation, un
séjour de plusieurs semaines revient
entre 600 000 et 2 millions de lires
par semaine.
Renseignements auprès des bureaux
de tourisme (voir Logements chez des
particuliers).

Campings

Camping Fabulus
Pour les adeptes du bon air, il propo-
se 4 000 places réparties sur 300 000
mètres carrés. Piscine.
Via C. Colombo, km 18
Tél. et Fax 5 25 93 54
Bus vers Casal Palocco (dire bien
clairement au chauffeur que vous
voulez descendre au camping!)
Ouvert toute l'année

Flaminio
600 emplacements répartis sur
100 000 mètres carrés, avec piscine.
Un des meilleurs campings de Rome.
Via Flaminia Nuova, km 8,2
Tél. 3 33 26 04
Fax 3 33 06 53
Bus 200
Ouvert à partir du 10 mars

Auberges de jeunesse

Ostello del Foro Italico
350 places, uniquement avec passe-port auberge de jeunesse. En été, réservation absolument nécessaire.
Viale delle Olimpiadi 61
Tél. 3 23 62 79, Fax 3 24 26 13
Bus 32

YWCA
d 2, p. 208
L'association catholique pour jeunes filles offre aux visiteuses un loge-ment simple dans les environs de la gare. Le passeport d'auberge de jeunesse n'est pas nécessaire.
Via Cesare Balbo 4
Tél. 4 88 39 17
Métro: Termini

Couvents

Location de chambres dans les cou-vents aux endroits suivants:

Office des pèlerins Santa Maria dell'Anima
b 2, p. 100
Envoie sur demande une liste des différentes possibilités de logement.
Via della Pace 20
Tél. et Fax 6 86 41 60

Office des pèlerins via della Conciliazione
e 2, p. 170
Envoie également une liste des loge-ments possibles dans un couvent.
Via della Conciliazione 50
Tél. 6 89 71 97
Fax 6 86 94 90

Hôtels dans les environs

En été, ce n'est pas une mauvaise idée de prendre ses quartiers dans un hôtel situé un peu à l'extérieur de Rome. On y trouve quelques avanta-ges: pas de pollution, pas de bruit, des prix plus bas et généralement de bonnes liaisons.

Giovannella
c 2, p. 286
Profiter de l'air frais de la campagne, manger dans un beau jardin, passer la nuit agréablement – tout ceci est possible dans cet hôtel confortable. Eloigné d'une vingtaine de kilomètres de Rome, on l'atteint par la via Tus-colana, en direction de Frascati. A environ 3 kilomètres derrière Frasca-ti, se trouve le monte Porzio.
Piazza Trieste 1
Monte Porzio
Tél. 9 44 90 38, Fax 9 44 91 09
40 chambres
Classe de prix moyenne (EC, Visa, DC, Amex)

Villa Florence
b 2, p. 286
Se trouve un peu à l'écart de l'agita-tion, possède un beau jardin, quel-ques places de parking – et a, en la personne de Salvatore, le réception-niste le plus sympathique de la ville. Situé à environ trois kilomètres de la limite de la ville de Rome.
S'atteint facilement par la via Sala-ria.
Via Nomentana 28
Tél. 4 40 30 36, Fax 4 40 27 09
25 chambres
Classe de prix moyenne (EC, Visa, DC, Amex)

Villa Mercede
c 3, p. 286
Piscine privée et belle terrasse avec vue superbe. Toutes les chambres ont TV et téléphone.
A environ 16 kilomètres de Rome, s'atteint par la via Tuscolana.
Frascati
Tél. 9 42 71 10, Fax 9 41 64 61
52 chambres
Classe de prix moyenne (Visa)

Rome pratique

C'est un fait connu que les anciens Romains étaient des gourmets et des gourmands. Les tables croulaient sous l'abondance des plats. On mangeait couché, jusqu'à satiété complète, pour recommencer dès que possible.

Manger est resté une des occupations préférées des Romains. Heureusement, le savoir-vivre est passé par là. Manger n'est pas simplement se nourrir, c'est une vraie fête: **antipasti**, ensuite une assiette de **pasta**, un **secondo**, un **dolce** et un **caffè** pour couronner le tout, de préférence deux fois par jour et au moins pendant une heure et demie – ce qui explique les longues siestes de l'après-midi.

Faire du bien au lieu de bien manger

Un cri d'horreur a résonné dans la cuisine italienne durant l'hiver 1994, lorsque le pape a recommandé "meno cibo, più carità", "manger moins pour plus de bien-être". "Le pape a raison de demander des offrandes mais, pour l'amour de Dieu, qu'il nous laisse manger!"

La cuisine italienne est une véritable attaque à la silhouette mince, car elle est riche, calorique et très typique.

Un des plats les plus tentants sont les **fettucine al burro**, pâtes allongées au beurre. La pâte à fettuci doit contenir des œufs, ce qui donne la belle couleur dorée à cette spécialité. Les **bucatini** (pâte en petits tuyaux) **con pancetta** (au lard) ou encore les **gnocchi alla romana** (au beurre et grillés à la chapelure et au parmesan) font partie des **primi piatti** (entrées). Ils ont d'ailleurs chacun leur jour: le jeudi, c'est journée gnocchi à Rome. La soupe romaine traditionnelle **stracciatella**, à base de bouillon, œufs, nouilles et fromage, est généralement assez fade. Le repas gourmet typique peut se poursuivre avec des **saltimbocca** (escalopes de veau au jambon cru et sauge), dont la renommée a depuis longtemps passé les frontières italiennes.

Cuisine traditionnelle soignée

L'**abbacchio**, plat consistant à base d'agneau, est un autre plat principal célèbre, que l'on peut accompagner de **carciofi alla giudea** (artichauts à l'ail et persil), **pomodori di riso** (avec des tomates farcies au riz) ou des **piselli al prosciutto** (petits pois au jambon). Comme plat principal caractéristique, **secondi**, on sert en plus des **trippa**, tripes, des **pagliata**, boyaux de veau, bœuf ou agneau fourrés, du **baccalà**, morue séchée, de préférence frite. Pour les poissons, il est intéressant de se renseigner pour savoir s'il est frais **(fresco)** ou s'il sort du congélateur **(surgelato)**. Les Romains sont particulièrement fiers d'une sorte de salade qui n'existe qu'à Rome: la **puntarelle** –

une salade verte mélangée à des germes, excellente mais qui baigne dans l'huile et l'ail!

Après le plat principal, vient le fromage, **il formaggio,** ou le dessert, **il dolce.** Les sortes de fromage préférées sont: le **pecorino** (fromage de chèvre allant de doux à piquant), le **caciocavallo** ou **caciotta**, que l'on sert avec des fèves des marais.

Desserts romains

Les Romains ne sont pas tellement portés sur les douceurs. Il y a une explication très pratique à cela: les **antipasti** sont succulents, les **primi piatti** abondants et les plats principaux ne sont pas non plus toujours des plus faciles à digérer. Quand c'est le tour des desserts ou des douceurs, il reste peu de place dans les estomacs romains....

L'exception, ce sont les douceurs traditionnelles de Noël, les **panettoni**, à la pâte levée légère, les **frittelle,** sorte de beignets ronds qui

L'ambiance historique de la piazza della Rotonda conduit à de merveilleuses soirées gastronomiques.

sont surtout — mais pas uniquement — mangés au carnaval, ainsi que les **colombe** (gâteau de pâte levée) ou les œufs de Pâques géants, en chocolat.

Sans oublier le **gelato**! Aucun Romain ne résiste à une glace délicatement parfumée. En général, cette douceur se déguste le soir, lors d'un tour en ville. Lorsque le mercure monte, la **granita** fait son apparition, sœur glacée du **gelato,** à base de glace pilée, qui existe dans tous les goûts et constitue un rafraîchissement délicieux.

Les 10 restaurants à recommander

Dal Bolognese ■ a 2, p. 61
... parce que les gens en vue viennent y manger, Claudia Schiffer par exemple, quand elle est en ville (→ p. 81).

La Campana ■ b 1, p. 100
... parce que les prêtres et les politiciens viennent y goûter depuis 100 ans le **fritto alla romana** (→ p. 113).

Checchino dal 1887
■ c 6, p. 187
... parce que la famille de mamma Ninetta cuisine déjà depuis cinq générations pour les Romains (→ p. 199).

Checco er Carrettiere
■ b 2, p. 126
... parce que, dans une atmosphère de maison de campagne intime, on sert des spaghettis aux moules de première classe (→ p. 133).

Da Lucia ■ b 3, p. 126
... parce que des mets si bons, dans une ambiance si agréable, à des prix si doux, ne peuvent rester plus longtemps secrets (→ p. 134).

10x10

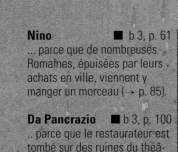

Nino ■ b 3, p. 61

... parce que de nombreuses Romaines, épuisées par leurs achats en ville, viennent y manger un morceau (→ p. 85).

Da Pancrazio ■ b 3, p. 100

.. parce que le restaurateur est tombé sur des ruines du théâtre de Pompéi en creusant sa cave à vin (→ p. 114).

Da Papa Giovanni
■ b 2, p. 100

... parce que les nappes en plastique rouge sont si kitsch et que les fromages y remplacent les assiettes de pâtes (→ p. 114).

Travailleuses missionnaires
■ c 2, p. 100

... parce que les sœurs missionnaires récitent des Ave Maria dans les couloirs (→ p. 115).

La Parolaccia Cencio
■ b 2, p. 126

... parce qu'on y entend les pires insultes (→ p. 135).

> Le jeudi est "jour gnocchi" à Rome.

Rome pratique

Vins blancs couleur d'ambre

La liste des vins est dominée par les vins blancs secs de la région des **Castelli Romani**. Les vins rouges, plus corsés, sont conservés pour l'hiver. Le vin se boit **sfuso**, c'est-à-dire servi dans le pichet, ou bien dans sa bouteille **(bottiglia)**. Le vin en bouteille est un peu plus cher, mais au moins on est sûr de boire celui qui est indiqué sur l'étiquette. Essayez néanmoins le vin en pichet, car les habitants se réservent souvent les bonnes choses...

Trattoria, osteria, ristorante, pizzeria...

Si vous ne désirez pas faire un repas complet, comprenant plusieurs services, vous trouverez ce qu'il vous faut dans une **osteria** ou une **trattoria**. Personne ne vous regardera de travers si vous vous limitez à un ou deux plats. Dans une **enoteca**, vous boirez la quantité de vin que vous voulez, en mangeant un petit quelque chose. Dans un élégant **ristorante** par contre, vous ne pourrez vous contenter d'une salade mixte... En Italie, une pizza se mange exclusivement dans une **pizzeria** et uniquement le soir. Pour les en-cas dans la journée, il existe les **pizze al taglio**, des morceaux de pizza à emporter. Un **bar** convient aussi très bien pour un repas léger et rapide. Vous y trouverez des **panini** (pains garnis), toasts, **focaccie** ou des **tramezzini** (tranches de pain de mie, garnies de manière délicieuse). Et, pour terminer le repas, pourquoi ne pas se laisser tenter par une glace dans une **gelateria** ou une tartelette dans une **pasticceria**?

A Rome, le repas de midi se prend

Petit, noir et sucré – à recommander à tout moment du jour ou de la nuit: "Un caffè, prego."

entre 13 h et 15 h 30 et celui du soir à partir de 20 h.

Sur l'addition **(conto)**, on verra apparaître un supplément pour le pain et le couvert.

Les restaurants et autres endroits de restauration sont repris dans le chapitre intitulé "Rome et ses quartiers".

Classes de prix

Les prix sont indiqués pour un plat principal, sans boisson.
Classe de luxe: à partir de 100 000 lires
Classe de prix élevée: à partir de 60 000 lires
Classe de prix moyenne: à partir de 40 000 lires
Classe de prix inférieure: à partir de 25 000 lires

Lexique

A

abbacchio: agneau
- *alla cacciatora:* avec une sauce à l'ail, vin blanc, piments et anchois
acciughe: anchois
acqua: eau
- *gassata:* gazeuse
acquacotta: soupe de légumes, parfois avec des œufs et du fromage
agnolotti: sorte de raviolis, farcis à la viande et aux légumes, parfois avec de l'ail
aleatico: vin de dessert doux
anatra: canard
antipasto: entrée
- *di mare:* avec des fruits de mer
a scelta: au choix
assortito: mélange
astice: homard

B

bibita: boisson
bigola in salsa: spaghettis épais dans une sauce aux anchois
birra: bière
- *alla spina:* à la pression
bistecca: bifteck
- *alla pizzaiola:* avec une sauce aux tomates, basilic et ail
bollito: cuit
brodo: bouillon
bruschetta: pain grillé avec de l'ail et des olives
budino: pudding
burro: beurre

C

cacciucco: soupe de poisson piquante
caciocavallo: fromage fort
caciotta: fromage doux
caffè: expresso
- *decaffeinato:* décaféiné
- *freddo:* café froid
- *latte:* au lait
calamaro: calmar
calzone: pizza épaisse et farcie
- *alla campagnole:* avec des légumes, des tomates et des œufs
- *alla laziale:* à la viande et aux œufs, dans une sauce tomate et gratiné
- *alla napoletana:* farci au fromage et au jambon, dans une sauce tomate
caponata: plat unique aux aubergines, poivrons, tomates, ail, huile, épices, servi le plus souvent froid comme entrée
- *alla carbonara:* avec une sauce au fromage, œufs, jambon, crème fraîche et beurre
carciofo: artichaut
- *alla giudea:* à l'ail et au persil
- *alla romana:* à l'ail, vin blanc et huile
castelli romani: vin blanc sec
cassata: tarte glacée
cena: dîner
colazione, pranzo: déjeuner
costata: entrecôte
costoletta: côtelette
- *alla milanese:* entrecôte panée
- *alla parmigiana:* gratinée au parmesan
cozze: moule

D

alla diavola: avec une sauce piquante aux poivrons et piments
dolce: doux, dessert
dolci: pâtisseries

E

Est! Est! Est!: vin blanc de la région du nord de Rome

F

faciolata: ragoût de porc aux haricots blancs et tomates
favata: soupe aux haricots et lard
fegato: foie
ai ferri: grillé
focaccia: pain à l'huile d'olive, souvent servi avec des oignons et des tomates
formaggio: fromage
forte: fort épicé
frappe: milk-shake
frittata: omelette
fritto: frit

G

gamberelli: crevettes
alla genovese: sauce au basilic, pignons de pin, ail et olives
grana: fromage râpé
granita: boisson glacée aux différents goûts

I

insalata: salade

L

lacrima christi: vin du pays: rouge, rosé ou blanc
lambrusco: vin rouge doux
linguine: nouilles plates

M

maiale: viande de porc
manzo: viande de bœuf
alla marinera: sauce aux olives, tomates, ail, moules et fruits de mer
marsala: vin rouge de dessert
melanzana: aubergine
- *ripiena:* farcie
merluzzo: cabillaud
minestra: soupe

N

alla napoletana: sauce au fromage, tomates et épices
nostrano: de chez nous

P

alla paesana: sauce au lard, pommes de terre, carottes et autres légumes
pancetta: lard
pane: pain
- *casareccio:* pain maison
- *integrale:* complet
- *scuro:* pain gris
panna: crème fraîche
papardelle: larges pâtes
parmigiano: parmesan
peperonata: plat de légumes aux poivrons et tomates
pesce: poisson
piatto: assiette
- *del giorno:* plat du jour
alla piemontese: aux truffes et au riz
pollo: poulet
pomodoro: tomate
pranzo: repas de midi
prima colazione: petit déjeuner
prosciutto: jambon
- *affumicato:* fumé

R

raviggiolo: fromage de chèvre
ripieno: farci
riso: riz
risotto: riz cuit avec différents ingrédients
alla romana: avec des légumes, des oignons, de la menthe et des anchois

S

salame: salami
sangiovese: vin rouge de table
scaloppa: escalope
seppia: seiche

servizio (non) compreso: service (non) compris
spiedino: brochette de viande
stracciatella: soupe romaine traditionnelle; glace aux pépites de chocolat
strega: liqueur assez forte
sugo: sauce

T

tagliatelle: nouilles plates
tonno: thon
tramezzino: sandwich
trota: truite

Des fromages succulents, des charcuteries fines: de quoi vous mettre l'eau à la bouche.

U

uovo: œuf
- *alla fiorentina:* œufs sur un lit d'épinards
- *molla:* mollets
- *sodo:* durs
- *strapazzato:* brouillés

V

valpolicella: vin rouge léger
alla veneziana: sauce aux oignons et vin blanc
vino: vin
- *bianco:* blanc
- *del paese:* du pays
- *rosato:* rosé
- *rosso:* rouge
- *sfuso:* du tonneau
vitello: viande de veau

Z

zuppa: soupe

Rome pratique

La mode romaine se décline avec un grand V, comme Valentino. Le créateur italien, qui compte Sophia Loren parmi ses clientes les plus célèbres, est le grand maître de l'alta moda romaine et aussi un des rares à être resté fidèle à Rome et non Milan.

La mode se fait à Milan et est présentée à Rome. Pour les grandes foires et les présentations de mode prestigieuses, avec mise en scène spectaculaire sur l'escalier de la Trinité-des-Monts ou au Capitole, c'est encore et toujours Rome qui donne le ton.

Dames imaginatives

A côté de Valentino, les dames ont aussi leur cour: Laura Biagiotti, la reine de la mode conservatrice et élégante et les sœurs Fendi, qui sont passées de la fourrure et des créations en cuir à l'**alta moda**.
Pas de problème, vous dénicherez la robe de vos rêves de Versace ou Krizia à Rome, car tout créateur de mode qui se respecte a bien sûr un magasin à son enseigne dans le centre historique de Rome. Il est cependant nécessaire d'avoir un porte-monnaie bien rempli pour faire ses emplettes dans la **via dei Condotti** et dans les rues secondaires comme la **via Borgognona**, la **via Bocca di Leone** et dans la **via Veneto**.
Si les boutiques des grands couturiers dépassent vos possibilités, vous trouverez une mode pour jeunes gens, à prix plus accessibles, dans la **via del Corso, via Nazionale, via del Tritone et via Cola di Rienzo**. Des vêtements de seconde main, à la mode, se dénichent **via del Governo Vecchio**.

Pas l'endroit pour faire de bonnes affaires

Il faut malheureusement se faire à l'idée que Rome n'est pas la ville idéale pour faire de bonnes affaires. Ce qui est d'ailleurs aussi vrai pour les antiquités et l'art. L'offre est importante, généralement assez classique, mais également aussi chère. Autour de la **via del Babuino**, se trouve le quartier artistique avec des galeries de haut niveau et des maisons d'exposition, où l'art traditionnel et d'avant-garde se côtoient. La **via Margutta** est depuis des décennies la bonne adresse que se refilent les collectionneurs d'antiquités et d'objets d'art et la **via Giulia** ne se trouve pas loin.
Les bouquineurs trouveront leur bonheur **piazza Borghese**. Dans la **via dei Coronari**, les brocanteurs pourront chiner à leur aise et s'exercer pour le grand marché aux puces du dimanche matin à la **Porta Portese** dans le Trastevere.
Les gourmets se régaleront sur le **Campo de'Fiori**. Chaque matin, la piazza se couvre d'échoppes de légu-

mes, fruits, viande, poisson, volaille et fromage, d'étals de boulangers ou de douceurs. Pour des achats plus gastronomiques, il faut faire le détour par le centre commercial de la ville.

Attention, prix à la baisse

Le Romain a l'habitude d'attendre les **saldi** pour renouveler sa garde-robe. En janvier et février ainsi qu'en août et septembre, c'est la période des soldes. Même le prix des pièces les plus chères est fortement diminué. Au début, la première semaine de janvier, de longues files de personnes intéressées se forment devant les grands magasins. Si vous recherchez une bonne affaire, joignez-vous à ces files car le Romain sait, par

Il faut souvent se contenter de lèche-vitrine dans la via dei Condotti.

habitude, où cela vaut la peine d'attendre.
Les magasins affichant **liquidazione,** ou les cessations de commerce, permettent de réaliser de bons achats. Mais il faut se méfier des **vendite promozionale** car ce sont souvent des attrape-nigauds.

Abolition du jour de repos obligatoire

En été, les magasins sont généralement ouverts du lundi au vendredi de 9 h 30 à 13 h 30 et de 16 h 30 à 19 h 30. Le samedi, ils sont ouverts de 9 h à 13 h. En hiver, le lundi de 15 h 30 à 19 h 30, mardi à samedi de 9 h 30 à 13 h 30 et de 15 h 30 à 19 h. Si vous restez à Rome pour un week-end prolongé, il ne faut pas oublier que la plupart des magasins sont fermés le lundi matin et le dimanche, que beaucoup de magasins d'alimentation ferment le jeudi, le samedi après-midi et le dimanche. Constatant ce fait, le gouvernement Rutelli a donné, fin 1994, le libre choix du jour de repos. Mais le Romain est un homme d'habitude et les renseignements donnés ci-dessus sont toujours valables.
Dans le centre, certains magasins restent ouverts en permanence, d'autres restent ouverts jusque très tard dans la soirée et même le dimanche.

Les 10 magasins à ne pas manquer

Alinari ■ b 3, p. 61

... parce qu'on trouve, dans le plus ancien magasin de photos de la ville, les reproductions les plus formidables de Rome (→ p. 87).

Bulgari ■ b 3, p. 61

... parce que, devant de si belles pierres et des prix si élevés, on ouvre de si grands yeux! (→ p. 96)

Città del Sole ■ b 1, p. 100

... parce que le paradis des jouets doit vraiment ressembler à cela (→ p. 119).

Curiosità e Magia
■ c 1, p. 100

... parce qu'il faut croire à l'anneau magique (→ p. 279).

Discount dell'Alta Moda
■ a 3, p. 61

... parce que, avec un peu de chance, on dénichera une petite robe de collection à moitié prix – du moins si cela ne dérange pas qu'elle soit de l'avant-dernière saison (→ p. 93).

Fausto Santini ■ b 4, p. 61
... parce qu'on y trouve les chaussures les plus osées et les vendeurs les plus beaux de tout Rome (→ p. 96).

Pisoni ■ a 2, p. 100
... parce que leurs bougies et leurs torches "illuminent" les familles importantes de Rome, ainsi que le Vatican, depuis 200 ans (→ p. 118).

Rodriguez ■ b 2, p. 126
... parce qu'une montre solaire, réalisée à la main, rejette toutes les autres dans l'ombre (→ p. 136).

Venanzio Conti ■ b 3, p. 100
... parce que le maître pâtissier cuit les meilleurs pains de Rome grâce à ses recettes secrètes (→ p. 119).

Via dei Cestari ■ c 2, p. 100
... parce que les cardinaux de tous les pays achètent ici leurs chaussettes violettes (→ p. 118).

Rome et ses quartiers

Il faut faire preuve de beaucoup d'imagination sur le Forum romanum. A l'endroit où les Romains ont construit le centre de leur civilisation, sur des marais, il ne reste que des ruines.

Rome et ses quartiers

Si Rome vous attire pour son aspect culturel ou pour les achats, si vous succombez au charme de l'Antiquité ou des religions, on ne peut vous souhaiter qu'une seule chose: de l'amusement!

Rome a été construite autour et sur les sept collines qui l'entourent: Palatin, Aventin, Capitole, Esquilin, Caelius, Quirinal et Viminal. Ces collines étaient bordées au IVe siècle av. J.-C. par le **mur servien**, enceinte colossale. Le **mur d'Aurélien**, érigé 6 siècles plus tard, englobait déjà un territoire plus étendu. Sous Auguste, Rome fut divisée en quatorze **rioni** (circonscriptions). Rome érigée en capitale, le chiffre monta à 22. Cependant, ni les collines ni les circonscriptions ne sont des points d'orientation utiles pour le visiteur. Car tout le monde connaît l'escalier de la Trinité-des-Monts mais quasiment aucun touriste ne sait qu'il se trouve dans la circonscription du **Campo Marzio.**

C'est pourquoi j'ai divisé la ville selon d'autres critères. Si Rome signifie pour vous le Forum romain, il faut vous référer au chapitre la **Rome antique**. Si vous brûlez d'impatience de commencer votre séjour par un achat chez Bulgari ou Valentino, vous devez vous rendre au **centro storico**. Et si rien ne vous passionne plus que la chapelle Sixtine, il faut commencer par le chapitre **Vatican**.

Une autre partie de Rome bien moins connue, le **Trastevere,** vous ravira, tandis que, sur les **bords du Tibre,** la via **Appia Antica** et le **Fuori le Mura** vous mèneront jusqu'aux anciennes limites de la ville.

Une ville à la croisée de l'antique et du moderne

Rome a conservé la louve dans les armes de la ville et utilise également la devise latine SPQR (Senatus Populusque Romanus), bien qu'il ne reste, de nos jours, pas grand-chose de son ancienne splendeur. Le rôle de capitale lui fait payer un lourd tribut sous forme de bâtiments administratifs, trafic intense, enchevêtrement de routes. Ce qui a survécu, ce sont les églises, les palais, les fontaines, les obélisques et les ruines qui seront vos fidèles compagnons lors de la visite de la ville.

Autres compagnons nettement moins appréciés, ce sont les mobylettes: elles apparaissent généralement en grappe, étourdissent chaque place de bruit et enveloppent le promeneur épuisé de nuages de gaz d'échappement. La nonchalance romaine ne provoque pas que l'émerveillement, surtout lorsque l'on trouve sur la porte d'un musée la pancarte "Mancanza personale" (manque de personnel), fermé temporairement.

Eh oui, le gardien de musée a aussi le droit d'aller boire son expresso au bar d'à côté!

Pour votre visite de Rome, n'oubliez surtout pas de prendre votre temps et beaucoup de **pazienza...**

A la recherche de belles antiquités? Allez flâner le long de la via dei Coronari!

Rome et ses quartiers

Le centre historique, quartier baroque élégant entre la piazza di Spagna, la piazza del Popolo et le palais du gouvernement, constitue le vrai cœur de Rome. C'est un quartier aussi célèbre pour ses rues commerçantes que pour son histoire.

La plus célèbre, la **via dei Condotti**, relie la piazza di Spagna avec le largo Goldoni et le Corso. Elle doit son nom aux canalisations d'eau (**condotti**), que le pape Paul III avait fait placer au XVIe siècle.

Créateurs de mode et bijoux de qualité

Tout ce qui constitue l'élite, en fait de création, se retrouve dans la via dei Condotti. L'artiste du travail du cuir, Gucci, y a sa maison mère, ainsi d'ailleurs que le créateur de mode Valentino et le bijoutier Bulgari qui, derrière des vitres pare-balles, expose ses créations les plus raffinées. Le centro storico montre l'ancienne Rome dans toute sa splendeur: palais Renaissance, places baroques, fontaines, ruelles tortueuses. Et l'escalier de la Trinité-des-Monts, **scalinata della Trinità dei Monti,** marches les plus célèbres du monde, est un escalier baroque, pompeux, en fait plutôt un affront destiné aux Français. Car c'est un diplomate français qui a versé les premiers deniers pour sa construction. Souvent les étrangers se sentent plus chez eux, autour de l'escalier de la Trinité-des-Monts, que les Romains eux-mêmes.

Le centro storico: quartier des étrangers

L'**Antico Caffè Greco,** dans la via dei Condotti, est devenu, dès sa création en l'an 1760, le point de rencontre privilégié des personnalités en vue qui se rendaient à Rome: Goethe, Wagner, Ibsen. Ils sont tous venus y boire leur café. Actuellement, l'Antico Caffè Greco ne vit plus que sur son ancienne réputation. Le centro storico est resté un quartier d'étrangers. Au milieu de la jeunesse européenne qui se retrouve sur l'escalier de la Trinité-des-Monts, des artistes ambulants exposent leurs réalisations en cuir ou leurs bijoux, des touristes admirent les vitrines des magasins élégants. On comprend pourquoi on y entend si peu parler l'italien.

Ce n'est pas pour rien que c'est à cet endroit que l'administration romaine a commencé son expérience de zone piétonnière. Le cœur de Rome souffre de troubles sévères de rythme et le trafic est menacé d'infarctus. Les automobiles font la queue dans les rues étroites, peut-être tout simplement parce que le centre est pratiquement toujours fermé au trafic. La cure de beauté entreprise dans le centro storico continue. La zone piétonnière, le tapis rouge, les temples de la consommation, les fleurs fraîches aux façades à peine placées, voilà qu'on prépare le coup de génie suivant: s'il fallait suivre Gianni Battistoni, le président de l'"Association via dei Condotti", le centro storico aurait bientôt son boulevard hollywoodien.

Les noms servant à dénommer les trottoirs sont déjà prêts. **Marciapiede Guttuso** et **marciapiede De Chirico**, c'est ainsi qu'ils devraient s'appeler du largo Goldoni jusqu'à la piazza di Spagna. **Marciapiede Fellini** et **marciapiede Flaiano,** de la piazza Barberini jusqu'à la porta Pinciana. Cependant, on n'y rencontre pas Fellini et Co.

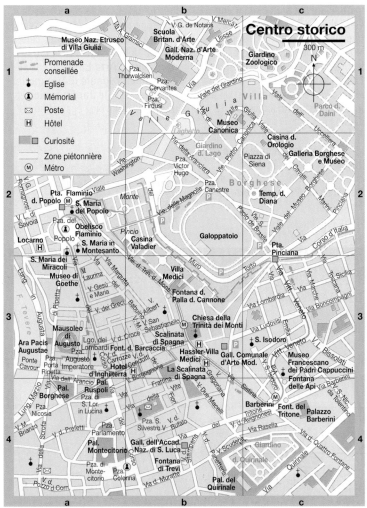

Les combinaisons de lettres et de chiffres dans le texte renvoient à cette carte.

Rome et ses quartiers

Promenade

Voici une promenade qui commence par une station assise.
Naturellement, sur le célèbre escalier de la Trinité-des-Monts de la **piazza di Spagna** (voir Les 10 places les plus animées, p. 164-165), le rendez-vous incontournable des **pappagalli** et **paparazzi**, des touristes, globe-trotters et casanovas des faubourgs – un rituel qui fait partie intégrante d'une visite à Rome, même si les Romains amateurs d'art méprisent cette habitude. Vittorio Sgarbi, un député romain, a proposé il y a peu d'interdire purement et simplement de s'asseoir sur les marches. Un autre demanda de limiter le temps à 15 minutes.
Votre temps est écoulé? Alors passez à l'ascension vers la **chiesa della Trinità dei Monti**. A main droite, vous arrivez à Hassler Villa-Medici, un des hôtels de première classe de Rome.

Un parc pour se sentir bien

Continuez à droite, en longeant la chiesa della Trinità dei Monti, pour grimper finalement les escaliers vers le viale Belvedere. Vous pénétrez dans le parc de la **Villa Borghese**, le parc le plus aimé et le plus diversifié de la ville. "La seule loi qui devrait régner dans un parc ou jardin, c'est l'obligation de s'y sentir bien." Cette inscription accueille chaque visiteur. La nature et l'art s'étalent ici sur 78 hectares: la villa aux galeries célèbres, la **Villa Giulia** avec le **museo nazionale d'Arte Etrusco**, ensuite le **museo nazionale d'Arte moderna** et, au nord, le **Jardin zoologique**. Vous trouverez également de

Flirter en 15 minutes? Des députés romains ont proposé de limiter le temps passé sur l'escalier de la Trinité-des-Monts.

nombreux petits temples et lacs, des statues de marbre, des pins parasols étendant leur ombre, et une superbe clepsydre qui fonctionne encore. Dans les maisonnettes à côté de l'entrée, vous pouvez louer des vélos. La superbe villa qui se trouve devant est la **Casina Valadier,** un des plus célèbres cafés en plein air, avec vue, et fréquenté par les stars, du moins quand il est ouvert.

Hall d'accueil pour gens du Nord

Du **piazzale Belvedere** vers le **Pincio,** vous jouirez d'une belle vue sur Rome, toujours dominée par la coupole de Michel-Ange. A ses pieds, se trouve la **Piazza del Popolo** (voir Les 10 places les plus animées, p. 164-165) et c'est à cet endroit que conduit la descente à partir du **Pincio** (voir Les 10 panoramas les plus sensationnels, p.192-193). La piazza a toujours été en quelque sorte la voie d'accès par le nord: "Ce n'est que sous la piazza del Popolo que j'étais conscient de voir Rome" affirmait Goethe, en arrivant dans la Ville Eternelle à partir du côté opposé des Alpes, par la **porta del Popolo,** dont le côté extérieur fut composé au XVIe siècle sur base d'une esquisse de Michel-Ange.

Obélisque pour ceux qui suivent la mode

Lorsque l'Egypte devint, en l'an 31 av. J.-C., partie de l'Empire romain, les obélisques étaient le dernier gadget à la mode. Celui qui revenait d'Egypte en ramenait comme souvenir à la maison. Les obélisques de la piazza ont été ramenés dans les bagages de l'empereur Auguste. En 1585, le pape Sixte V les fit dresser sur la piazza del Popolo. Lorsque vous prendrez l'apéritif chez Rosati, un des grands cafés traditionnels de Rome, vous pourrez vous laisser imprégner par l'impression d'ensemble qu'ils donnent de la place. La **via del Corso** vous ramènera ensuite vers la ville. La rue doit son nom aux courses de chevaux organisées par le pape Paul II, au XVe siècle, pour animer les rues. Maintenant, on limite la puissance des chevaux: on ne peut rouler sur le Corso qu'avec une permission spéciale. Même comme cela, il est encore toujours bouché. On se dit qu'il doit exister quelque part un moyen secret d'obtenir ces autorisations spéciales...

La vie s'écoule joyeusement dans cette rue animée. C'est l'impression qu'en avait déjà Goethe, qui a vécu de 1786 à 1788, au deuxième étage de la maison n° 18, comme sous-locataire. En 1990, une initiative culturelle a permis d'acquérir la maison pour y installer le **museo di Goethe.**

Auguste et Mussolini

Un détour par le **largo dei Lombardi** et vous arrivez sur la **via di Ripetta** et sur la **piazza Augusto Imperatore.** Là, vous pourrez voir le **mausolée d'Auguste,** ou du moins ce qu'il en reste, ainsi que l'**Ara Pacis Augustae,** l'autel de la Paix d'Auguste, enveloppé dans un manteau de verre protecteur depuis 1938. La pizzeria **La Capricciosa,** largo dei Lombardi 8, mérite une minute de silence. C'est ici que fut inventée la pizza capricciosa, la pizza capricieuse, pour la plus grande joie des gourmets: une pâte épaisse, recouverte de sauce tomate, mozzarella et d'autres ingrédients savoureux, le

Rome et ses quartiers

Pièces d'art dans l'ombre: dans l'arrière-cour de la via del Corso 525, vous découvrirez des choses étonnantes.

tout couronné d'un œuf.

Le **mausolée d'Auguste,** datant de l'année 28 av. J.-C., est le bâtiment antique le plus important du **Campo Marzio,** nom que porte ce quartier. Il est nommé ainsi en souvenir du dieu de la guerre, Mars, bien que les anciens Romains venaient simplement y faire paître leurs moutons.

Continuez ensuite sur la via di Ripetta, tournez dans la **via Fontanella di Borghese**, qui conduit à la piazza du même nom. Le superbe **palazzo Borghese** est appelé **Cembalo** par les Romains à cause de sa forme peu

courante. Un marché aux livres se tient chaque jour sur la piazza. Jusqu'au XIXe siècle, le port du Tibre, Ripetta, faisait face au palais. Il a ensuite disparu, à cause de la rectification des rives du fleuve.

Plus loin, le long de la via Fontanella di Borghese, on revient à la via del Corso. C'est l'endroit idéal pour faire une pause café, dans le local préféré de Goethe, situé au coin de la superbe rue **via dei Condotti.**

L'Antico Caffè Greco, le plus ancien café de la ville, est pratiquement devenu une institution culturelle. En deux siècles, presque toutes les personnalités historiques sont venues y boire quelque chose. Ah! Si les tasses de café pouvaient parler...!

Le shopping aussi est recommandé, ou du moins le lèche-vitrine, car vous vous trouvez dans le quartier le plus beau et le plus cher de Rome. Les magasins haut de gamme se suivent dans la **via dei Condotti** et la **via Borgognona** n'a rien à lui envier.

La rue où il fait bon vivre: via Veneto

Voici la deuxième rue merveilleuse de la ville, la **via Vittorio Veneto.** Pour l'atteindre, vous escaladez à nouveau l'escalier de la Trinité-des-Monts, pour prendre ensuite à droite. Par la via Sistina, vous arrivez sur la **piazza Barberini,** avec ses superbes fontaines. Et c'est aussi à la piazza que commence la légendaire via Veneto, qui conduit jusqu'à la **porta Pinciana.**

La "dolce vita" est ici une tradition. A l'époque de la Rome antique, la via Veneto actuelle était entourée d'un superbe quartier avec des jardins et des vignobles, dans lequel se trouvait la villa du célèbre écrivain romain Lucullus (110 à 34 av. J.-C.), chantre de beuveries et de repas débridés. Federico Fellini, artiste d'une époque plus récente, a érigé un monument à cette rue dans son film "La Dolce Vita". En janvier 1995, il fut lui-même immortalisé à cet endroit. Le maire Francesco Rutelli a dévoilé, pour le 75e anniversaire de Fellini, une plaque commémorative, en face de l'hôtel Excelsior.

Durée: environ 2 heures

Curiosités

Ara Pacis Augustae ■ a 3, p. 61

En 1568, des ouvriers, travaillant via del Corso, découvrirent des plaques en relief. Ne se doutant pas qu'il s'agissait d'une partie de l'autel de la Paix d'Auguste, ils les scièrent et les vendirent. Ce n'est qu'au XIXe siècle qu'une autre plaque fut trouvée et identifiée par les archéologues comme partie du fameux autel. Des fouilles systématiques furent entreprises sous le palazzo Almagià actuel et, en 1938, les restes virent le jour. Depuis cette année, l'autel reconstitué, un des monuments les plus précieux de l'Antiquité, se trouve dans une serre, commandée par Mussolini, qui protège l'œuvre d'art des gaz polluants. Les représentations en relief du côté extérieur rassemblent différents motifs de la mythologie et d'autres événements. L'Ara Pacis Augustae est un monument de la Paix. L'autel a été élevé en l'honneur de l'empereur Auguste, qui avait apporté la paix intérieure et extérieure à l'Empire romain. Les deux côtés extérieurs représentent la parade du 4 juillet 13 av. J.-C., qui fut organisée en l'honneur d'Auguste, pour célébrer son retour victorieux des campagnes qu'il avait menées. Cela vaut la peine de regarder en détail la scène représentée. Le mouton qui paît paisiblement, les fleurs superbement travaillées, tout est représenté avec beaucoup de réalisme et témoigne de la perfection atteinte par l'art romain de l'époque.

Via di Ripetta
Bus 70, 81, 87
Tous les jours sauf di et lu 9 h – 13 h 30, ma et je aussi 17 h – 20 h
Entrée 3 750 lires

Rome et ses quartiers

Chiesa della Trinità dei Monti
b 3, p. 61

A l'arrière de l'escalier de la Trinité-des-Monts, trône la majestueuse église de la Trinità dei Monti. Sa construction a démarré au XVIe siècle, sous le roi français Louis XII. La maison de Dieu fut terminée en 1584. La façade et les deux clochers caractéristiques sont attribués à Giacomo Della Porta. L'escalier avec double rampe, les chapiteaux antiques et les bas-reliefs sont de Domenico Fontana. La décoration de l'intérieur, qui ne compte qu'une seule nef, est caractéristique de l'école de Raphaël et de Michel-Ange. Au-dessus du portique, se trouvent les armes en marbre portant les insignes du roi de France.
Piazza di Spagna
Tous les jours 9 h – 12 h et
16 h – 18 h
Métro: Spagna

Fontana delle Api
c 4, p. 61

Sur le coin de la piazza Barberini et de la via Veneto, se trouve la superbe fontana delle Api (1644), de Gian Lorenzo Bernini. Trois abeilles géantes se posent sur les bords du bassin. On admire aussi des coquillages de pierre, chers au Bernin. Les abeilles représentaient les armes du pape Urbain VIII, de la famille des Barberini. C'était un protecteur passionné des insectes et des petits animaux – certains sont même représentés avec la tiare papale et couronnés des clés de St-Pierre – de sorte qu'ils sont vite devenus une sorte de signature sur tous les bâtiments religieux et profanes qu'il a fondés. Au XVIIe siècle, lorsque la famille Barberini était au sommet de sa puissance à Rome, la ville aurait été attaquée par un essaim d'abeilles. C'est du moins ainsi qu'on explique pourquoi cette famille florentine a choisi l'abeille comme symbole.
Piazza Barberini
Métro: Barberini

Fontana della Barcaccia
b 3, p. 61

Un bassin ovale, dans lequel un bateau en marbre, avec la même proue et la même poupe, est sur le point de couler – la "vieille barque" (la barca) fut créée en 1627 par Pietro Bernini sur la piazza di Spagna, l'architecte des canalisations Aqua Vergine, qui alimentent encore de nos jours les fontaines. Le motif des fontaines est intimement lié au quartier. Au Moyen Age, des combats navals spectaculaires ont eu lieu ici. Sur le côté extérieur de la barque, les armes du pape Urbain VIII sont apposées.
Piazza di Spagna
Métro: Spagna

Fontanella della Palla di Cannone
b 3, p. 61

Un jour que la princesse Christine de Suède était d'humeur particulièrement exubérante, elle fit feu avec un canon en direction de la Villa Medici, où se trouvait son amant. Heureusement, il n'y eut ni morts ni blessés, mais le boulet de canon fut conservé. Du moins c'est ce que dit la légende. La fontaine octogonale du viale Trinità dei Monti, avec le boulet de canon déposé dans une coupe de granit, a été érigée en 1588 par le cardinal Ferdinando Medici.
Viale Trinità dei Monti
Métro: Spagna

Fontana del Tritone ▪ c 4, p. 61

Une des œuvres les plus précoces et les plus célèbres du Bernin est la fontana del Tritone (1637), sur la piazza Barberini.
La fontaine montre un demi-dieu soufflant dans un cor, placé sur deux coquillages tirés par des dauphins.
Piazza Barberini
Métro: Barberini

Giardino zoologico ▪ c 1, p. 61

Singes, girafes, antilopes, phoques et éléphants gloutons: Rome possède un zoo peu attractif. Les enfants seront néanmoins heureux de voir les animaux. Bientôt il n'y aura plus de cages. Deux milliards de lires ont été mis à disposition pour la transformation du zoo. Dans les cinq années à venir, il devrait se changer en "bioparco", où l'on pourra observer les animaux en liberté.
Le musée municipal de zoologie est attaché au zoo et contient, entre autres, une collection de reptiles, d'amphibiens et de poissons (même ticket d'entrée).
Viale Belle Arti (partie de la Villa Borghese)
Tram: 196, 306
Jardin zoologique: ouvert tous les jours: 8 h – 18 h 15 (été), 8 h – 17 h (hiver). Fermé le 1er mai
Musée: tous les jours 9 h – 13 h et 14 h 30 – 17 h
Entrée 10 000 lires, gratuit pour les enfants de moins de 1,30 m, ainsi que pour les seniors de plus de 60 ans.

Mausoleo di Augusto ▪ a 3, p. 61

L'empereur Auguste a ordonné la construction de son tombeau en 29 av. J.-C., lorsqu'il est revenu de la conquête d'Egypte. C'est le tumulus funéraire d'Alexandre le Grand qui lui servit de modèle.
Pour contrer les reproches qui lui étaient faits de dilapider les deniers publics, Auguste fit ériger son tombeau à ses frais sur un terrain privé. Une sage décision, car il ressemble fort à un gâteau d'anniversaire géant, couronné d'une statue dorée d'Auguste, de 44 mètres de haut.
Les restes du mausolée d'Auguste ont été dégagés par le dictateur Mussolini, entre 1936 et 1938, pour pouvoir y déposer ses propres cendres. Mais, au lieu de finir son existence dans le mausolée d'Auguste à Rome, le dictateur fut exécuté le 27 avril 1945.
Dans l'Antiquité, les enterrements n'étaient pas aussi tristes qu'aujourd'hui. A cette époque, on se retrouvait chaque année à l'occasion du jour anniversaire du décès, ce qui donnait lieu à une fête. Le mausolée a été rénové récemment. On ne peut le visiter que sur demande écrite auprès du Ripartirione X, piazza Campitelli 7.
Via di Ripetta
Métro: Spagna; bus 119

Rome et ses quartiers

Obelisco Flaminio ■ a 2, p. 61

Au milieu de la piazza del Popolo, se dresse le deuxième plus ancien obélisque de Rome. A l'origine, il se trouvait devant le temple du soleil à Héliopolis et fut apporté par l'empereur Auguste à Rome. En 1589, le pape Sixte V le fit transporter, du Circus maximus, sur la piazza del Popolo. Le pape Léon XII demanda au constructeur Giuseppe Valadier d'embellir sa base avec quatre bassins et quatre lions de marbre.
Piazza del Popolo
Métro: Flaminio

Palazzo Barberini ■ c 4, p. 61

Lorsque Maffei Barberini devint le pape Urbain VIII, en l'an 1623, il demanda aux architectes les plus en vue de Rome d'ériger un palais représentatif de sa famille. Carlo Maderno, Gian Lorenzo Bernini et Francesco Borromini travaillèrent à l'imposant siège de la papauté de 1625 à 1633. La galleria nazionale d'Arte antica (p. 76) se trouve actuellement au Palazzo.
Via delle Quattro Fontane 13
Ma, je et sa 9 h – 19 h et me et ve 9 h – 14 h, di 9 h – 13 h; fermé lu
Entrée 8 000 lires
Métro: Barberini

Arrière-plan majestueux: de l'escalier de la Trinité-des-Monts, on aperçoit l'église à double tour de la Trinità dei Monti.

Palazzo Borghese ■ a 4, p. 61

La construction de ce palais géant débuta en 1560, sous monseigneur Tomaso del Giglio. Il appartenait alors à un cardinal espagnol. Finalement, c'est le cardinal Camillo Borghese qui l'acheta. Lorsque ce dernier devint, en 1605, le pape Paul V, il offrit le palais à ses frères. Le bâtisseur Carlo Rainaldi donna la dernière touche à la construction. A cause de sa coupe inhabituelle, le palazzo est aussi appelé "Cembalo" – le côté le plus étroit donnant sur la via di Ripetta lui confère sa particularité. Une cour superbe avec des statues antiques, parmi lesquelles la grotte de nymphes appelée "Vénus au bain", décorée de trois fontaines, se cache à l'intérieur.
Les collections d'art de la famille Borghese se trouvent à l'étage inférieur. Elles peuvent actuellement être admirées dans la Villa Borghese (p. 74).
Largo Fontanella Borghese 19
Métro: Spagna
Actuellement, seule la cour peut être visitée.

Palazzo Ruspoli ■ a 4, p. 61

C'est dans ce palais, datant du XVIe siècle, que la reine des Pays-Bas sous l'occupation napoléonienne, Hortense de Beauharnais, avait trouvé refuge en 1825, après la défaite de Napoléon.
Sous sa direction, le palais devint un célèbre salon de la ville, où la société romaine venait s'amuser jusqu'à ce qu'Hortense soit exilée dans la Rome papale.
Du reste, les Romains ont gardé une relation toute particulière avec l'Egypte, même après l'époque des transports d'obélisques. En 1994 débuta, dans le palazzo Ruspoli, une

Rino Barillari, le roi des paparazzi

Il ne cherche pas à faire des photos artistiques, il veut des instantanés. Plus le document est naturel, meilleur il est. Rino Barillari est bien le **re dei paparazzi**, le roi non couronné des photographes de presse, le documentaliste de la **dolce vita**.

C'est surtout la nuit que Rino part en chasse, lorsque les personnalités, ne pensant pas à mal, s'amusent dans la nuit romaine. Il les attend avec son appareil pour réaliser son coup et, pour y arriver, n'hésite pas à commettre des folies. Pas étonnant qu'arrivé à l'âge de 49 ans, il ait connu quelques aventures. Liz Taylor lui a jeté un verre de champagne au visage. Ava Gardner l'a frappé, avec le talon de sa chaussure, à l'endroit le plus sensible de sa personne. Un Peter O'Toole ivre lui a administré une raclée, et Marlon Brando en fit de même. Il surprit Margareth d'Angleterre avec Mario d'Urso dans le night-club "Jackie O", ce qui lui valut deux gifles de la part de l'amoureux. Il flasha Barbara Streisand faisant ses courses sur la via dei Condotti, et récolta à nouveau des coups.

Si les gardes du corps de Frank Sinatra restèrent "seulement" menaçants, en revanche les "gorilles" de Claudia Schiffer le rafraîchirent avec des glaçons quand il voulut photographier le top-modèle qui mangeait au "Bolognese".

Mais il a toujours réussi ses photos! Son truc est simple, car le photographe de star compte sur l'effet de surprise: "Photographier avant que la victime ne se rende compte de ce qui se passe". La photo faite, retirer prestement le film de l'appareil et le fourrer dans sa poche – où bien sûr attend une autre pellicule vierge, au cas où la victime voudrait récupérer son "butin".

Rino Barillari a débarqué de Calabre, il y a quarante ans. "Pour moi, Rome, c'était l'Amérique", explique le reporter qui travaille maintenant pour le quotidien libéral de gauche, "Il Messaggero". Les premiers temps, il a travaillé comme plongeur dans un bar, tout en suivant des cours de photographie qu'il abandonna très

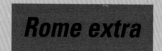

Le roi des paparazzi travaille pour le quotidien de gauche "Il Messaggero".

rapidement. Il apprit réellement la photo avec les "photographes volants" de la fontaine de Trevi qui le mirent au travail sans beaucoup se soucier de lui.

C'est ce qui explique que Rino ne s'embarrasse pas souvent de scrupules et qu'il se donne 24 h sur 24 à son travail. Si c'est urgent, il part en pyjama avec son Nikon car, dans ce cas, s'habiller serait une perte de temps. Sa devise est: "La guerra e guerra" – "La guerre c'est la guerre". Et il est vrai que ses photos montrent plus souvent des personnalités avec des gestes menaçants qu'avec un large sourire.

Le bilan de sa carrière? Un certain nombre de gifles, une soixantaine d'appareils photos cassés, une douzaine de séjours en hôpital, 170 traitements médicaux ambulatoires – voilà pour le côté négatif. 250 distinctions et très peu de personnalités qui ont réussi à échapper à sa lentille: voilà le côté positif.

Il y a cependant encore deux photos que Rino voudrait prendre: Silvio Berlusconi faisant son jogging, et le pape dans les montagnes, son chapeau sur la tête, devant un arbre, en train de satisfaire un besoin très humain. Il a encore de l'espoir pour la photo de Berlusconi. Pour ce qui est du pape, s'il réussit cet instantané, c'est promis, il se fait prêtre.

On peut s'imaginer que Rino ne soit pas vraiment pressé de la réaliser...

Rome et ses quartiers

exposition sur Néfertiti. Des mois après son ouverture, les Romains faisaient encore patiemment la queue pendant des heures jusqu'à la rue suivante (le temps d'attente moyen était de trois heures).
Les autres expositions du palazzo valent d'ailleurs aussi une visite.
Via del Corso 418
Tous les jours 10 h – 20 h
Entrée 1 000 lires
Métro: Spagna; bus 81, 90

Santa Maria dei Miracoli et Santa Maria in Montesanto
 a 2, p. 61
Les deux maisons de Dieu avaient une fonction "d'arrière-scène" et accueillaient les pèlerins qui pénétraient sur la piazza del Popolo.

Vers satiriques sur les puissants: aujourd'hui encore les Romains utilisent les "statues parlantes" pour exprimer leurs critiques.

Bien que les deux terrains mis à disposition soient de tailles différentes, les deux églises projetées devaient avoir exactement le même aspect, problème que Carlo Rainaldi eut à résoudre en 1665.
Santa Maria in Montesanto fut terminée par le Bernin entre 1671 et 1675. Carlo Fontana donna son aspect final à Santa Maria dei Miracoli de 1677 à 1679. Le fait que les deux églises jumelles n'aient pas exactement la même taille ne se remarque que de l'extérieur, aux coupoles: la coupole de Santa Maria in Montesanto est dodécagonale tandis que celle de Santa Maria dei Miracoli est octogonale.
Piazza del Popolo
Tous les jours 8 h – 12 h
et 16 h – 19 h
Métro: Flaminio

Santa Maria del Popolo
 a 2, p. 61
Pour combattre le mauvais esprit de l'empereur Néron, une église fut

construite en 1099 sur ce que l'on présumait être la tombe de l'empereur détesté. En 1477, sous l'autorité du pape Sixte IV, l'église fut reconstruite.

Quelques-uns des grands artistes de la Renaissance s'y sont attelés, notamment Bramante qui prolongea l'abside et Raphaël qui prit en charge la reconstruction de la deuxième chapelle de la nef de gauche.

A l'intérieur, on trouve des monuments commémoratifs, des statues et des fresques merveilleuses de Pinturicchio (dans la voûte du chœur) et du Caravage (dans la chapelle transversale gauche).

De grands mécènes, comme Agostino Chigi et la courtisane du pape Alexandre VI, Vanozza Cattanei, sont enterrés ici. Elle était la mère des assassins César et Lucrèce Borgia.

Construite pour délivrer la population des démons de l'ancien tyran Néron: Santa Maria del Popolo.

Piazza del Popolo
Tous les jours 7 h – 12 h et 16 h – 19 h
Métro: Flaminio

Scalinata di Spagna ■ b 3, p.61
Jusqu'au XVIIe siècle, l'étendue sur laquelle se dressent maintenant les marches les plus célèbres au monde n'était qu'un coteau recouvert de broussailles. Deux étroits sentiers de terre reliaient l'église française Trinità dei Monti à la place espagnole. A cause de la très forte différence de niveau, il était impossible de construire une route carrossable, la seule possibilité était un escalier. En 1660, un diplomate français dépensa une somme importante pour la construction de l'escalier, mais ce n'est que 50 ans plus tard que le pape Clément XI se décida à accepter cette largesse et à autoriser la construction. On se mit au travail sur un projet de Francesco De Santis et le chef-d'œuvre baroque se termina en 1726.

Pour symboliser les deux Etats, on a

Rome et ses quartiers

placé, à côté des armes du pape Innocent, un lys français.
Piazza di Spagna
Métro: Spagna

Via del Babuino ■ a 3/c 3 p. 61
Le pape Clément VII bénit la rue en 1525. Elle doit son nom à une statue de Silénius que l'on a retrouvée dans un tel état que les Romains l'ont comparée à un babouin, **babuino**. Actuellement, cette statue se trouve à côté de la fontaine, sur le coin, près de l'église Sonatanasio.
De telles statues étaient autrefois employées par les Romains pour critiquer et se moquer de l'autorité. Ils exprimaient ainsi leur humeur en la sculptant sur le visage des statues que l'on nommera par la suite "statues parlantes".
Métro: Spagna; bus 119

Villa Borghese ■ b 2/c 2 p. 61
Le plus grand parc de Rome n'est pas seulement une oasis de verdure perdue dans la grande ville, avec des musées et une galerie d'art, c'est surtout un mélange de nature et de nombreuses petites merveilles que l'on découvre en se promenant dans le parc. On prend un paysage romantique, on ajoute un superbe jardin fleuri, on décore avec des imitations de statues antiques et un château moyenâgeux, un **temple d'Adonis et de Faustina**, datant de la fin du XVIIIe siècle, une **fontaine aux Hippocampes**, un **temple de Diane** et la **casina dell'Orologio**, la petite "maison de l'horloge".
Plus loin, il y a une belle place – la **piazza di Siena** (voir Les 10 places les plus animées, p. 164-165), nommée ainsi d'après la ville natale de la famille Borghese, célèbre pour ses manifestations équestres. Pour couronner le tout, le **giardino del Lago**, un lac dans lequel se reflètent les colonnes d'un petit **temple d'Escu-**

Endroit de détente: les jardins de la Villa Borghese. Mais seuls les Romains le savent.

lape et vous aurez fait le tour du chef-d'œuvre vert du cœur de Rome. Ce parc a vu le jour au XVIIe siècle. Pour exposer ses superbes sculptures antiques, le cardinal Scipione Borghese, un neveu du pape Paul V, devait trouver un endroit de choix. C'est ainsi que l'on construisit une villa devant les portes des remparts de la ville antique. Son héritier, Camillo Borghese, époux de Pauline, la sœur de Napoléon, vendit une grande partie de cette merveilleuse collection d'art à son beau-frère et il échangea une autre partie contre une propriété foncière dans le nord de l'Italie.

Actuellement, la **galleria Borghese** est située dans le palais.

Entrée principale: Piazza del Popolo
Métro: Spagna

Villa Giulia ▪ a 1, p. 61

Le pape Julius III était un bon vivant, qui aimait les jeux et les banquets, un caractère que reflète bien la jolie résidence d'été papale, datant du XVIe siècle. Ce sont particulièrement la cour intérieure et le Nymphaume qui sont intéressants à visiter. Les jardins ont été décorés de centaines de statues qui, malheureusement, ont été retirées par des papes moins sensibles à l'art. Le **Museo nazionale etrusco** est logé dans la villa (p. 80).

Piazzale di Villa Giulia 9
Tram: 19 b, 30 b
9 h – 14 h, me 9 h – 19 h,
di et ve 9 h – 13 h,
fermé lu
Entrée 8 000 lires

Villa Medici ▪ b 3, p. 61

Là où s'étendait le jardin du poète gourmand de Rome, Lucullus, le cardinal Ricci di Montepulciano s'est fait construire, en 1570, une villa de style Renaissance. En 1576, la villa devint la propriété de Ferdinando dei Medici. En 1666, Louis XIV demanda à son ministre Colbert de fonder une académie des Beaux-Arts, qui fut transférée par Napoléon en 1803 dans la Villa Medici. Encore de nos jours, le ministère de la Culture sélectionne annuellement 25 jeunes artistes, qui seront formés ici.

La Villa Medici ne peut être visitée qu'à l'occasion d'expositions publiques.

Viale Trinità dei Monti
Métro: Spagna

Musées et galeries

Galleria dell'Accademia nazionale di Santa Luca ▪ b 4, p. 61

La galerie de peintures s'est spécialisée dans les œuvres de collaborateurs de l'académie des Beaux-Arts, notamment quelques-unes de Raphaël et du Titien.

Piazza dell'Accademia di S. Luca 77
Bus 56, 58, 61
Lu, me, ve et le dernier dimanche du mois 10 h – 13 h; juillet et août fermé

Galleria Borghese ▪ c 2, p. 61

La galerie Borghese héberge une partie de la collection artistique du cardinal Scipione Borghese, un collectionneur représentatif de son époque. A l'étage supérieur, on trouve des peintures du palazzo Borghese – entre autres de Raphaël, Botticelli, Caravaggio – ainsi que deux portraits du cardinal, probablement exécutés par Gian Lorenzo Bernini, artiste

Rome et ses quartiers

découvert par le cardinal lui-même. A l'étage inférieur, vous verrez des collections de sculpture, avec des œuvres importantes du Bernin, par exemple "Apollon et Daphné" et "L'enlèvement de Proserpine". La sculpture "Venus Vincitrix" d'Antonio Canova, pour laquelle Pauline, la sœur de Napoléon, aurait servi de modèle, vaut aussi le déplacement. Actuellement, seule la collection de sculptures est accessible au public.
Piazzale Scipione 5 (Villa Borghese)
Métro: Spagna
9 h – 13 h (été), 9 h – 14 h (hiver), di 9 h – 13 h,
fermé lu
Entrée 4 000 lires

Galleria communale d'Arte Moderna

■ b 3, p. 61

Il a fallu trente ans pour que Rome dispose à nouveau d'une galerie d'art communale. La galerie communale fut ouverte en 1995 dans l'ancien cloître des carmélites Scalze. 140 œuvres, du XVIIIe siècle à nos jours, entre autres de Carra, Guttuso, Pisis et Trombadori, y sont exposées.
Le maire Rutelli a promis, lors de la cérémonie d'ouverture, que très bientôt la collection, qui s'agrandit régulièrement, devrait rejoindre sa destination finale dans l'ancienne "Birreria Peroni", dans la via Reggio Emilia.
Casa della Città
Via Francesco Crispi 7
Métro: Barberini, Spagna
10 h – 17 h,
di 9 h – 12 h 30,
fermé lu
Entrée 10 000 lires

Galleria nazionale d'Arte antica

■ c 4, p. 61

Le palazzo Barberini abrite une des plus prestigieuses collections de tableaux de Rome. Les tableaux proviennent principalement des familles Torlonia et Corsini. La fresque du plafond, de Pietro da Cortona "Triomphe de la prédiction divine", compte parmi les œuvres les plus importantes de l'art baroque illusoire.
Le tableau le plus célèbre est probablement "La Fornarina", de Raphaël. L'artiste a peint l'image de la boulangère, représentée par son amie, l'année de sa mort, en 1520.
Palazzo Barberini
Via delle Quattro Fontane 13
Métro: Barberini
9 h – 14 h, di et ve 9 h – 13 h,
fermé lu
Entrée 8 000 lires

Galleria nazionale d'Arte moderna

■ b 1, p. 61

Un aperçu de l'art moderne, ainsi que des grandes collections d'art italien des XIXe et XXe siècles. Notamment, des sculptures de Rodin et de Klimt, des œuvres surréalistes de Miró. Trois salles sont dédiées à l'art visuel.
Viale delle Belle Arti 131
Métro: Flaminio; bus 119
9 h – 19 h, di et ve 9 h – 13 h,
fermé lu
Entrée 8 000 lires

Istituto nazionale per la Grafica

■ b 4, p. 61

Gravures du XVe au XIXe siècle.
Via della Stamperia 5
Métro: Barberini
9 h – 13 h,
fermé di et ve
Entrée libre

Parcours plein d'entrain entre tableaux et sculptures du siècle dernier: galleria nazionale d'Arte moderna.

Museo Canonica
■ b 1, p. 61

L'ancien atelier du sculpteur Pietro Canonica (1869-1959) est aujourd'hui dédié à sa mémoire.
Viale Pietro Canonica 2
(Villa Borghese)
Métro: Spagna
9 h – 13 h 30,
di 9 h – 13 h,
ma et je aussi 15 h – 18 h 30;
fermé lu et au mois d'août
Entrée 3 750 lires

Museo francescano dei Padri cappuccini
■ c 3, p. 61

Un héritage macabre de cadavres et de squelettes dépoussiérés. Des crânes et des ossements de 4 000 religieux, morts entre 1528 et 1870, ont été rassemblés ici sous forme d'ornements, lampes et autels. Le travail de bricolage des moines capucins peut être visité dans la chapelle de la crypte, sous l'église Santa Maria della Concezione (érigée en 1626).
Via Veneto 27
Métro: Barberini
9 h – 13 h et 15 h – 17 h
Entrée libre, dons bienvenus

Museo di Goethe
■ a 3, p. 61

Une association culturelle allemande a acheté, en 1990, la maison dans laquelle Johan Wolfgang von Goethe a logé incognito de 1786 à 1788 et de laquelle il a observé l'agitation colorée sur le Corso.
Via del Corso 18
Métro: Flaminio; bus 119

Les 10 musées les plus passionnants

Cappella Sistina
■ c 2, p. 170
... parce qu'il n'est pas nécessaire d'avoir une raison pour aller rendre visite à Michel-Ange (→ p. 178).

Museo delle Anime del Purgatorio ■ C 2, carte avant
... parce que les traces de brûlure sur les draps l'attestent: le feu du Purgatoire laisse des marques (→ p. 132).

Museo Baracco
■ b 2, p. 100
... parce que le baron, féru d'art, a réussi une collection qui, bien que de taille réduite, est de grande valeur (→ p. 111).

Musei Capitolini
■ a 2, p. 142
... parce qu'une marque sur la cuisse de la louve capitoline prouve la véracité de l'histoire (→ p. 161).

Museo della Civiltà romana
■ b 2, p. 286
... parce qu'on peut y découvrir, grandeur nature, la bande dessinée sur la colonne trajane — même s'il s'agit d'une copie (→ p. 299).

10x10

Museo delle Mura romane

■ F 6, carte avant

... parce que vous avez sûrement voulu vous promener, comme le légionnaire, sur le mur d'Aurélien (→ p. 237).

Museo nazionale delle Paste alimentari

■ b 2, p. 208

... parce qu'il est grand temps d'élever un monument à Spaghetti et Co (→ p. 222).

Museo nazionale etrusco di Villa Giulia ■ a 1, p. 61

... parce que, du point de vue émancipation, les mystérieux Etrusques étaient bien plus avancés que les Romains (→ p. 80).

Museo nazionale romano

■ d 1, p. 208

... parce que la naissance d'Aphrodite n'aurait pas pu être représentée plus joliment (→ p. 222).

Museo francescano dei Padri cappuccini

■ c 3, p. 61

... parce que les chefs-d'œuvre, réalisés en ossements par les moines capucins, ont quelque chose d'extraordinairement macabre. (→ p. 77).

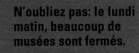

N'oubliez pas: le lundi matin, beaucoup de musées sont fermés.

79

Rome et ses quartiers

Museo Keats Shelley ■ b 3, p. 61
Le poète anglais John Keats mourut de tuberculose, à Rome, en 1821, à l'âge de 25 ans.
Dans sa chambre mortuaire, des documents, des lettres et des manuscrits sont exposés.
Piazza di Spagna 26
Entrée 5 000 lires
9 h – 13 h et 15 h – 18 h (été),
9 h – 13 h et 14 h 30 – 17 h 30 (hiver), fermé sa et di
Métro: Spagna

Museo nazionale etrusco di Villa Giulia ■ a 1, p. 61
Les Etrusques se sont installés, aux environs du VIIIe siècle av. J.-C., dans la péninsule italienne, entre l'Arno et le Tibre. Dès la fin du VIIe siècle av. J.-C., ils ont gouverné Rome et ont fondé un royaume d'une taille considérable, qui s'étendait jusqu'à la côte atlantique. Vers la fin du VIe siècle av. J.-C., l'étoile étrusque a commencé à pâlir. Rome s'est libérée de la domination étrangère, a commencé à s'étendre et à attaquer les villes étrusques.
Au Ier siècle avant notre ère, les Etrusques étaient devenus des citoyens romains.
Personne ne sait exactement d'où venaient les Etrusques. Il ne reste plus beaucoup de témoignages de leur civilisation fort développée. Quelques tombes et leur contenu nous donnent un petit aperçu de la société étrusque. Le musée national de la Villa Giulia est dédié à cette civilisation mystérieuse. La pièce la plus célèbre du musée est le sarcophage des époux de Cerveteri, qui montre un jeune couple lors de son repas de sacrifice commun. Chez les Romains, qui n'ont jamais partagé leur divan destiné aux agapes avec leurs épouses, le chef-d'œuvre étrusque était considéré comme très choquant.
Piazza di Villa Giulia 9
Tram: 19 b, 30 b
9 h – 14 h, me 9 h – 19 h, di et ve 9 h – 13 h, fermé lu
Entrée 8 000 lires

Manger et boire

Alfredo Imperatore ■ a 3, p. 61
Les mains magiques d'Alfredo préparent les meilleures pâtes au monde. Pour accentuer cette affirmation, le propriétaire se donne tout simplement le titre de "Empereur des Fettuccine".
Piazza Augusto Imperatore 30
Tél. 6 87 87 34
Métro: Spagna; bus 119
12 h 30 – 15 h et 19 h 30 – 23 h, fermé di
Classe de prix inférieure (Visa, Amex)

Antica Enoteca ■ b 3, p. 61
L'endroit idéal pour un snack savoureux, des olives piquantes en saumure, ou un verre d'un délicieux Frascati.
Via della Croce 76
Tél. 6 79 08 96
Métro: Spagna; bus 119
11 h – 23 h, fermé di
Classe de prix moyenne (EC, Visa, DC, Amex)

Antico Caffè Greco ■ b 3, p. 61
Chaque touriste qui vient à Rome passe par ici.
La pièce arrière est décorée par une série de portraits des visiteurs les plus célèbres (voir Antico Caffè Greco, p. 82-83).
Via dei Condotti 86
Métro: Spagna; bus 119
8 h – 20 h 30, fermé di.

Babington's Tea Room
■ b 3, p. 61

Le service laisse à désirer, les sièges sont inconfortables et les prix exorbitants et pourtant... On y sert un petit déjeuner anglais original, avec du thé naturellement.
Piazza di Spagna 23
Métro: Spagna; bus 119
9 h – 20 h 30, fermé ma

Dal Bolognese
■ a 2, p. 61

Pour un en-cas de gourmet, on recommande les figues fraîches ou un excellent **carpaccio**, coupé aussi fin que du papier, avec du parmesan râpé. Sans oublier un plat de viande: la sauce verte qui l'accompagne est célèbre dans toute la ville.
Piazza del Popolo 1
Tél. 3 61 14 26
Métro: Flaminio
12 h 45 – 15 h et 20 h 15 – 23 h, fermé sa et di soir et partiellement en août
Classe de prix élevée
(Visa, DC, Amex)

La Capricciosa
■ a 3, p. 61

Lieu de naissance de la pizza qui porte le même nom, mais qui n'est servie que le soir. Le midi, on peut essayer la délicieuse pizza bison-mozzarella.
Largo dei Lombardi 8
Tél. 6 87 86 36
Métro: Spagna ou Flaminio
Bus 119
Ouvert de 12 h 30 – 15 h et 19 h – 1 h, fermé ma et deux semaines en août
Classe de prix moyenne (Visa, Amex)

Vous n'aimez pas le café? Il n'y a pas que des Anglais à venir boire une tasse de thé au Babington's Tea Room.

Antico Caffè Greco

Le roi Louis II de Bavière en était un habitué, du moins en hiver, car en été le visiteur de marque craignait trop de contracter la malaria. Goethe, Schoppenhauer, Andersen, D'Annunzio – la liste des visiteurs illustres du plus ancien café de la ville, l'Antico Caffè Greco, dans la via dei Condotti, est aussi longue que l'est sa tradition.

Nicola Della Maddalena est considéré comme le fondateur du café. En l'an 1760, le Grec de Rodi reçut de l'Etat papal une mise en demeure d'apurer ses impôts. Un document qui provoqua la colère du Grec et fut, pour son entourage, une confirmation de l'existence menée jusqu'à présent par le "Greco".

En 1824, le pape Léon XII mit fin, pour des raisons morales, à la joyeuse distribution de café. Le local devait être verrouillé, et le café servi par la fenêtre restée ouverte. Un emprisonnement punirait toute désobéissance.

Une aquarelle de l'an 1842 présente le café comme une taverne confortable et accueillante, comme le savent ses visiteurs illustres. Aujourd'hui, le Greco ressemble davantage à un salon de thé. Les visiteurs ne sont plus des poètes ou des peintres, mais des touristes qui attendent de voir apparaître un visage célèbre.

L'écrivain italien Enrico Falqui chantait les louanges du "Caffè Letterari" (1962). Avec le Florian à Venise et le Procope à Paris, le Greco faisait partie des trois grands cafés qui perpétuaient leur tradition et leur gloire passée – et qui, de ce fait, s'en sortaient bien. L'Antico Caffè Greco ressemble plus à un lieu de rencontre habituel pour étrangers. Il l'est resté jusqu'à présent. Peu d'habitants viennent se perdre dans la salle arrière traditionnelle, appelée ironiquement "Omnibus" par des Romains facétieux. Le plus vieux café de Rome vaut néanmoins une visite, et l'excellent expresso contribue à l'atmosphère.

Rome extra

De nombreux personnages célèbres ont contribué à la réputation de ce café.

Le passé romantique n'est pas tellement perceptible dans la première salle, où l'on vient pour boire rapidement un café accompagné d'un croissant ou d'une pâtisserie, debout au comptoir.

Dans les salles arrière, on peut réellement se laisser imprégner par les souvenirs. Admirer les tableaux, les actes, les médaillons protégés par du verre, les peintures à l'huile de qualité moyenne, tout en buvant son expresso dans une tasse de porcelaine, assis dans des fauteuils à une table assez inconfortable en marbre, le tout baignant dans une lumière tamisée rougeoyante, dans un lieu où tant de personnages célèbres ou moins célèbres se sont installés depuis deux siècles.

On s'imagine encore les apercevoir, ces esprits géniaux qui cultivaient ici l'art de ne rien faire, le dolce far niente, en tirant sur leur pipe. Et l'on se posera certainement la question de savoir ce qui fait le charme incontesté de ce café...

Antico Caffè Greco
■ b 3, p. 61
Via dei Condotti 86
Métro: Spagna; bus 119
8 h – 20 h 30, fermé di

Rome et ses quartiers

Ciampini ■ a 4, p. 61
Lieu de rencontre célèbre des jeunes et des moins jeunes qui aiment la glace. La combinaison de yaourt et de glace au citron est excellente, bien que, selon le goût romain, elle constitue un faux pas car du lait et de la glace aux fruits ne peuvent être réunis sur une gaufre.
Piazza S. Lorenzo in Lucina 28
Bus 90
7 h 30 – 21 h, fermé di

Doney ■ c 3, p. 61
Le café Doney dans la via Veneto vit de la même manière que le Antico Caffè Greco, de la gloire du temps passé – et aussi de sa belle situation.
Via Veneto 145
Métro: Barberini; bus 52, 53, 56
8 h – 24 h, fermé lu

Edy ■ a 3, p. 61
Entouré de restaurants luxueux, Edy défend sa trattoria traditionnelle. On peut admirer ses arguments et surtout les goûter: les spaghettis **al cartoccio** sont super (préparés en papillote) et l'agneau **abbacchio** est très bon.
Vicolo del Babuino 4
Tél. 36 00 17 38
Métro: Spagna ou Flaminia
Bus 119
12 h 30 – 15 h et 19 h – 23 h; fermé le di et en août
Classe de prix moyenne (Visa, Amex)

Fiaschetteria Beltramme
■ b 3, p. 61
Une trattoria typique, dans laquelle aussi bien des personnalités que monsieur tout-le-monde se retrouvent pour goûter le **piatto del giorno**.
Via della Croce 39

Pas de téléphone
Métro: Spagna; bus 119
12 h 30 – 15 h et 19 h – 23 h; fermé lu et en août
Classe de prix inférieure

George's ■ c 3, p. 61
C'est ici que venaient se régaler les gens chic, adeptes de la dolce vita, du temps de Fellini. On y rencontre encore maintenant, de temps à autre, un visage connu, caché derrière une bouteille de champagne.
Via Marche 7
Tél. 48 45 75
Métro: Barberini; bus 52, 53
12 h 30 – 15 h et 19 h – 24 h
Fermé di et en août
Classe de luxe (EC, Visa, DC, Amex)

Gioa Mia ■ c 4, p. 61
A recommander pour les amateurs de viande: le **saltimbocca** y est excellent. De plus, vous mangez entouré de bébés, entièrement nus, qui remplissent les verres à vin de manière très "naturelle".
Via degli Avignonesi 34
Tél. 4 88 27 84
Métro: Barberini
13 h – 15 h et 19 h – 23 h, fermé di et du 15 juillet au 15 août
Classe de prix moyenne

Le Grotte ■ b 4, p. 61
On déguste sa pizza dans un coin étroit ressemblant à une grotte, aux parois recouvertes de peintures – terriblement kitsch!
Voilà certainement pourquoi les touristes s'y pressent en masse.
Via della Vite
Tél. 6 79 53 36
Métro: Spagna
12 h – 15 h 30 et 19 h – 23 h, fermé lu
Classe de prix inférieure

Krechel
b 4, p. 61

Combinaisons austro-italiennes avec de la glace Sacher qui laisse rêver. Couronne aux noix, gâteaux autrichiens à la pomme-framboise recouverts d'un mélange chapelure-beurre.
Via Frattina 134
Bus 81, 90
8 h 30 – 20 h 30

Il Leoncino
a 4, p. 61

Pizzas extra-fines avec une garniture bien épaisse – de préférence avec une portion de mozzarella supplémentaire, pour faire des fils. Les desserts valent le détour: ils sont faits maison.
Via del Leoncino 28
Tél. 6 67 63 06
Bus 90
Sa et di 13 h – 14 h 30 et 18 h – 24 h, fermé lu
Classe de prix inférieure

Maneschi
a 3, p. 61

Si même une glace ne vous rafraîchit plus, il ne reste qu'une solution: un sorbet au citron givré.
Via del Corso 88
Bus 90, 119
Tous les jours 7 h – 22 h

I Tre Moschettieri
c 4, p. 61

Bonne cuisine romaine et une **insalata di puntarelle** super piquante: laitue avec des germes.
Via San Nicola da Tolentino 23
Tél. 4 81 48 45
Métro: Barberini
12 h 30 – 15 h et 19 h – 23 h, fermé ve soir et sa
Classe de prix moyenne (EC, Visa, DC, Amex)

Nino
b 3, p. 61

Epuisé par vos courses dans les magasins Fendi, vous y dégusterez des spécialités florentines qui vous redonneront des forces. Essayez la **pasta e ceci**, des pâtes avec des pois chiches.
Via Borgognona 11
Tél. 6 79 56 76
Métro: Spagna; bus 119
12 h 30 – 15 h et 19 h – 23 h 15, fermé di et en août
Classe de prix élevée (Visa, DC, Amex)

Osteria Santa Ana
a 2, p. 61

Art et cuisine s'unissent ici. Les murs de cette osteria sont garnis de peintures d'artistes contemporains. Malheureusement, les amuse-gueule très appétissants ne sont pas offerts par la maison, mais sont comptés en plus...
Via della Penna 68
Tél. 3 61 02 91
Métro: Flaminio
12 h 45 – 14 h 45 et 19 h – 23 h
Fermé sa midi et di
Classe de prix moyenne (EC, Visa, DC, Amex)

Porto di Ripetta
a 3, p. 61

Mario Romani est considéré comme un des meilleurs cuisiniers de Rome. C'est le champion de la créativité: **involtini di melanzane ripiene di filetti di sogliola,** aubergines farcies avec des filets de sole ou **scampi con cipolla, menta e pomodorini**, scampi à l'oignon, menthe et tomates, préparations qui ne se retrouvent pas nécessairement sur tous les menus des autres restaurants. .
Via di Ripetta 250
Tél. 3 61 23 76
Métro: Flaminio; bus 119
13 h – 14 h 30 et 20 h – 23 h; fermé di et en août
Classe de prix élevée (EC, Visa, DC, Amex)

Rome et ses quartiers

Ranieri ■ b 3, p. 61
Endroit à la mode, surtout lieu de
rencontre de la haute société.
Via Mario de 'Fiori 26
Tél. 6 79 15 92
Métro: Spagna; bus 119
12 h 30 – 15 h et 19 h – 24 h,
fermé di
Classe de prix élevée (EC, Visa, DC,
Amex)

Relais le Jardin dell'Hôtel Byron
■ b 1, p. 61
L'art culinaire romain, créatif jusque
dans les moindres détails, avec des
figues cuites ou des croquettes à la
farine d'amande; service soigné.
Via Giuseppe de Notaris 5
Tél. 322 45 41
Métro: Flaminio; bus 52
12 h – 15 h et 20 h – 23 h
Fermé di et en août
Classe de luxe (EC, Visa, DC, Amex)

Rosati ■ a 2, p. 61
Le cappuccino se déguste avec vue
sur la piazza del Popolo, à l'endroit
exact où l'épouse de Néron fut in-
humée dans une pyramide.
Piazza del Popolo 5A
Métro: Flaminio
7 h 30 – 24 h, fermé ma

Trattoria da Settimio al'Arancio
■ a 4, p. 61
Peu importe quand on vient, c'est
toujours plein. Pourtant cela vaut la
peine d'essayer de trouver une place
pour pouvoir goûter aux **fusilli alle
melanzane,** des pâtes aux aubergines.
Via dell'Arancio 50
Tél. 6 87 61 19
Métro: Spagna; bus 119
12 h 30 – 15 h et 19 h – 24 h,
fermé di
Classe de prix moyenne (Visa)

Vanni ■ b 4, p. 61
Une pause tout en douceur après les
courses en ville; essayez les **vannini,**
fourrés à la crème ou au chocolat –
divin! Mais l'homme ne vit pas que
de **dolci:** pour l'apéritif, il y a des
pâtes rapides, des légumes et des
pizzette.
Via Frattina 95
Métro: Spagna
7 h – 24 h, fermé lu

Vini Birra Buffet ■ a 4, p. 61
La jeunesse romaine se presse
autour des tables recouvertes de
nappes en papier pour se régaler
d'une bonne cuisine traditionnelle,
servie à des prix honnêtes.
Piazza della Torretta 60
Métro: Spagna; bus 119
12 h 30 – 15 h et 19 h – 23 h,
fermé di
Classe de prix inférieure

Zi Umberto ■ c 3, p. 61
Demandez à mamma Elena ce qu'elle
conseille aujourd'hui et vous ne serez
pas déçu. Zi, en dialecte romain,
signifie oncle.
Via Sicilia, 150
Tél. 4 88 45 19
Métro: Barberini; bus 52, 53
12 h – 15 h et 18 h 30 – 23 h,
fermé di
Classe de prix inférieure

Achats

Antiquités

On trouve un magasin d'antiquités pratiquement à chaque coin de rue, mais les meilleurs se concentrent dans la **via del Babuino**, la **via Margutta** et autour de la **via di Ripetta**. Entrez dans les galeries, même si vous ne désirez rien acheter. D'ailleurs, certaines galeries ressemblent davantage à un musée qu'à un magasin...

Adolfo Di Castro ■ b 3, p. 61
Des meubles antiques ou de l'empire ainsi que des assemblages de mosaïques pleins de fantaisie.
Via del Babuino 80
Métro: Spagna; bus 119

Alinari ■ b 3, p. 61
Le meilleur studio de photographie (depuis 1852) qui existe encore. Alinari est spécialisé en reproduction de photos anciennes sur bois ou tissu.
Via Alibert 16 a
Métro: Spagna; bus 119

Amadeo Di Castro ■ b 3, p. 61
Des sculptures antiques et des œuvres en terre cuite. Aucun lien de parenté avec Adolfo Di Castro.
Via del Babuino 77
Métro: Spagna; bus 119

Antique Shop ■ a 4, p. 61
Spécialisé dans les années 1700 à 1860. Pièces en porcelaine qui racontent une histoire, belles œuvres en argent, bronze et ivoire.
Via di Monte Brianzo 73
Bus 119

Apopoloni ■ b 3, p. 61
Un des magasins d'antiquités les plus en vue de Rome, avec des tableaux de maîtres anciens et des pièces merveilleuses en argent.
Via del Babuino 132-134
Métro: Spagna: bus 119

Armenia Antiquaria ■ b 3, p. 61
Petite boutique étrange, avec des accessoires militaires, de vieux uniformes, des casques et des fusils.
Via del Babuino 161
Métro: Spagna; bus 119

Condotti Fine Arts ■ b 3, p. 61
Le magasin d'antiquités le plus étrange de Rome. On y trouve des sculptures, des petites fontaines – et une addition salée.
Via dei Condotti 32
Métro: Spagna; bus 119

Licia Romano ■ b 3, p. 61
Spécialisé en tableaux des XVIIe et XVIIIe siècles.
Via del Babuino 142
Métro: Spagna; bus 119

Turchi ■ b 3, p. 61
Vrai palais de l'antiquité, qui vaut une visite rien que pour sa décoration.
Via Margutta 91 A
Métro: Spagna; bus 119

Beauté

Antica Drogheria Condotti
■ b 3, p. 61
Des herbes pour les petits maux, des parfums doux, de jolis savons, du miel, du ginseng et bien d'autres choses encore, moins bonnes à manger mais bien plus saines.
Via Mario de 'Fiori 24 A
Métro: Spagna; bus 119

L'horloger de Rome

Il était une fois, il y a 200 ans, un horloger, Ernst Hausmann, qui quitta Duisburg en quête de soleil pour ouvrir en 1794 à Rome – justement dans le quartier le moins ponctuel de la ville – une horlogerie.

Avançons l'aiguille de deux siècles. Le 23 novembre 1994, Ernesto Hausmann fêtait le jubilée de son horlogerie, la seule de Rome à ne vendre que des montres, dans la via del Corso 406.

"Hausmann & Co", est un des plus vieux magasins de la Ville Eternelle. Seul l'Antico Caffè Greco est plus ancien.

Le magasin existe depuis plus de 200 ans, avec, comme joyau, une montre-gousset en or 18 carats de la collection privée exceptionnelle de Philippe Patek, et qui était autrefois la propriété du légendaire Enrico Caruso.

Les Romains et la ponctualité n'ont jamais fait bon ménage. Au XVIIIe siècle, quand la pause de midi était annoncée par un coup de canon ou par les cloches de l'église, Rome tenait le record européen des horloges. On en dénombrait pas moins de 60, disposées sur des édifices publics ou des églises.

Il fut une époque où les dames portaient la montre autour du cou comme un bijou et où les vendeurs portaient la redingote. Chaque année, pour Noël, l'usage voulait que l'on commande chez l'horloger Hausmann, une montre "oignon" en or pour l'officier qui serait de garde la nuit de Noël. Des décennies plus tard, alors que le bracelet-montre était encore considéré comme un luxe exorbitant, les passants devaient coller leur nez à la vitre de la devanture pour pouvoir lire l'heure.

Aujourd'hui, le temps est devenu de l'argent et le progrès s'est emparé du temps, la Swatch gaiement colorée a remplacé la montre à gousset et, des 60 horloges, il n'en reste plus qu'une dizaine. La plupart d'entre elles ne donnent plus l'heure exacte ou, pour être plus précis, donnent une heure différente. Trouver à Rome deux horloges qui indi-

Rome extra

*Le temps file à Rome,
allez donc faire un tour
dans l'horlogerie
d'Ernesto Hausmann*

quent exactement la même heure est quasiment impossible. C'est pour cela qu'on a la possibilité de pouvoir lire l'heure dans de multiples fuseaux horaires – mais sans savoir quelle heure il est à quel endroit. Depuis 1988, l'administration communale a fait une tentative sérieuse pour accorder toutes les horloges. Les Romains furent tout étonnés de pouvoir lire l'heure exacte lorsqu'ils faisaient leurs achats en ville. Mais ce bonheur fut de courte durée. Finalement, cela ne préoccupe pas trop les Romains et leur seule horloge, c'est leur estomac: un tiraillement d'estomac est plus expli-

cite qu'une horloge...

Ernesto Hausmann ne se pose pas trop de questions; une bonne horloge est, de nos jours encore, un symbole de statut. Et les chances sont grandes que l'horlogerie de la Via del Corso puisse fêter son 300e anniversaire. Le fils Francesco est déjà prêt à reprendre le magasin. Car le commerce de l'heure continue à fonctionner – à la plus grande fierté de l'inexactitude italienne.

Orologiaio Hausmann & Co

■ a 3, p. 61

Via del Corso 406
Bus 81, 90

89

Rome et ses quartiers

Beauty 3 ■ c 3, p. 61
Un petit air de luxe, pour se faire belle, pour un tête à tête ou pour se faire plaisir. Les "Trois Beautés" prennent soin de vos cheveux, de vos ongles et de vos jambes et, malgré ce que laisse présager l'adresse, ce n'est pas si cher que ça en a l'air.
Via Veneto 34 A
Tél. 4 74 36 50
Métro: Barberini; bus 52, 53

Sergio Valente ■ b 3, p. 61
Il n'y a que les Italiens pour jouer si bien au figaro: Sergio vous convaincra si nécessaire. Possibilité de massages, de soins du visage et du corps et d'enveloppements aux algues.
Via dei Condotti 11, 2e étage
Métro: Spagna; bus 119
Fermé lu

Livres

La Borghese ■ a 4, p. 61
Un superbe magasin "antique" de livres, où les personnages importants de Rome viennent s'approvisionner. Depuis peu, on y dépose aussi les listes de mariage de jeunes couples qui préfèrent se voir offrir les œuvres de Stendhal et d'Umberto Ecco à la place d'une batterie de casseroles.
Via della Fontanella di Borghese
Bus 90

Franco Maria Ricci ■ b 3, p. 61
Les plus beaux livres d'art de Rome. Le Milanais Ricci édite aussi son propre magazine culturel FMR.
Via Borgognona 4/D
Métro: Spagna; bus 119

Lion Book Shop ■ a 3, p. 61
Grand choix de guides touristiques et de livres de cuisine.
Via del Babuino 181
Métro: Spagna; bus 119

Rizzoli ■ b 4, p. 61
Le plus grand magasin de livres, avec un bel assortiment d'ouvrages en langues étrangères.
Largo Chigi 15
Bus 50, 52

Cadeaux

CUCINA ■ b 3, p. 61
L'art culinaire dans toute sa splendeur; superbes ustensiles de cuisine pour madame et monsieur cordons-bleus.
Via del Babuino 118 A
Métro: Spagna; bus 119

Geneviève Lathu ■ b 3, p. 61
L'art noble de la nourriture – et tout ce qui va avec: vaisselle, nappes, bougies...
Via delle Carrozze 28
Métro: Spagna; bus 119

Olivi ■ b 3, p. 61
De beaux livres anciens.
Via del Babuino 136
Métro: Spagna; bus 119

Optificio romano ■ b 1, p. 100
Vous cherchez un cadeau qui sort de l'ordinaire? L'atelier réalise des mosaïques à partir de modèles antiques.
Via Gigli d'Oro 9
Bus 70, 119

Pitti ■ c 4, p. 61
Articles cadeaux amusants, décoratifs et même utiles.
Via Sistina 56
Métro: Barberini

Grands magasins

Croff ■ a 3, p. 61
Département design avec de belles pièces de mobilier ou en verre, également des vêtements et tout pour le bain.
Via Tomacelli 137
Métro: Spagna

La Rinascente ■ b 4, p. 61
Le grand magasin le plus sophistiqué d'Italie. Sur 4 étages, sont étalés des vêtements d'excellente qualité, convenant à toute la famille, avec des pièces de créateurs de mode.
Largo Chigi
Bus 52, 53

Pour les enfants

Cicogna ■ b 4, p. 61
Les Italiens habillent très facilement les petites filles avec des petites robes coquettes, les garçons reçoivent un costume avec nœud-papillon, tout cela se trouve dans le magasin Cicogna.
Via Frattina 138
Métro: Spagna; bus 119

Prénatal ■ b 3, p. 61
Le magasin classique dans l'attente de l'heureux événement – avec bien sûr les plus belles choses pour la progéniture.
Via della Croce 48/49
Métro: Spagna; bus 119

Punto Panda WWF ■ a 3, p. 61
Le premier magasin italien du WWF vend des jouets, des œuvres artistiques en papier recyclé, des aliments naturels – en fait tout ce dont la famille a besoin.
Via di Ripetta 22
Métro: Flaminio; bus 90

Art

L'Artistica ■ b 3, p. 61
Il y a peu, le point de rencontre historique des artistes, au cœur de Rome, s'est rouvert. C'est ici qu'un Japonais a mis plus de 83 000 FF – 500 000 BEF sur la table pour un tableau; l'ambassadeur de Libye s'est procuré les décorations de fête pour Muammar Kadhafi pour une somme de 108 000 FF – 650 000 BEF; des artistes en crise psychique ont cherché de l'aide auprès de Mario Tardivo et, en remerciement, lui ont offert une de leurs œuvres. On essaie maintenant de renouer avec cette tradition de dons et de cadeaux.
Via del Babuino
Métro: Spagna; bus 119

Alimentation

Aurelia ■ a 4, p. 61
Pas un fruit frais, sec, exotique qui ne se trouve chez Aurélia.
Via del Leoncino 23
Bus 81, 90

Azienda agricola ■ a 4, p. 61
Petit mais excellent – et, par-dessus tout, la meilleure huile d'olive de la ville!
Et que dire des pâtes d'olive...
Vicolo della Torretta 3
Bus 90

Centro macrobiotico italiano
■ b 4, p. 61
Produits naturels et bio-dynamiques. La nourriture saine fait aussi des adeptes à Rome: les temps sont révolus où les Italiens tournaient les talons dès qu'ils entendaient des mots comme "intégral, complet".
Via della Vite 14
Bus 119

Rome et ses quartiers

Voici la substance dont on fait les pâtes: boulangerie spécialisée dans la via della Croce.

Delucci　　　　■ b 3, p. 61
Les fruits sont présentés comme des tableaux, petits chefs-d'œuvre à dévorer. Même si vous n'avez rien à acheter, un coup d'œil dans le magasin vous ravira.
Via della Croce 75
Métro: Spagna; bus 119

Fior Fiori　　　　■ a 3, p. 61
Les pâtes, **pasta,** sous toutes les formes possibles et inimaginables: rondes, larges, minces, épaisses, longues, courtes, lisses, rainurées. Avec en plus du fromage et d'autres petits régals comme par exemple des feuilletés aux amandes.
Via della Croce 17/18
Métro: Spagna; bus 119

Gargani　　　　■ c 3, p. 61
Gargani est une véritable institution à Rome pour ce qui est du salami et du fromage. Il y a aussi du caviar et du saumon, de l'huile et du vinaigre, et bien sûr du vin.
Via Lombardia 15
Métro: Barberini; bus 52, 53

Palombi　　　　■ c 3, p. 61
Entre l'**alta moda** et les loyers des magasins qui grimpent en flèche, cette pâtisserie se bat vaillamment pour sa survie.
Via Veneto 114
Bus 52, 53

Cuir

Bottega veneta　　　　■ b 3, p. 61
Articles en cuir travaillés de manière admirable.
Via San Sebastianello 16b
Métro: Spagna

Gucci　　　　■ b 3, p. 61
Articles en cuir de réputation mondiale, allant du porte-clés jusqu'à l'assortiment de valises.
Via dei Condotti 8
Métro: Spagna; bus 119

Louis Vuitton　　　　■ b 3, p. 61
La copie la plus recherchée des marchands ambulants dans le métro, ce sont les sacs Vuitton.
Via dei Condotti 15
Métro: Spagna; bus 119

Marché

Mercato delle Stampe ■ a 4, p. 61
Une caverne de trésors pour les amateurs de livres anciens et de revues.
Largo della Fontanella di Borghese
7 h – 13 h, fermé di
Métro: Spagna

Mode

Balloon ■ b 3, p. 61
Soie chinoise alliée au chic italien, le tout à des prix modérés, c'est l'atout cœur de cette chaîne de magasins de mode italienne qui possède 10 magasins répartis dans Rome, ce qui permet un grand choix.
Piazza di Spagna 35
Métro: Spagna

Battistoni ■ b 3, p. 61
Dans le royaume de Gianni Battistoni, le roi du chemisier, on trouve des vêtements pleins de fantaisie, travaillés de manière délicate.
Via dei Condotti 61 a
Métro: Spagna; bus 119

Benetton ■ b 3, p. 61
Mode colorée, jeune – mais qui ne connaît les couleurs de Benetton?! Et sa publicité qui fait scandale!
Via dei Condotti 59
Métro; Spagna; bus 119

Discount dell'Alta Moda
■ a 3, p. 61
C'est l'endroit pour faire une affaire en vêtements haute couture. Des parties de collection des grands couturiers sont vendues à moitié prix en fin de saison.
Via Gesù e Maria 16
Métro: Spagna; bus 119

Emporio Armani ■ b 3, p. 61
Bienvenue au pays merveilleux de la mode; mode classique à des prix classiques.
Via del Babuino 140
Métro: Spagna; bus 119

Fendi ■ b 3, p. 61
Les sœurs Fendi sont les reines cachées de la mode romaine. Leur royaume, débordant de vêtements, d'articles en cuir, de chaussures et de manteaux de fourrure, s'étend sur cinq magasins dans la via Fendi, pardon la via Borgognona.
Via Borgognona 4/E, 4/L, 38B, 39, 40
Métro: Spagna; bus 119

Genny ■ b 3, p. 61
La mode pour la femme d'affaires, pratique et élégante; ligne noble de Donatella Girombelli.
Piazza di Spagna 27
Métro: Spagna

Gente ■ b 3, p. 61
Collections exclusives des "grands garçons" de la grande mode: Jean-Paul Gaultier, Dolce & Gabbana et Moschino.
Via del Babuino 82
Bus 119

Giorgio Armani ■ b 3, p. 61
Mode, élégance, qualité excellente et intemporelle.
Via dei Condotti 77
Métro: Spagna; bus 119

Laura Biagiotti ■ b 3, p. 61
Vêtements en maille, éternels et élégants, mode discrètement conservatrice, qui n'est pas soumise aux diktats de la mode – et bien sûr le parfum de Rome.
Via Borgognona 43-44
Métro: Spagna

Moda ■ b 3, p. 61
Les acheteurs de mode visitent perpétuellement les métropoles du monde pour y acheter les pièces à la mode. C'est ici qu'on trouvera les robes mini les plus récentes et les pantalons les plus osés de l'été.
Via Borgognona 31
Métro: Spagna

Rome et ses quartiers

Olivier ■ b 3, p. 61
La ligne Valentino pour les jeunes –
et aussi plus abordable.
Via del Babuino 61
Métro: Spagna; bus 119

Piatelli ■ b 3, p. 61
La tradition du fil et de l'aiguille:
Piatelli est le plus ancien tailleur
homme de Rome. On y habille main-
tenant aussi les dames.
Via dei Condotti 29
Métro: Spagna; bus 119

Roberto Capucci ■ b 3, p. 61
Roberto Capucci, le créateur de
sculptures en tissu! Le maître ne
réalise que des pièces uniques.
Via Gregoriana
Métro: Spagna

Serra Boutique ■ b 3, p. 61
Mode de couturier au tarif minimum
– ce ne sont que des copies.
Via Bocca di Leone 51
Métro: Spagna; bus 119

Valentino ■ b 3, p. 61
La boutique, exclusivement pour
dames, du grand couturier romain.
Les messieurs sont attendus dans la
via dei Condotti/via Mario de' Fiori et
chez Valentino haute couture situé
Piazza Mignanelli 22, réservé aux
bourses vraiment bien garnies ou aux
époux hyper-généreux.
Via Bocca di Leone 15
Métro: Spagna; bus 119

Versace ■ b 3, p. 61
Un classique de la mode
Via Borgognona 29
Métro: Spagna; bus 119

Via del Corso ■ a 2-b 4, p. 61
Boutiques, magasins de jeans, mode
de couturier, chaussures, dans toutes
les gammes de prix. La via del Corso
est une des rues de magasins de
mode les plus animées de Rome.
L'animation est à son comble au
moment des soldes: les files
s'allongent alors jusqu'aux trottoirs.
Bus 90

Musique

Discoteca Frattina ■ b 4, p. 61
Les dernières rengaines à la mode,
qui n'arriveront chez nous que 6 mois
plus tard.
Via Frattina 50/51
Métro: Spagna

Porcelaine et céramique

Carlo Lampronti ■ b 3, p. 61
De jolies statues de porcelaine va-
lant une petite fortune.
Via del Babuino 54
Métro: Spagna

Due Pi ■ a 4, p. 61
Vaisselle et verres pour le ménage.
Piazza Nicosia 30
Bus 90

Pot ■ a 3, p. 61
Assiettes merveilleuses décorées à
la main et pots en terre cuite. Les
tables en mosaïque, réalisées
d'après des modèles originaux, sont
superbes.
Via della Frezza 12
Bus 90

Même si la vendeuse ressemble à un
mannequin, n'hésitez pas à aller seu-
lement jeter un œil dans les
boutiques romaines.

Rome et ses quartiers

Bijoux

Bulgari ■ b 3, p. 61
Le roi du bijou italien, avec des pièces incomparables – malheureusement à des prix donnant le vertige. Même les hommes y trouvent leur bonheur avec de très belles montres en or.
Via dei Condotti 11
Métro: Spagna; bus 119

Burma ■ b 3, p. 61
Bulgari était un peu trop cher? Burma vous conviendra mieux – ici aussi de beaux bijoux mode.
Via dei Condotti 27
Métro: Spagna; bus 119

Massoni ■ a 3, p. 61
Une des plus anciennes bijouteries de Rome. Depuis 1790, les pièces de Massoni passent sur le comptoir.
Largo Carlo Goldoni 48
Bus 90

Petocchi ■ b 3, p.61
Les membres de la famille Petocchi sont joailliers depuis de nombreuses générations.
Piazza di Spagna
Métro: Spagna

Sigarusa ■ b 3, p. 61
Ressemble davantage à un petit musée qu'à une bijouterie: Siragusa est spécialisé en pièces antiques et en monnaies qui sont insérées dans des chaînes réalisées à la main.
Via delle Carrozze 64
Métro: Spagna; bus 119
Fermé sa

Chaussures

Bruno Magli ■ b 4, p. 61
Sandalettes à brides pour chevilles fines, chaussures à talons hauts à couper le souffle, idéal pour accompagner la petite robe noire...
Via del Gambero 1
Bus 90

Diego della Valle ■ b 3, p. 61
Chaussures mode pour elle et pour lui.
Via Borgognona 45
Métro: Spagna; bus 119

Fausto Santini ■ b 4, p. 61
C'est ici que Claudia Schiffer achète ses ballerines, Isabella Ferrari s'y fournit en bottes – pour un petit 500 000 lires.
Via Frattina 121
Métro: Spagna; bus 119

Herzel ■ b 3, p. 61
Les chaussures les plus branchées de la ville, idéales pour la mode grunge.
Via del Babuino 123
Métro: Spagna; bus 119

Raphael Salato ■ c 3, p. 61
Il y a des fétichistes, qui ne portent que des chaussures de Raphaël; encore faut-il savoir y mettre le prix.
Via Veneto 104
Métro: Barberini; bus 52, 53

Rosetti ■ b 3, p. 61
Chefs-d'œuvre pour le pied, catastrophe pour le porte-monnaie...
Via Borgognona 5/a
Métro: Spagna; bus 119

Etoffes

L'Angelo b 4, p. 61

Tissus décoratifs aux couleurs superbes, créés par les sœurs Missoni – les maîtres incontestés des motifs lumineux.
Via del Corso 510
Bus 81, 90

Cesari b 3, p. 61

Tissus raffinés pour la décoration intérieure.
Via del Babuino 195
Métro: Spagna; bus 119

Frette b 3, p. 61

Lins luxueux pour lit et bain, pour la maison et le bateau...
Piazza di Spagna 11
Métro: Spagna

Boutiques modes, magasins de jeans, magasins de chaussures – et pour toutes les bourses: la via del Corso est un paradis pour les adeptes du shopping.

Sous-vêtements

Brighenti b 4, p. 61

Beaucoup d'actrices de film ou de la télévision se procurent ici leurs dessous raffinés pour les heures de séduction.
Via Frattina 7-8
Métro: Spagna

Intimità b 4, p. 61

Dessous jeunes pour dames, bodys de couleurs et de formes différentes, pas trop chers.
Via Frattina 16
Métro: Spagna

Journaux et revues

Le **Messaggero,** le journal le plus lu de Rome, a son siège via del Tritone 152. Un des plus beaux kiosques à journaux de Rome est placé devant l'entrée. Un autre kiosque, présentant un grand choix en presse étrangère, se trouve sur la piazza di Spagna (via Borgognona).

Rome et ses quartiers

Comme un ventre rebondi, la vieille ville repose dans le pli du Tibre, gavée de jolies places, de palais impressionnants et de la plus merveilleuse scène baroque du monde: la piazza Navona.

La fontaine des Fleuves trône au centre de la **piazza Navona**. Réquisitoire théâtral mettant en scène quatre fleuves, le Nil, le Gange, le Danube et le Rio de la Plata, c'est une création de l'artiste Gian Lorenzo Bernini. La piazza Navona est un lieu où le plaisir est devenu tradition. Dans l'Antiquité, les jeux opposant les athlètes et les combats de gladiateurs avaient lieu ici. Au XVIIe siècle, les Romains avaient trouvé un amusement humide car, le week-end, on remplissait d'eau la partie centrale de la place, concave, et les courtisans du pape ainsi que les princes se livraient à des courses de carrosse de style aquatique.

Maintenant, chacun se divertit à sa manière. Les acteurs principaux, et en même temps spectateurs des divertissements, sont des musiciens de rue, des acteurs, des politiciens, des bonnes sœurs, les touristes aux épaules brûlées par le soleil, les grands-mères et les vendeurs d'articles en cuir africain. Des guitaristes, des chanteurs, des batteurs et des accordéonistes s'occupent du fond musical.

La cohue, des rires et des souvenirs terribles

C'est aussi dans la vieille ville que se trouve la deuxième place superbe, la place **Campo de' Fiori**. La journée, elle résonne de rires, de bousculades et des bruits du marché. Le soir, ce sont les touristes qui remplissent les terrasses locales après leur journée de visite, et qui font l'animation. Mais, comme dans toute bonne pièce de théâtre, le centre de la vieille ville a aussi connu ses moments dramatiques.

La piazza Campo de' Fiori a connu des fêtes éblouissantes, mais aussi des exécutions cruelles. La victime la plus célèbre est le moine Giordano Bruno, que l'Eglise condamna à être brûlé vif en l'an 1600. La taverne de Vannozza Catanei, courtisane du pape Alexandre VI Borgia et mère de la fratrie d'assassins Cesare et Lucrèce Borgia, fut aussi située un temps sur la piazza. Jules César, lors des ides de mars, en 44 av. J.-C. donna sa dernière représentation dans le théâtre de Pompéi situé juste au coin.

La **via Giulia** appartient aussi à la vieille ville. La plus belle rue de style Renaissance de la ville passe devant des galeries d'art et des antiquaires qui sont presque aussi célèbres que les palais qui la bordent.

Pour terminer: le **Panthéon**. Malgré les détériorations répétées de plusieurs papes, il reste toujours LE temple "dédié à tous les dieux" le mieux conservé de Rome.

Il se passe toujours quelque chose sur la piazza della Rotonda. Et quand toutes les chaises des terrasses sont occupées, il suffit d'aller s'asseoir sur le bord de la fontaine.

Rome et ses quartiers

Promenade

Pour cette promenade, il faut se lever tôt, car elle démarre à la **piazza Campo de' Fiori**, avec le marché aux poissons, fruits et légumes très folklorique (voir Les 10 marchés les plus typiques, p. 268-269). On peut y acheter des herbes, de la salade, des champignons et une foule d'autres choses, le tout provenant de la production locale. Néanmoins, si vous vous attendez à trouver sur le "champ de fleurs" une mer de plantes, vous serez déçu. La partie plante du marché a été repoussée vers la via Angelica, derrière le Vatican. Chez Om Shanti, sur la piazza, vous pourrez déguster votre café matinal, tout en observant tranquillement l'animation commerçante.

Les dernières paroles célèbres

En prenant la via del Biscione, vous arrivez à l'endroit où a eu lieu un des meurtres les plus célèbres, le **teatro di Pompeo**, là où Jules César a prononcé les paroles historiques: "Toi aussi Brutus, mon fils". Cela se passait aux ides de mars, en l'an 44 av. J.-C., au moment où César était en passe de devenir l'homme le plus important de Rome. Il avait diminué la puissance du Sénat, réduit le nombre de sénateurs, modifié le

Les combinaisons de lettres et de chiffres dans le texte renvoient à cette carte.

calendrier, en donnant au mois de sa naissance son propre nom, juillet (Julius), et il ne fallait plus grand-chose pour qu'il ne devienne un roi divin. Malgré toutes les recommandations, Julius se présenta ce matin-là au théâtre où il fut poignardé par un groupe de conspirateurs, parmi lesquels Brutus.

De l'ancien théâtre en forme de U, qui s'étendait du Campo de' Fiori jusqu'au bas du largo Argentina, il ne reste malheureusement plus que des traces souterraines. Il faut s'imaginer l'extrémité arrondie, à l'intersection de la via del Biscione et de la piazza del Biscione. Les fondations des murs du théâtre existent peut-être encore mais rien que l'idée de devoir détruire des centaines de maisons et une demi-douzaine d'églises, étouffe chaque projet de fouille dans l'œuf. En traversant le très animé corso Vittorio Emanuele II, en passant devant le **palazzo Massimo,** dont l'arc semble suivre la courbe exacte d'une scène de théâtre antique, vous arrivez à la piazza di San Pantaleo.

Avec les deniers du pape

La via Pantaleo conduit au **palazzo Braschi,** le dernier palais romain à avoir été construit vers la fin du XVIIIe siècle pour la famille d'un pape. Il sert maintenant pour des manifestations culturelles. C'est aussi ici que se trouve le museo di Roma, qui malheureusement est fermé pour le moment.

Plus loin, se situe la **piazza Pasquino** (voir Les 10 places les plus animées, p. 164-165), avec la **statua Pasquina** datant de 1501, une des statues "parlantes" les plus célèbres de Rome. C'était la coutume à cette époque d'accrocher aux statues des

billets ou des écriteaux exprimant des critiques sur les papes, des satires politiques ou simplement des vers humoristiques. Mais si les "Pasquinatiens" étaient pris, ils perdaient rapidement le sourire – le pape Bénidict XIV travailla au début du XVIIe siècle à un décret, qui prévoyait pour eux la peine de mort par décollation (tête coupée).

Pasquino fut appelé ainsi, d'après un tailleur du quartier, renommé pour ses vers satiriques particulièrement piquants.

Porte-voix pour vers satiriques ou humoristiques

Les "statues parlantes" étaient souvent des colonnes fortement abîmées, qui n'intéressaient plus aucun collectionneur et n'avaient plus que de vagues formes humaines. Pasquino est un fragment d'une copie d'un groupe de sculptures antiques, représentant Ménélas en train de protéger le buste de Patrocle. De temps en temps, un billet pend encore aux statues. Profitez-en si vous avez un message à faire passer...

Pour aller goûter du vin au **Cul de Sac,** il est sans doute encore un peu tôt; n'oubliez pas d'y revenir plus tard.

Vous voilà devant la place de parade de Rome, la **piazza Navona**, le lieu d'amusement traditionnel de Rome. La forme allongée de la place dévoile son origine. C'est ici que se trouvait dans le temps le stade de Dioclétien.

Paparazzi en quête de stars

Même aujourd'hui, cette place est animée à toute heure du jour, car elle est simultanément lieu de rencontre et tribune en plein air. Pour les photo-

Rome et ses quartiers

graphes et les chasseurs de vedettes, c'est le premier lieu à visiter. Elle accueille aussi, au mois de décembre, le marché de Noël (voir Les 10 marchés les plus typiques, p. 268-269).

Les baraques et les stands occupent alors tout l'espace. Il ne manque plus que la neige et le vin chaud. Les cafés entourant la place sortent les tables et les bancs et, si le soleil pointe son nez, il est possible de manger dehors à midi.

Compétition déloyale entre le Bernin et Borromini

Au centre de la place, se trouve la plus belle fontaine baroque de Rome, une œuvre du Bernin – même si ce n'est pas tout à fait correct.

Le pape Innocent X avait en fait prévu Francesco Borromini, un concurrent du Bernin, pour réaliser sa construction.

Le Bernin fut pris de colère, réalisa en un tour de main un moule de la fontaine en argent pur et soudoya ainsi la belle-sœur du pape...

Tournez ensuite à gauche dans la via dei Lorensi et vous arrivez à la **chiesa di Santa Maria dell'Anima**. Si par chance c'est dimanche et qu'il n'est pas encore dix heures, vous pourrez faire votre marché.

Dans le vicolo della Pace, vous pourrez admirer la façade baroque de la **chiesa di Santa Maria della Pace** qui, portée par des colonnes, ressemble à un temple. Que diriez-vous d'une petite pause café? Le célèbre **Antico Caffè della Pace** vous attend dans la via della Pace, un café art déco, datant du XVIIIe siècle, dans lequel on vous servira un cappuccino crémeux à souhait.

Revigoré, vous suivrez la via di Pario-

ne jusqu'à la via del Governo Vecchio, pour revenir par la piazza Pasquino vers la piazza Navona. En traversant la corsia Agone et le corso del Rinascimento, vous arrivez au palazzo Madama, le siège du Sénat. Ce lieu sacré peut être visité tous les 1ers samedis du mois depuis novembre 1994.

Le corso del Rinascimento vous ramène finalement au corso Emanuele. Continuez maintenant jusqu'à la piazza Sant' Andrea della Valle. Si nous étions encore au XVIe siècle, vous seriez déjà dans l'eau jusqu'au cou. Car, là où a été érigé par la suite l'église **Sant 'Andrea della Valle,** se trouvait jusqu'au XVIe siècle une vallée, que l'empereur Auguste avait fait remplir pour créer un lac artificiel.

Comme dans les coulisses d'un théâtre

Avez-vous remarqué qu'il n'y a qu'un seul ange qui trône sur la façade de l'église, du côté gauche? Le pape Alexandre VII avait critiqué l'œuvre de l'artiste Cosimo Fancelli de manière tellement négative que celui-ci avait refusé de créer un deuxième ange.

La via del Teatro della Valle nous amène à la **piazza Sant'Eustachio,** une des places les plus envoûtantes du centre. Les maisons et les palais se rejoignent comme pour former les coulisses d'un théâtre. C'est l'endroit idéal pour la pause café suivante car, au Sant'Eustachio, on sert le meilleur cappuccino de la ville, le cappuccino con panna, couronné de crème fraîche.

Si votre dose de caféine est déjà suffisante, cela vaut la peine de jeter un coup d'œil au local.

La petite via Palombello vous mène ensuite à la piazza della Rotonda. Il ne reste plus qu'à vous souhaiter un orage violent, avec éclairs et tonnerre; la lumière de l'éclair sur le Panthéon est un spectacle inoubliable.

Durée: environ 2 heures

Curiosités

Area sacra del largo Argentina

■ c 2, p. 100

Dans la petite cuvette derrière les grilles de fer, on descend dans l'histoire de Rome. Sur le site de fouilles de la zone sacrée du largo Argentina, on a découvert, en 1928, quatre ruines de temples dont au moins une a pu être datée comme remontant au Ve siècle av. J.-C. Le temple a été érigé avec la même pierre en tuf qui a servi à la construction des murs de la première ville romaine, les murs de Servius.

On ne sait pas grand-chose de lui, – ni à quel dieu il était dédié, ni son nom.

C'est pourquoi on a nommé tout simplement les quatre ruines des temples par les quatre premières lettres de l'alphabet, A, B, C, D (de droite à gauche). Le temple A est encore relativement en bon état. Du temple B, qui se différencie des autres par sa construction circulaire, il ne reste que six colonnes et un podium. Des temples C et D, seul le podium est visible. Même couché sur la rue, vous constaterez que les temples ont été construits au niveau du sol. La saleté et les décombres accumulés pendant des années ont élevé petit à petit le niveau de la rue.

Les chantiers de fouille sont appelés, de manière familière, le Foro dei Gatti (voir La Gattara – les chats sauvages de Rome et leur mère nourricière p. 122-123), car, entre les ruines des temples, vit un nombre incroyable d'habitants typiques de Rome: les chats. Ils appartiennent à l'espèce des chats sauvages et vagabonds, et toutes les tentatives pour les domestiquer ont échoué. De vieilles dames viennent les nourrir pour les sauver de la faim. Ce que les chats préfèrent? Les spaghettis à la sauce tomate!

Largo di Torre Argentina
Bus 46, 62, 64
Entrée libre

Fontana dei Fiumi

Voir piazza Navona, p. 106

Fontana del Mascherone

■ b 3, p. 100

Une grande bassine de granit en provenance d'une maison de bain romaine et un masque, qui secoue une moule pour en faire sortir de l'eau: c'est la fontaine aux masques dans la via Giulia, une sœur plus petite et quasi inconnue de la fontaine de Trevi – mais qui vaut aussi la peine d'être vue.

Elle fut créée en 1626 avec la fontaine de la piazza Farnese de Carlo Rainaldi mais, jusqu'en 1630, elle est restée à sec car l'aqueduc Vergine n'arrivait que jusqu'à la piazza Campo de'Fiori. La fontaine aux masques n'a d'abord fait entendre qu'un gazouillis, jusqu'à ce qu'une liaison avec l'aqueduc Paola soit établie.

Via Giulia
Bus 23

Fontana del Moro

Voir piazza Navona, p. 106

Rome et ses quartiers

Obelisco piazza della Rotonda
■ c 2, p. 100

A l'origine, il y avait ici une fontaine, avec quatre groupes de masques et de dauphins qui rejetaient l'eau dans le bassin. En 1711, le pape Clément XI décida d'embellir la fontaine avec l'obélisque qui se trouvait devant l'église San Marcuto. L'architecte Filippo Barigioni remplaça la partie centrale par un rocher et dessina pour l'obélisque une assise décorée avec des dauphins et les armes papales. Les hiéroglyphes des côtés rappellent le pharaon Ramsès II.

Piazza della Rotonda
Bus 70, 81, 90

Palazzo della Cancelleria
■ b 2, p. 100

En une nuit passée aux tables de jeux, le futur propriétaire Raffaele Riario, cardinal et neveu du pape Sixte IV, aurait gagné l'argent nécessaire à la construction d'un des plus beaux palais de la Renaissance (1485 à 1513).

Malgré ses dimensions imposantes, ce bâtiment reste élégant grâce à ses proportions. Seule fausse note: pour la construction, des tonnes de marbre en provenance du théâtre antique de Pompéi ont été employées. Le cardinal Riario fut accusé peu après par le pape Léon X de participation à une conjuration contre le pape et le palais fut confisqué. Depuis le XVIe siècle, la chancellerie (cancelleria) du pape s'est établie dans le palais qui est devenu une possession du Vatican.

On a aussi intégré, dans le palazzo della Cancelleria, le **San Lorenzo di Damaso,** qui devait remplacer en 1495 une église du IVe siècle. La maison de Dieu originale (fondée par le pape Damaso) a dû céder la place lors de la construction du palais. Des concerts classiques sont organisés occasionnellement dans le palazzo della Cancelleria; il est possible de le visiter à cette occasion.

Piazza della Cancelleria
Bus 46, 62, 64

Palazzo Farnese
■ b 3, p. 100

Rome doit son plus beau palais au cardinal Alexandre Farnese, qui devint ensuite le pape Paul II. Antonio Di Sangallo commença sa construction en 1514 et, en 1546, après sa mort, c'est Michel-Ange qui continua son œuvre. Le Florentin créa les bases des fenêtres, la fenêtre du balcon central, les tablettes de cheminée du premier étage, ainsi que les galeries, qui sont décorées de fresques d'Annibal et d'Agostino Carracci. Il abrite l'ambassade de France.

Piazza Farnese
Bus 23, 65
Visite sur demande au numéro de téléphone 68 60 11

Palazzo Madama
■ b 2, p. 100

"Madama" Marguerite d'Autriche, d'abord épouse d'Alexandre de Médicis et ensuite d'Ottavio Farnese, est celle qui a donné son nom au palais à la façade typiquement baroque. L'évêque Sinulf fit ériger le palais à la fin du XVe siècle et la famille florentine de Médicis s'occupa de l'achèvement et des extensions.

Depuis 1871, le palazzo Madama est le siège du Sénat italien.

Le palais peut être visité tous les premiers samedis du mois.

Corso del Rinascimento
Bus 70, 81, 90
Chaque premier sa du mois 10 h – 18 h, fermé en été

Palazzo della Sapienza

b 2, p. 100

Dans la cour intérieure du palais, siège de l'université de Rome jusqu'en 1935, se trouve un chef-d'œuvre de Francesco Borromini: l'église **Sant' Ivo alla Sapienza** (1642 à 1660).

La façade de la maison de Goethe est animée par une alternance de formes concaves et convexes et par le toit s'élançant en spirale au-dessus de la coupole. Borromini construisit l'église en 1660, à la demande du pape Urbain VIII.

Corso del Rinascimento
Bus 26, 70, 81
10 h – 12 h et 16 h – 19 h; l'église est malheureusement souvent fermée

Superbe jusque dans les moindres détails baroques: le palazzo Madama, actuellement siège du Sénat.

Palazzo Spada

b 3, p. 120

Ce palais, joyau du maniérisme, a été construit en 1540 par Michelangelo Merisi, Caravaggio. Au XVIIe siècle, le cardinal Spada a acheté le palais et l'a fait restaurer et agrandir par Borromini. La célèbre galerie en perspective du palais est un chef-d'œuvre de Borromini. Du côté gauche de la cour, on a vue sur la bibliothèque et, de là, ensuite, on voit à nouveau dans la galerie. Cette dernière donne une impression de longueur, alors qu'elle ne fait que huit mètres de long et simule une perspective qui est créée par le rapetissement des colonnes par rapport à l'arrière-plan et l'élévation constante du niveau du sol.

L'illusion d'optique est si parfaite que la petite statue se trouvant au bout des corridors, dans une petite cour, prend des dimensions colossales.

La façade de ce palais somptueux ainsi que la galleria Spada (p. 111), actuellement siège du Conseil italien, est équipée de huit niches occupées par des statues de rois et d'empe-

Rome et ses quartiers

reurs romains.
Piazzo Capo di Ferro 3
Bus 23, 65
9 h – 19 h, di et ve 9 h – 13 h,
fermé lu
Entrée 4 000 lires

Panthéon ■ c 2, p. 100

"Disegno angelico e non umano"
(conçu par des anges et non par des
hommes), c'est un connaisseur qui
qualifie ainsi le Panthéon: Michel-
Ange en personne, qui voyait là un
signe de génie dépassant l'humain. Il
est vrai que ce superbe bâtiment est
considéré comme l'expression la plus
parfaite et la plus géniale de l'architecture romaine. Ses origines remontent à Agrippine, qui voulut construire, entre 27 et 25 avant J.-C., un
temple dédié à tous les dieux. Il ne
reste plus beaucoup à voir de l'ancienne conception d'Agrippine, car,
entre 120 et 125 après J.-C., l'empereur Hadrien fit complètement transformer le temple. Fermé par les derniers empereurs, pillé par les barbares, le Panthéon devint en 609 l'église dédiée à "sainte Marie et à tous
les martyrs".
C'est surtout l'intérieur de la construction qui est de toute beauté, ainsi
que l'harmonie des formes; diamètre
et hauteur sont les mêmes ainsi que
la hauteur des murs et de la coupole.
Celle-ci, recouverte au départ aussi
bien à l'intérieur qu'à l'extérieur avec
des plaques de bronze, est, avec un
diamètre de 43 mètres, la plus grande surface à avoir été murée; la lumière pénètre par une ouverture de 9
mètres. Le recouvrement mural réalisé en marbre ainsi que le sol corre-
spondent encore largement à l'état
original.
Piazza della Rotonda
Bus 46, 62, 64

9 h – 14 h, di 9 h – 13 h
Entrée libre

Piazza Navona ■ b 2, p. 100

Le pape Innocent X désirait que sa
résidence de la piazza Navona, le
palais Pamphili, soit entourée d'une
étendue en rapport. C'est pourquoi il
commanda à l'architecte de premier
plan qu'était Gian Lorenzo Bernini la
construction d'une fontaine. Ce dernier créa la **fontana dei Fiumi,** la
fontaine des fleuves, qui représente
les quatre fleuves divins que sont le
Nil, le Gange, le Danube et le Rio
della Plata, pour représenter les
quatre parties du globe.
Innocent se procura les obélisques à
la via Appia; la fontaine fut terminée
en 1651. Pour jouer un vilain tour à
son rival de toujours Borromini, le
Bernin – du moins c'est ce que raconte la légende – fit regarder son
œuvre en direction de Sant'Agnese
in Agone, comme s'il attendait
l'écroulement de l'église. Le hic de
cette histoire: l'église fut construite
un an après la fontaine...
La **fontana del Moro,** la fontaine du
Maure, date de la fin du XVIe siècle.
A la demande du pape Innocent X,
elle fut enjolivée par le Bernin; le
Maure est son œuvre. La **fontaine
de Neptune,** la troisième, fut érigée
à la fin du XVIe siècle (voir Les 10
places les plus animées, p. 164-165).
Bus 70, 81, 90

*Place de choix pour un dieu. De son
trône aquatique, surplombant la piazza Navona, Neptune observe attentivement l'activité humaine.*

Rome et ses quartiers

Sant'Agnese in Agone
◼ b 2, p. 100

Selon la légende, c'est en l'an 304 que sainte Agnès fut clouée nue au pilori, sur la piazza Navona. Comme par miracle, ses cheveux se mirent à pousser à toute vitesse, la cachant aux yeux des spectateurs. A l'endroit de cet événement miraculeux, on construisit une église. L'église actuelle fut édifiée en 1652 par Francesco Borromini.

La plastique de la façade est impressionnante, ainsi que l'effet clair-obscur obtenu par l'alternance d'éléments concaves et convexes. A l'intérieur, quatre autels sont placés dans les niches sur les piliers de la chapelle et forment un octogone. Les colonnes de la chapelle proviennent de San Giovanni in Laterano. Les fresques des coupoles ont été créées par Cirri Ferr. Dans la crypte, on voit la statue de sainte Agnès.

Piazza Navona
Bus 46, 62, 64
9 h 30 – 12 h 30 et 16 h – 18 h

Terrain d'activité pour artistes pleins de vie: la piazza Navona.

Sant'Agostino
◼ b 1, p. 100

L'église Renaissance, avec sa façade assez simple, a été construite de 1479 à 1483 par Pietrasanta. Sa vraie richesse se cache à l'intérieur.

Sur la troisième colonne à partir de la gauche, on aperçoit une des plus célèbres fresques de Raphaël, le "Prophète Josuah" (1512). Sur le maître-autel du Bernin (1627), une représentation de la Madone est suspendue. Elle aurait été peinte par l'évangéliste saint Luc.

Dans la chapelle latérale, on peut admirer la "Madonna dei Pellegrini" du Caravage (1605). Les contemporains de l'artiste critiquèrent cette madone: elle ressemblait à une simple femme du peuple, disait-on.

Piazza Sant'Agostino
Bus 46, 62, 64
7 h 45 – 12 h et 16 h 30 – 19 h 30

Sant'Andrea delle Valle

■ b 2, p. 100

Un lac artificiel, datant de l'époque des Augustes, a subsisté ici jusqu'au XVIe siècle. En 1591, Giovanni Francesco Grimaldi commença la construction d'une maison de Dieu dans la vallée destinée à l'ordre des théatines. La coupole de Sant'Andrea est conçue comme la coupole de Saint-Pierre, la deuxième en hauteur de la ville, et l'imposante partie intérieure est une des plus belles de Rome. Les fresques superbes du plafond ont été rénovées au début du XXe siècle par différents artistes.

La façade baroque, avec ses colonnes qui se chevauchent, réalisée de 1608 à 1623 par Carlo Maderno, revit dans toute sa splendeur après un nettoyage énergique.

Corso Vittorio Emanuele II
Bus 46, 62, 64
7 h 30 – 12 h 30 et 16 h 30 – 19 h 30

Sant' Eustachio

■ c 2, p. 100

L'empereur Constantin aurait fait construire à l'époque une église à l'endroit du martyre de saint Juste et, si cette affirmation est exacte, Saint-Eustache serait une des plus anciennes églises du monde. Elle fut reconstruite au XIIe siècle – le clocher est un témoin de l'époque – et, en 1724, elle a subi d'autres transformations.

Sant' Eustachio, saint Juste, était un chasseur passionné qui aurait rencontré, un jour, dans les bois, un cerf immense qui portait une croix illuminée entre ses bois. Au-dessus du fronton de la façade, on distingue une tête de cerf avec une croix. A l'intérieur de l'église, le maître-autel décoré de bronze et de marbre est de Nicola Salvi (1739).

Piazza Sant' Eustachio

Bus 70, 81, 90
9 h – 12 h et 16 h – 18 h 30

Santa Maria dell'Anima

■ b 2, p. 100

L'église, datant de 1510, a été fortement endommagée et une restauration s'est imposée au XIXe siècle. Trois portes ciselées avec du marbre de couleur s'ouvrent maintenant sur la façade Renaissance. Le clocher a été recouvert d'ardoises plus colorées. L'espace intérieur possède les fondations d'une salle d'église datant de la fin du gothique.

Via Santa Maria dell'Anima
Bus 46, 62, 64

Santa Maria della Pace

■ b 1, p. 100

L'église fut érigée en 1482 à la demande du pape Sixte V et restaurée en 1665 au nom du pape Alexandre VII. La nef à l'intérieur de l'église, datant du XVe siècle, est restée intacte. Au-dessus de l'arc de la chapelle, se trouvent les sibylles de Raphaël. Ce couvent est reconnu comme un bel exemple d'architecture baroque et la première œuvre de Donato Bramante exécutée à Rome (1500 à 1504).

Vicolo della Pace
Bus 46, 62, 64
9 h – 12 h et 16 h – 18 h

Rome et ses quartiers

Santa Maria sopra Minerva

◼ c 2, p. 100

L'église originelle a été fondée au VIIIe siècle, sur un temple dédié à Minerve. En 1280, l'église fut reconstruite et c'est un des rares bâtiments gothiques de la ville sainte. Les portiques en marbre de la façade du XVIIIe siècle sont encore du XVe siècle. Sur le côté gauche du mur extérieur, six tableaux rappellent les inondations du Tibre entre 1598 et 1870.

Dans la **capella Carafa**, dans la nef transversale droite, se trouvent des fresques de Filippino Lippi (1489 à 1492). Dans le chœur, on peut admirer la statue réalisée par Michel-Ange de la "Résurrection du Christ". Les travaux de finition (1519 à 1520)

L'unique église gothique de Rome repose sur les restes d'un temple: Santa Maria sopra Minerva.

avaient été au départ laissés au grand maître Pietro Urbano, mais son travail fut jugé tellement peu satisfaisant que c'est Michel-Ange lui-même qui le termina.

Un petit éléphant, qui porte un petit obélisque, que la voix populaire désigne familièrement par il pulcino (le poussin), est posé devant l'église. Il ne doit pas ce surnom à sa petite taille mais bien au fait que les gens trouvaient qu'il ressemblait plus à un petit cochon (**porcino**) qu'à un éléphant.

Au départ, on avait prévu que ce serait un géant qui tiendrait l'obélisque, mais le moine dominicain qui possédait l'obélisque voulut absolument que ce soit un éléphant. Gian Lorenzo Bernini, qui avait esquissé l'œuvre, était tellement furieux de cette incursion qu'il plaça l'éléphant avec l'arrière tourné vers le couvent des dominicains.

Piazza della Minerva
Bus 46, 62, 64
8 h – 12 h et 16 h – 19 h

Via Giulia ■ a 2/b 3, p. 100

Au début du XVIe siècle, le pape Jules II fit créer, par Bramante et d'autres architectes de renom, la plus belle rue de style Renaissance de Rome et fit du même coup un acte politique. La longue rue rectiligne, qui sépare les ruelles moyenâgeuses, devait être le symbole du renouveau de Rome qui, à l'époque, souffrait d'inflation, de sous-développement commercial et de malaria. La large rue devait également permettre aux pèlerins d'atteindre le Vatican, sans trop être volés par les nombreux pickpockets à l'œuvre dans les petites ruelles.

Au cours des siècles, la via Giulia s'est transformée en vitrine de la ville. Elle est actuellement bordée d'antiquaires et de galeries d'art, qui sont presque aussi célèbres que les palais avoisinants. L'art est une tradition de la via Giulia. C'est au n° 85 que vivait le célèbre peintre Raphaël. Au n° 66, sur le **palazzo Sacchetti,** une inscription à gauche du balcon atteste que c'est l'architecte Antonio Da Sangallo qui construisit le bâtiment et qu'il y habita. C'est surtout la cour intérieure du palais qui est belle.

Bus 23, 41

Musées et galeries

Galleria Spada ■ b 3, p. 100

Au XVIIe siècle, il était de bon ton, dans les familles riches de la ville, de posséder sa propre collection d'art. La Galleria Spada, aménagée par le cardinal Spada, dispose encore d'une des rares collections privées de Rome restées complètes. Les portraits des cardinaux Guercino et Guido Reni, ainsi que de nombreuses peintures de Domenico et du Titien, valent une visite.

Piazza Capo di Ferro 3 (Palazzo Spada)
Bus 23, 65
9 h – 19 h, di et ve 9 h – 13 h, fermé lu
Entrée 4 000 lires

Museo Baracco ■ b 2, p. 100

Le baron Giovanni Baracco était un collectionneur enthousiaste de sculptures assyriennes, égyptiennes, grecques et romaines. En 1902, il légua son trésor à la ville. C'est une petite collection de grande valeur, contenant entre autres une représentation de la tête d'un pharaon, probablement Ramsès II. Cette pièce de valeur se trouve dans la salle 2. C'est la plus ancienne statue d'Italie. (Voir Les 10 musées les plus passionnants, p. 78-79).

Via dei Baullari 1
Bus 62, 64
9 h – 13 h, ma et je aussi 17 h – 20 h; fermé me et en août
Entrée 3 750 lires

Museo napoleonico ■ b 1, p. 100

Tableaux et souvenirs de l'époque napoléonienne romaine. L'admiration du petit Corse pour la Ville Eternelle allait si loin qu'il fit appeler son fils le Roi de Rome. Les deux premières

Rome et ses quartiers

salles sont dédiées à Napoléon Ier, la troisième à Napoléon III.
La mère de Napoléon, Laetitia, a également été honorée. Néanmoins, la plus belle pièce restera une reproduction en plâtre du buste de Pauline Bonaparte Borghese, la sœur de Napoléon.
Via Zanardelli 1
Bus 26, 90
9 h – 13 h 30, je aussi 17 h – 20 h, di 9 h – 13 h 30, fermé me
Entrée 7 500 lires

Museo di Roma  b 2, p. 100

Dessins, tableaux – notamment des courses sur l'eau en carrosse, sur la piazza Navona inondée, et des documents sur l'histoire de la Ville Eternelle. Egalement un train ouvert, construit en 1858 en France, que le pape Pie IX utilisait comme moyen de locomotion. Actuellement, le musée est fermé pour cause de travaux de rénovation.
Piazza di San Pantaleo 10
Bus 62, 64

Manger et boire

Acchiappafantasmi b 2, p. 100
Les créations en matière de pizzas sont aussi spéciales que les noms. La version avec un mélange de légumes grillés (**verdure miste**) est particulièrement réussie.
Via dei Cappellari 66
Tél. 6 87 34 62
Bus 62, 64
19 h – 24 h, fermé ma
Classe de prix inférieure

Antico Caffè della Pace
b 2, p. 100
Superbe café antique, que pratiquement toutes les stars de cinéma, de passage à Rome, visitent. Même le pape est venu y déjeuner, lorsqu'il disait la messe dans l'église

Vous ne voulez prendre qu'un cappuccino ou un cocktail? Pas de problème: l'Antico Caffè della Pace ne sert pas uniquement les stars et les mannequins.

della Pace.
Le tenancier, Bartolo Cuomo, a récemment écrit un livre sur sa vie agitée et sur les illustres personnages qui fréquentent le Pace-Bar.
Via della Pace 5
Tél. 6 86 12 16
Bus 46, 62, 64
15 h – 2 h, fermé lu

Da Baffetto
b 2, p. 100
Une des pizzerias romaines historiques, avec des pizzas à la pâte extrêmement fine mais richement garnies.
Toujours plein, mais cela ne sert à rien de réserver.
Via del Governo Vecchio 114
Pas de téléphone
Bus 62, 64
12 h – 15 h et 19 h – 23 h, fermé di
Classe de prix inférieure

La Campana
b 1, p. 100
Dans le temps, c'est ici que les prêtres et les hautes personnalités venaient manger. Actuellement, les "simples" Romains viennent aussi s'y restaurer d'excellents poissons très frais et de la torta di ricotta, une tarte au fromage typique.
Vicolo della Campana 18
Tél. 6 87 52 73
Bus 70, 186
12 h 30 – 15 h , 19 h 30 – 23 h; fermé lu et en août
Classe de prix élevée (EC, Visa, DC, Amex)

Il Cul de Sac
b 2, p. 100
Plus de 1 100 sortes de vin sont offertes à la dégustation. Pour ne pas déclarer forfait après le premier tour, on peut s'aider en piochant dans un riche buffet. Le fromage de chèvre mariné dans une huile aux herbes est fabuleux.
Piazza Pasquino 73

Tél. 68 80 10 94
Bus 62, 64
12 h 30 – 15 h et 19 h – 24 h, fermé lu
Classe de prix moyenne

Fiocco di Neve
c 2, p. 100
Le palais de la crème glacée aux parfums les plus étranges: on y trouve par exemple de la glace à la bière – gelato alla birra…
Via del Pantheon 51
Bus 70, 119
8 h – 1 h, fermé lu

Giolitti
c 1, p. 100
L'adresse n° 1 de la crème glacée de Rome, avec un choix énorme.
Via degli Uffici del Vicario 40
Bus 52, 56, 61
7 h – 1 h, fermé lu

Grotte del teatro di Pompeo
b 2, p. 100
Les spaghetti alle vongole sont déjà un événement en soi – et sont au goût des palais français, si l'on en croit le nombre de membres de l'ambassade française, située à côté, qui viennent se régaler.
Via del Biscione 73
Tél. 68 80 36 86
Bus 60, 62, 64
12 h 30 – 15 h et 19 h 30 – 23 h, fermé me
Classe de prix moyenne (Visa, Amex)

Osteria Farnese
b 2, p. 100
Les pâtes n'y sont pas chères et cependant délicieuses!
Via Baullari 109
Tél. 68 80 15 95
Bus 60, 62, 64
12 h – 15 h 30 et 19 h – 24 h, fermé je
Classe de prix inférieure (Visa, DC, Amex)

Rome et ses quartiers

Osteria Romanesca ■ b 2, p. 100
Avec le marché au poisson juste devant soi, normal que le poisson soit frais! Et en plus il est bon marché!
Piazza Campo de'Fiori 40
Tél. 6 86 40 24
Bus 60, 62, 64
12 h 30 – 14 h 30 et 19 h 30 – 22 h 30, fermé lu
Classe de prix inférieure

Jazz Café ■ b 1, p. 100
Un mannequin de New York, qui avait fait carrière à Rome, en eut un jour assez des pâtes et Co. Il ouvrit son propre restaurant et y servit des hamburgers – mais quels hamburgers! Vous y rencontrerez, à l'occasion, des stars de films américains.
Via Zanardelli 12
Tél. 6 86 19 90
Bus 70, 81
21 h 30 – 2 h 30, fermé di
Classe de prix élevée (EC, Visa, DC, Amex)

La Montecarlo ■ b 2, p. 100
Une pizza rapide avant d'entamer la nuit romaine, ou pour prendre des forces entre deux visites galantes...
Vicolo dei Savelli 12
Tél. 6 86 18 77
Bus 62, 64
12 h – 15 h et 18 h 30 – 1 h, fermé lu
Classe de prix inférieure

Della Palma ■ c 1, p. 100
Les adeptes de la crème glacée trouvent ici de quoi se défouler. La douceur glacée est proposée dans toutes les variations possibles. Le seul problème: que choisir parmi les cent variétés proposées?
Via della Maddalena 20/23
Bus 119
8 h – 24 h

Da Pancrazio ■ b 3, p. 100
Depuis 1911, le restaurant s'est établi sur un morceau d'histoire, car c'est exactement ici que se trouvait, dans la Rome antique, le théâtre de Pompée. Dans la pièce du bas, on peut encore admirer une pierre d'époque. Mais on ne fait pas qu'admirer, on mange également très bien chez Pancrazio.
Piazza del Biscione 92
Tél. 6 86 12 46
Bus 62, 64
12 h 30 – 15 h et 19 h 30 – 23 h, fermé me
Classe de prix moyenne

Da Papa Giovanni ■ b 2, p. 100
Les pâtes sont servies dans une croûte de fromage évidée, le tout dans une atmosphère intime.
Via dei Sediari 4
Tél. 6 86 53 08
Bus 62, 64, 70
13 h – 14 h 15 et 20 h – 23 h, fermé di
Classe de prix élevée (EC, Visa, DC, Amex)

Pascucci ■ c 2, p. 100
Un milk-shake aux fraises, un jour de canicule... Quoi de plus frais?
Les mélanges de douceurs portent le joli nom de **frullati.**
Largo di Torre Argentina 20
Bus 60, 65
6 h – 24 h

Sant' Eustachio Caffé ■ c 2, p. 100
Le meilleur café dans tout Rome – c'est ce qu'affirment les Romains.
Les différences sont parfois minimes, mais subtiles...
Piazza di Sant'Eustachio 82
Tél. 6 86 13 09
Bus 70, 81
8 h 30 – 1 h, fermé lu

Trattoria La Carbonara

■ b 2, p. 100

C'est le lieu de rencontre des journalistes, des politiciens et des artistes, sur une des plus belles places de Rome, pour bavarder autour d'une assiette de spaghettis – **alla carbonara** – naturellement.
Piazza Campo de' Fiori
Tél. 6 86 47 83
Bus 60, 62, 64
14 h – 15 h et 19 h – 23 h, fermé ma
Classe de prix moyenne (Visa, Amex)

Que manger à "La Carbonara"? Des spaghettis à la carbonara bien sûr! Avec champignons, œufs, fromage, jambon et crème fraîche!

Travailleuses missionnaires/ L'Eau vive

■ c 2, p. 100

Vous serez servi par des missionnaires – vraies ou déguisées? – qui glissent gracieusement entre les rangées de tables. Occasionnellement, le repas est interrompu par leurs chants. On y sert de la cuisine française.
Via Monterone 85
Tél. 68 80 10 95
Bus 70, 81
12 h 30 – 14 h 30 et 20 h – 21 h 30, fermé di
Classe de prix élevée (Visa, Amex)

Tre Scalini

■ b 2, p. 100

Le célèbre bar de la piazza Navona doit posséder une réserve inépuisable de **tartufo**. Car rares sont les guides qui ne recommandent pas la fameuse spécialité au chocolat...
Piazza Navona 28-32
Bus 42, 60
8 h – 1 h, fermé me

Rome et ses quartiers

Achats

Antiquités

Via Giulia, via Monserrato et via dei Coronari sont les trois grandes rues des antiquités. Plus de 40 magasins y sont installés, offrant des objets antiques, copies et originaux. Dans la via Giulia, l'art se laisse même conjuguer avec cuisine. Lorsque les galeries d'art organisent des vernissages, on offre aux visiteurs du vin et des en-cas. Les dates sont annoncées dans les journaux ou dans les galeries.

Antiquariato Valligiano
■ a 2, p.100
De vrais meubles rustiques italiens du XIXe siècle.
Via Giulia 193
Bus 23, 41

Le Antiquarie
■ a 2, p. 100
Beaux objets d'art et meubles en grande partie vénitiens.
Via del Consolato 19
Bus 23, 41

Cose, cosi
■ b 2, p. 100
De l'argenterie, des montres, des bijoux, des cadres, des vases de 1800 à 1940 – une vrai caverne d'Ali Baba.
Via del Governo Vecchio 89
Bus 46, 62, 64

Gea Arte Antica
■ b 1, p. 100
Vous trouverez ici un vase antique, un véritable chef-d'œuvre, expertisé.
Via dell'Orso 82
Bus 70, 119

Nardecchia
■ b 2, p. 120
Le maître de l'impression ancienne; un magasin merveilleux, idéal pour fouiner.
Piazza Navona 25
Bus 70, 81

Piero Talone
■ a 1, p. 100
Luminaires allant du baroque au Liberty.
Via dei Coronari 135
Bus 70, 119

Livres

La Libreria delle Donne
■ b 3, p. 100
Un trio féminin très agile dirige cette bouquinerie, où les hommes trouveront aussi un roman qui leur plaît. L'écrivain qui connaît ici le plus grand succès est Virginia Woolf.
Piazza Farnese
Bus 60, 62, 64

Libreria Fahrenheit 45
■ b 2, p. 100
Pour les rats de bibliothèques et les insomniaques, cette librairie reste ouverte jusqu'à 23 h!
Piazza Campo de'Fiori
Bus 62, 64

Près de 40 antiquaires et aussi des trouvailles pour amateurs de belles choses anciennes: via dei Coronari.

Rome et ses quartiers

Cadeaux

Fontana Arte ■ a 2, p. 100
Meubles italiens merveilleux et lampes qui laissent rêveurs.
Vicolo Sugarelli 96
Bus 70, 119

Fratelli Berton ■ b 1, p. 100
Œuvres pétrifiées, minéraux, mollusques et même trophées de chasse – pour celui qui a déjà tout.
Via Sant'Agostino 5
Bus 70, 119

Marmor In ■ b 1 p. 100
Vous avez découvert, lors d'une visite, une superbe mosaïque? Silvana Fiore reproduit d'anciennes pièces sur commande. Ou préférez-vous une colonne en marbre?
Via dell'Orso 63
Bus 70, 119

Pietro Simonelli ■ a 2, p. 100
Pietro crée des masques superbes en papier mâché, pour le carnaval ou tout simplement en guise de décoration murale. L'artiste peut être admiré à l'œuvre.
Via Banchi Vecchi 125
Bus 62, 64

Pisoni ■ a 2, p. 100
Petits cadeaux de grande tradition. Depuis environ deux cents ans, la famille Pisoni fournit les principales familles de Rome et le Vatican en bougies.
Corso Vittorio Emanuele 127
Bus 62, 64

Studio Punto Tre ■ a 2, p. 100
Une vraie malle à cadeaux! Le magasin est rempli des choses les plus extraordinaires – par exemple des commodes peintes et des trouvailles d'Extrême-Orient.
Objets d'art
Via Giulia 145
Bus 23, 41

Art

L'Ariete ■ a 2, p. 100
Galerie d'art de première classe, dans laquelle ont lieu des vernissages.
Via Giulia 140 E
Bus 23, 41
16 h – 20 h, fermé lu

Galleria Giulia ■ a 2, p. 100
Une des galeries d'art les plus célèbres, notamment avec des œuvres de Klee et de Kokoschka. Egalement des livres d'art.
Via Giulia 148
Bus 23, 41

Sculptor Jeweler ■ a 2, p. 100
Bijoux de créateurs de mode, mais aussi sculptures en or ou en bronze.
Via Giulia 101
Bus 23, 41

Curiosités

Via dei Cestari ■ c 2, p. 100
Les cardinaux de tous les pays se retrouvent ici, en plein shopping. Les magasins qui bordent la rue présentent des articles de culte et des chapelets, des statues de Marie et, bien sûr également, des chaussures noires et des chaussettes mauves.
Bus 62, 64

Pour les enfants

Città del Sole
■ b 1, p. 100

Un magasin avec de superbes jouets anciens en bois et d'autres jouets amusants. Pour les enfants ou pour ceux qui ont gardé une âme d'enfant.
Via della Scrofa 65/66/66a
Bus 70, 119

Al Sogno
■ b 2, p. 100

Des animaux en tissus, issus du jardin zoologique, de mignonnes poupées et beaucoup d'autres choses qui font plaisir aux petits.
Piazza Navona 53
Bus 70, 81

Ici le soleil brille pour les esthètes: le joaillier-sculpteur vend des sculptures et des bijoux en or et en bronze.

Alimentation

Antica Norcineria Viola
■ b 2, p. 100

Il y a des fans du salami qui se disent collectionneurs. Ici, dans une des meilleures charcuteries de Rome, ils trouveront certainement le morceau qui leur manque. Achetez ici le salami et chez Ruggeri le pain – vous voilà prêt pour le pique-nique.
Piazza Campo de'Fiori 43
Bus 60, 62, 64

Fornaio
■ b 2, p. 100

Pâtisserie pleine de fantaisie autant pour la forme que le goût – et les meilleures tartelettes de la ville.
Via del Baullari 4
Bus 60, 62, 64

Ruggeri
■ b 2, p. 100

Vous ne pouvez plus voir l'éternel pain blanc italien? Ici vous trouverez d'autres sortes de pain. Et de quoi le garnir!
Piazza Campo de'Fiori 2
Bus 60, 62, 64

Venanzio Conti
■ b 3, p. 100

Le meilleur pain cuit au four à bois. On dit que Conti a créé sa propre recette, qui est aussi jalousement gardée que son four.
Via dei Pettinari 70
Bus 46, 81

Rome et ses quartiers

Maroquinerie

Sirni ■ c 1, p. 100
Sacs élégants, valises classiques –
garantis faits main.
Via della Stelletta 33
Bus 70, 81, 90

Marché

Campo de'Fiori ■ b 2, p. 100
Certainement le marché le plus
grand, le plus coloré et le plus animé.
Choix énorme en fruits frais, légumes, poissons, fleurs... Comme c'est
l'habitude en Italie, ce sont les fruits
et légumes de saison qu'on y trouve.
Inutile de chercher des pastèques en
décembre, mais les variétés de salade sont infinies. Au marché aux
fleurs, pas de prix fixe, il s'agit de
marchander.
Piazza Campo de'Fiori
Bus 62, 64
7 h – 13 h 30
Fermé di

*Il n'attendra pas longtemps le
client. Le marché coloré et bon
enfant du Campo de'Fiori réjouit tout le monde.*

Mode

La **via del Governo Vecchio**, c'est
non seulement la rue de l'ancien
gouvernement, mais aussi celle des
vêtements usagés: le point central
des vêtements de seconde main.

Maga Morgana ■ b 2, p. 100
Exécute à la demande des transfor-
mations d'anciens modèles. Que
diriez-vous d'une toge?
Via del Governo Vecchio 27
Bus 46, 62, 64

Moon ■ b 2, p. 100
Mode, chapeaux et bijoux des an-
nées vingt.
Via del Governo Vecchio 89A
Bus 46, 62, 64

Sempreverde ■ b 2, p. 100
Manteaux, sacs, chaussures et vêtements de seconde main des années quarante aux années soixante-dix.
Via del Governo Vecchio, 26
Bus 46, 62, 64

L'Una e l'Altra ■ b 2, p. 100
Modèles de collection à vous couper le souffle et qui ne coûtent pas nécessairement une fortune.
Via del Governo Vecchio 105
Bus 46, 62, 64

Porcelaine et céramique

Farnese ■ b 3, p. 100
Si vous désirez transformer votre maison en un petit palais, vous trouverez tout ce qui est nécessaire, par exemple du marbre et des mosaïques.
Piazza Farnese 52
Bus 23, 60, 64

Restauro Farnese ■ b 3, p. 100
Vous avez cassé votre superbe sculpture en céramique? Ici on pourra certainement vous aider.
Piazza Farnese 43
Bus 23, 60, 64

Bijoux

Arsenale ■ b 1, p. 100
Créations raffinées empreintes de nostalgie.
Via del Governo Vecchio 64
Bus 46, 62, 64

Massimo Maria Meli
■ b 1, p. 100
Cet orfèvre copie les formes intemporelles antiques.
Via dell'Orso 57
Bus 70, 119

Chaussures

Borino ■ b 3, p. 100
La chaussure utile: Borino est le spécialiste de la chaussure simple, passe-partout.
Via dei Pettinari 86
Bus 60, 65

Sous-vêtements

Riccoli ■ b 2, p. 100
On y vend la marque italienne de renom, La Perla. Sur demande, on réalise des pyjamas en soie – évidemment pas nécessairement bon marché.
Via del Governo Vecchio 36
Bus 46, 62, 64

Journaux et illustrés

Piazza Navona ■ b 2, p. 100
Sur la piazza Navona, vous trouverez à côté des journaux italiens **giornali** et des revues **riviste,** une partie de la presse étrangère.
Bus 70, 81

La Gattara – les chats sauvages de Rome et leur mère nourricière

"Cicci, Gio-Gio, pss, venite, venite"... Lorsque signora Elena les appelle, les chats sauvages de Rome arrivent en faisant patte de velours: des noirs, des blancs et des roux, des grands et des petits...

Ces habitants de Rome ne sont ni des vagabonds ni des chats redevenus sauvages. Ils appartiennent davantage à l'espèce des "chats sauvages de ville", rétifs à toute tentative visant à les transformer en minets de salon. Ils vivent dans les jardins et les parcs mais affectionnent surtout les ruines antiques. L'impression générale qu'ils donnent d'être en bonne santé et bien nourris, ils la doivent à des Romains aimant les animaux et qui passent tous les jours pour les nourrir – comme la signora Elena, appelée tout simplement **La Gattara.**

C'est le New York Times qui a tiré la signora Elena de l'armée anonyme des amis des chats. En janvier 1995, le journal américain fit l'éloge de cette Romaine, grande amie des chats, pour en faire l'exemple d'une amitié assez rare pour des animaux abandonnés. Elena, fille d'immigrants américains s'occupe depuis plus de 50 ans d'animaux. Avec sa fille, elle tient un bar dans la via del Teatro di Marcello et s'occupe des chats romains comme s'ils étaient ses enfants. Elle en a ainsi sauvé des centaines de la famine.

Tout commença avec un chaton au pelage roux et aux pattes blanches, qui attendait la signora Elena tous les matins à l'arrêt de bus de la piazza Monte Savello et la suivait pas à pas en ronronnant et en se frottant à ses jambes. Bientôt, la dame prit l'habitude d'apporter les restes de nourriture et rapidement une bonne centaine de chats affamés vinrent l'attendre à l'arrêt de bus.

Depuis quelques années la mère nourricière des chats doit les nourrir très tôt le matin, avant le lever du jour. Des voisins s'étaient plaints de la multitude de chats qui attendaient devant leur porte et reprochaient à la signora Elena de salir les rues. Maintenant, quand la vieille dame se lève à cinq heures du matin, les

Rome extra

Une petite place au soleil: les chats de gouttière à Rome ne sont pas tous des chenapans.

chats l'attendent déjà. Certains grattent impatiemment avec leurs pattes contre la porte en verre, comme s'ils voulaient l'ouvrir. Ils dévorent goulûment les restes et disparaissent aussitôt le repas terminé. Les caresses ne les intéressent pas.

"Mais, dit la signora Elena, cela ne fait rien". Et elle raconte l'histoire d'un certain signor Mariani, qui soignait 70 chats à la fois. A chacun des quadrupèdes il avait attribué une assiette et il dirigeait l'animal vers celle-ci: "Annibal, toi ici, César, ici, Néron que fais-tu là, ta place est ici...".

Si vous désirez jeter un œil sur ces habitants de Rome d'un genre assez têtu, le mieux est de vous rendre dans l'**Area sacra del largo Argentina**, la zone sainte du largo Argentina. Dans la langue populaire, aussi appelé **Foro dei Gatti**, c'est le dernier lieu de rencontre à la mode des chats de ville romains. Pour rencontrer une vraie Gattara ou un Gattaro en route pour nourrir les chats, il faut se lever tôt – et chercher une silhouette munie de sachets en papier brun qui longe les rues d'un pas décidé en émettant des sons bizarres...

Area sacra del largo Argentina, largo di Torre Argentina
Bus 46, 62 ■ c 2, p. 100

123

Rome et ses quartiers

Les Trasteverini affirment être les vrais Romains: c'est d'ici que venaient jadis les gladiateurs les plus forts, qu'avaient lieu les batailles de rue les plus sanglantes, que les femmes étaient les plus belles et les compagnons de beuverie les plus fidèles.

Petites ruelles avec des commerces d'artisans, la mamma devant la porte le tricot en main, des statues de la Vierge éclairées par des candélabres et garnies de fleurs artificielles, disposées dans les recoins ou sous les linteaux des murs, une piété modeste qui n'a rien de commun avec la magnificence papale – et bien sûr les vendeurs de fruits, qui apportent une note colorée avec leurs fruits sagement alignés: tout cela fait le charme du Trastevere (Transtévère), l'ancien quartier portuaire, qui au début ne faisait même pas partie de Rome.

"Les bateaux s'enlisent" dans le quartier du port

Le Trastevere fut un temps la porte d'accès au territoire étrusque et l'empereur Auguste fut le premier à inclure d'une certaine façon le **trans tiberim** dans la vie romaine: il fit construire des bassins d'eau géants près de **San Cosimato** pour y simuler des batailles navales. La proximité du port et des îles du Tibre attira surtout les commerçants, les artistes et les marins dans le quartier. Ces derniers appréciant les environs du Colisée, leur lieu de travail sur la terre ferme, où ils étaient engagés pour la construction du toit.

C'est l'empereur Aurélien qui, au IIIe siècle, s'occupa d'inclure cette communauté dans Rome en élevant un mur et, de ce fait, le quartier devint partie intégrante du port.

Des irrespectueux reconnaissables au long "o"

Le Trastevere, uniquement séparé de la ville intérieure par de l'eau, se différencie encore aujourd'hui des "autres" quartiers romains par son aspect, son atmosphère, ses coutumes et ses traditions – sans oublier son dialecte. Jusqu'il y a quelques décennies, les habitants de ce quartier parlaient leur propre dialecte, dont les finesses étaient incompréhensibles même pour le reste des Italiens.

Encore de nos jours, le Trasteverin de pure souche se reconnaît à son "o" particulièrement long.

La bonne humeur et l'amusement sont les ingrédients d'une balade nocturne à travers les ruelles romantiques du Trastevere, le quartier des madones – à condition d'avoir un peu de chance.

Rome et ses quartiers

La célébrité des poètes du Trastevere dépasse largement les frontières du quartier; un monument commémoratif leur a été dressé dans le **museo del Folclore.** Car les poètes de l'autre côte du Tibre sont des champions de l'irrévérence... ("Le pape rit? C'est mauvais signe mon ami! Cela veut dire que son peuple est proche des larmes...", disait par exemple Giocchino Belli). Le quartier du Trastevere se transforme actuellement de quartier d'ouvrier en quartier bon chic bon genre. Les ateliers sont transformés, le prix du terrain monte en flèche et les gens chic aussi bien d'Italie que de l'étranger repoussent toujours plus loin le vieux Trastevere.

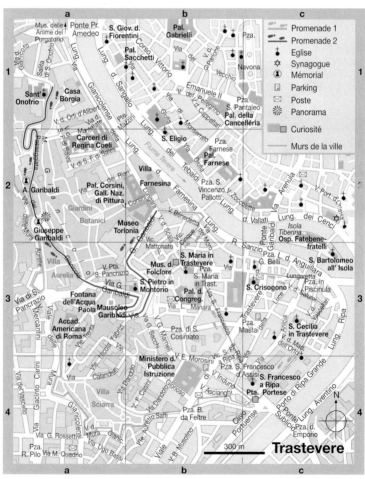

Les combinaisons de lettres et de chiffres dans le texte renvoient à cette carte.

L'endroit où viennent flâner les grands charmeurs

Heureusement, le caractère typique du Trastevere n'a pas encore totalement disparu. La plupart des promenades nocturnes, à travers les ruelles bordées de cafés et de restaurants, se terminent toujours au cœur de l'ancien quartier. Cette partie entoure la piazza di Santa Maria in Trastevere (voir Les 10 places les plus animées, p.164-165), avec l'église du même nom, décorée de mosaïques dorées – dont l'intensité augmente lorsque la nuit s'avance.

Au début d'une longue nuit romaine, dans le vieux quartier du port, le cavalier très stylé, aux cheveux plaqués et portant la dernière chemise à la mode de chez Valentino, escorte sa conquête d'une nuit à un festin nocturne sous les étoiles. Un crochet chez le glacier, un bavardage autour de la fontaine et, pour terminer, un tour dans Rome.

Le Trastevere vaut la peine d'être vu d'en haut, car beaucoup de maisons du quartier sont pourvues de jardins en terrasse et de terrasses. C'est une oasis de verdure qui, en été, joue le rôle de living, décorée amoureusement avec des bougainvillées en vasques de céramique, des palmiers en pot, des rosiers en espaliers, avec l'inévitable perruche dans sa cage de bois...

Promenades

Promenade 1

Commencez votre promenade par un tour de la piazza di Santa Maria, dans un des quartiers les plus populaires de Rome, la piazza Sonnino. Une atmosphère de fête règne autour de l'église **San Crisogono**. La **Festa dei Noantri**, la fête populaire des Trasteverini, attire jeunes et vieux dans les rues. Les restaurateurs disposent leurs tables dehors et, pendant toute la semaine, ce ne sont que porchetta et spaghetti, vin et chansons.

La tour que l'on aperçoit, c'est la **torre degli Anguillara**, la tour d'un palais du XIIIe siècle qui était possédée par une des familles les plus puissantes de Rome. Maintenant, c'est Dante qu'on y étudie.

Dirigez-vous ensuite par la via Lungaretta jusqu'à la piazza in Piscinula et regardez les ruelles autour de la place. On peut encore se représenter le Trastevere du Moyen Age. Par la via dei Salumi et la via dei Vascellari, vous arriverez à la piazza Santa Cecilia.

Dans la **chiesa Santa Cecilia in Trastevere,** se trouve la statue couchée de sainte Cécile, dont la position recroquevillée du corps rappelle l'exécution cruelle.

Le fantôme de l'hospice

Pour terminer, on traverse la piazza dei Mercanti, dont le nom fait référence à l'époque où le port du Trastevere était encore entre les mains des commerçants.

Vous tournez ensuite dans la via di San Michele. Cette rue a été baptisée ainsi en mémoire de l'Istituto

Rome et ses quartiers

San Michele qui s'occupait des pauvres et des vieux dans la Rome papale.

Autrefois, les fantômes hantaient la propriété. Celle-ci aurait appartenu à une certaine donna Olimpia, qui aurait volé son beau-frère sur son lit de mort. L'avare donna Olimpia n'aurait pas trouvé le repos après son propre trépas – et c'est ainsi que plus d'un auraient aperçu sa coiffe flottant dans l'air...

Ensuite, on arrive à la **porta Portese**. Si un parfum de **porchetta** (cochon) grillé et de beignets frits vient vous chatouiller les narines tandis qu'un air napolitain résonne à vos oreilles, c'est dimanche matin, c'est-à-dire le moment du marché aux puces à la porta Portese.

Le Moïse de Michel-Ange, en plâtre

On y trouve des chemisiers, des chaussettes, des jupes en matière synthétique, des montres à quartz, des bijoux à la mode en fer-blanc, ornés de faux brillants, des tables, des armoires et des chaises – en partie artisanales et en partie restaurées par des amateurs. Mais aussi des représentations du Moïse de Michel-Ange en plâtre et le Colisée transformé en cendrier, etc...

La promenade continue, par la via Porta Portese, vers la piazza San Francesco d'Assisi, avec la **chiesa San Francesco a Ripa**. C'est dans le couvent voisin qu'aurait vécu, en 1210, saint François d'Assise. La rue du même nom vous conduit à la piazza di Santa Maria in Trastevere, lieu d'une véritable idylle citadine: les enfants font le tour de la place à vélo pendant que les mamans font la causette.

La plus ancienne église mariale de Rome

L'église aux impressionnantes mosaïques dorées, avec sa fontaine, déjà mentionnée, au milieu de la place et œuvre de Carlo Fontana (le bien nommé), est la plus ancienne église mariale de la ville. C'est dans le palais situé à main droite, le **palazzo Moroni**, que les moines bénédictins ont fui un certain été pour éviter la malaria.

La promenade vous a donné faim? Que diriez-vous d'une portion de **fettuccine** faites maison? Vous la trouverez au **ristorante Sabatini**. Réconforté, vous pourrez ainsi entreprendre la visite de la **basilica di Santa Maria in Trastevere**. Plus loin, le chemin mène à la **piazza Sant'Egidio**. Vous trouverez encore dans ce quartier, comme il y a deux cents ans, des églises baroques, des maisons de style Renaissance et des petites places.

Un monument pour les poètes satiriques

Dans le Trastevere, qui fut indépendant de Rome jusqu'en 1860, on a longtemps parlé un dialecte que même les Italiens ne comprenaient pas. Les œuvres et les histoires des poètes locaux, célèbres bien au-delà de leurs frontières régionales, peuvent être appréciées dans le **museo del Folclore**. Un des poètes transtévériens les plus piquants et les plus ironiques, Alberto Salustri, qui écrivait sous le pseudonyme de Trilussa, s'est vu ériger un monument en 1954 sur la piazza Trilussa, toute proche.

Engagez-vous maintenant dans la via di Ponte Sisto, puis dans la via Santa

Dorotea. C'est à la maison n° 20, formant le coin et aux fenêtres superbement décorées du second étage, que la fille du boulanger Fornarina, l'amie de Raphaël, aurait vécu. Le peintre a immortalisé sa beauté joufflue dans ses tableaux. On peut l'admirer dans le palais Barberini. Dans la via Porta Settimiana 8, le **Ristorante Romolo** vous attend à point nommé pour une pause de midi bien méritée.

Durée: environ 2 heures 30

Promenade 2

Loin du bruit et de l'agitation de la ville, faites comme les Romains, escaladez le **Gianicolo,** le but d'excursion dominical favori de nombreuses familles romaines, situé sur la **fontana dell'Acqua Paola.** Le bon air et Garibaldi vous y attendent. Si l'on en croit une des plus anciennes traditions, la colline serait dédiée au dieu Janus, le dieu aux deux visages qui aurait fondé ici une ville et également élevé un fils portant le nom de Tibre. La seule chose certaine est que le Gianicolo se trouvait à l'extérieur du territoire de la ville. En longeant la via Garibaldi, vous arrivez d'abord à l'église **San Pietro in Montorio.** Avec un peu de chance, vous verrez passer ici, surtout le dimanche, une Rolls Royce ou un carrosse transportant un couple de jeunes mariés. C'est du dernier chic de se marier à San Pietro.
Profitez du calme, de la verdure et de la fraîcheur. Ici, au-dessus de tout, Rome paraît si loin et pourtant elle est si proche. Laissez-vous tenter par une crème glacée bien onctueuse, lisez un bon livre ou écrivez quelques cartes postales...

Détente dominicale de tout Romain: une excursion sur le Gianicolo – ne serait-ce que pour la vue.

Rome et ses quartiers

Le monsieur sur la statue équestre est d'ailleurs le héros national **Giuseppe Garibaldi,** qui s'est battu en l'an 1849 contre les Français.

Vive l'égalité: on a également élevé une statue à son épouse! Si vous continuez la promenade, vous arrivez au **monumento ad Anita Garibaldi,** une amazone à cheval.

Un écriteau sur le vieux chêne qui se trouve au bout de la route rappelle le poète Torquato Tasso. C'est dans la **chiesa di Sant'Onofrio,** pas très loin du chêne, que Tasso, sujet à la manie religieuse, passa ses derniers jours avant sa mort en 1595 (voir Les 10 panoramas les plus sensationnels, p. 192-193).

Durée: environ 1 heure

Mosaïques en or illuminées, datant du XIIe siècle, reposant sur un sol superbe en marbre: Santa Maria in Trastevere.

Curiosités

Casa Borgia ■ a 1, p. 126
C'est ici que César Borgia, un fils du pape Alexandre VI, commit ses méfaits. Deux corridors souterrains couraient sous la maison: l'un menait au Vatican, chez le père; le deuxième menait au Tibre. C'est de cette façon que César se débarrassait de ses hôtes indésirables.
Via della Lungara 46
Bus 23, 41
Visite uniquement de l'extérieur

Fontana dell'Acqua Paola
■ a 3, p. 126
La fontaine, qui se présente comme un triple arc de triomphe, a été érigée en 1612, pour le pape Paul V, par Flaminio Ponzio, comme copie de la fontana dell'Acqua Felice dans le quartier du Quirinal. On voit, tout en haut, des dragons ainsi que l'aigle, représentant les armes de la famille.
Gianicolo
Bus 41

Giardini botanici ▪ a 2, p. 126

La reine Christine de Suède aimait déjà se promener le long de ces chemins; car autrefois l'ensemble de l'actuel jardin botanique constituait le parc du **palazzo Corsini**. Des plantes exotiques poussent dans les serres, servant aux expériences des étudiants en botanique. Malheureusement, l'hiver glacial de 1985 a détruit une partie des plantes tropicales, mais le parc reste néanmoins, grâce aux plantes méditerranéennes qu'il contient, un endroit de repos privilégié.

Largo Cristina di Svezia 24
Bus 23, 41
9 h – 15 h, sa 9 h – 11 h,
fermé di
Entrée 4 000 lires

Palazzo Corsini ▪ b 2, p. 126

Le pape Sixte IV a offert ce palais à son neveu Girolamo Riario, qui y a vécu temporairement avec son épouse Caterina Sforza, membre de la famille dominante milanaise. Lorsque les troupes de Sforza ont été battues près de Forlì, Caterina fut emprisonnée au castel Sant' Angelo. En 1662, après son abdication, la reine Christine de Suède s'installa dans le palais, où elle mourut près de quarante ans plus tard. En 1729, le pape Clément XII offrit le palais à son neveu le cardinal Neri Corsini, qui lui a donné sa dénomination. Ferdinando Fuga a donné son aspect actuel à la façade en 1736.

Dans le palais, on trouve la bibliothèque Corsini et la Galerie nationale d'art avec des œuvres du Caravage, de Rubens et de Van Dyck.

Via della Lungara 10
Bus 23, 41
9 h – 13 h, fermé lu
Entrée 8 000 lires

Santa Cecilia in Trastevere ▪ c 3, p. 126

Stefano Maderno a créé en 1600 le chef-d'œuvre le plus célèbre de l'église: sainte Cécile, recroquevillée sous l'autel, comme exemple d'une exécution horrible. Le bourreau n'avait pas réussi à décoller la tête du corps après les trois coups prescrits par la loi; la pauvre femme ne mourut que trois jours après son martyre.

Selon la légende, une église s'élevait au IVe siècle sur l'emplacement de la maison de Cécile.

Le portique et la tour du clocher furent rénovés au XIIe siècle, la façade et l'intérieur au XVIIIe siècle, les colonnes et la nef centrale furent murées au XIXe siècle.

Piazza di Santa Cecilia
Bus 56, 60
10 h – 12 h et 16 h – 18 h

Santa Maria in Trastevere
▪ b 3, p. 126

Lors d'une dispute entre les propriétaires d'une taverne et des chrétiens pour la possession de la piazza Santa Maria, l'empereur Alexandre Sévère a dû, en 222 après J.-C., faire acte d'autorité: l'adoration de Dieu était plus importante que les "amis de bistrot" et c'est ainsi qu'est née la première église officiellement ouverte au "culte chrétien". L'église d'origine a été détruite. Le pape Innocent II, qui était originaire du Trastevere, la fit reconstruire en 1130. La façade est décorée d'une superbe mosaïque qui montre Marie avec son enfant et dix vierges. Le sol en marbre fut réalisé par des artistes de la famille Cosmati.

Piazza di Santa Maria in Trastevere
Bus 56, 60
8 h – 12 h 30 et 15 h 30 – 19 h

Rome et ses quartiers

San Pietro in Montorio
■ b 3, p. 126

Les Romains doivent une fausse légende à San Pietro. On racontait que l'apôtre Pierre y avait été crucifié. A l'endroit présumé de l'exécution, Donato Bramante érigea, en 1502, un temple – gentiment dénommé **tempietto di Bramante.** Ce "petit temple", situé dans le cloître, est en fait une œuvre particulièrement réussie de l'artiste. Il en émane une paix sublime.
Via Garibaldi 33
Bus 41, 44

Villa Farnesina
■ b 2, p. 126

Le banquier de la Renaissance Agostino Chigi était un gourmet – ses fêtes, auxquelles participait le pape Léon X, étaient célèbres. C'était aussi un grand mécène. De 1512 à 1518, il hébergea Raphaël, qui peignit de superbes fresques pour lui. Dans la galerie, l'artiste a représenté entre autres la légende d'Amour et de Psyché. Les peintures situées à droite du couloir d'entrée seraient de Michel-Ange. Elles auraient été placées là pour montrer que les représentations de Raphaël étaient trop petites. En 1580, le banquier, ruiné, a vendu son palais à la famille Farnese.
Via della Lungara 230
Bus 23, 65
Me-sa 9 h – 13 h

Musées et galeries

Galleria nazionale di Pittura
■ a 2, p. 126

Des tableaux des XVIe et XVIIe siècles, avec notamment des chefs-d'œuvre de Van Dyck, Rubens, Le Titien et du Caravage ainsi qu'un portrait rarissime: Le Bernin sur un tableau de Baciccia.
Via della Lungara 10 (Palazzo Corsini)
Tél. 654 23 23
Bus 23, 41
9 h – 13 h; fermé me
Entrée 8 000 lires

Museo delle Anime del Purgatorio
■ C 2, carte avant

Au musée des "Âmes du Purgatoire", on montre les traces que les habitants de l'enfer auraient laissées sur des matériaux terrestres, soit des traces de brûlure sur des draps de lit, des coussins ou des livres. Un père a "rassemblé" ces preuves et a fondé, juste au tournant du siècle, le Museo delle Anime.
Chiesa Sacra Cuore del Suffragio.
Lungotevere Prati 12
Bus 50, 81
8 h – 12 h et 17 h – 18 h 30
Don souhaité

Museo del Folclore e dei Poeti Romaneschi
■ b 3, p. 126

Très instructif au sujet de la vie quotidienne des XVIIIe et XIXe siècles, avec également des œuvres de poètes locaux. Aussi des copies de célèbres statues romaines.
Piazza Sant'Egidio 1/b
Bus 26, 44, 75
9 h – 13 h 30, ma et je aussi 17 h – 19 h 30, di 9 h – 13 h
Entrée 3 750 lires

Manger et boire

Alberto Ciarla ■ b 3, p. 126
Restaurant de poisson élégant où la nourriture est excellente et le service impeccable. Particulièrement raffiné: les raviolis farcis au poisson.
Piazza di San Cosimato 40
Tél. 5 81 86 68
Bus 56, 60
20 h 30 – 23 h, fermé di
Classe de prix élevée (Visa, DC, Amex)

Antica Pesa ■ b 3, p. 126
L'atmosphère y est unique: poisson grillé à l'ombre des arbres et des parasols géants...
Via Giuseppe Garibaldi 18
Tél. 5 80 92 36
Bus 23, 41
20 h – 24 h, fermé di
Classe de prix élevée (EC, Visa, DC, Amex)

Carlo Menta ■ c 3, p. 126
Local élégant au cœur du Trastevere. Bon service et poissons extraordinaires.
Via della Lungaretta 101
Tél. 5 80 37 33
Bus 56, 60
19 h 30 – 23 h, fermé lu
Classe de prix élevée (EC, Visa, DC, Amex)

La Casa del Tramezzino
■ b 3, p. 126
Deux tranches de pain blanc, fourrées de viande, poisson, fromage, légumes ou de jambon: **tramezzini**, ce sandwich n'est nulle part aussi bon qu'à Rome. Et vous pourrez en goûter de toutes les sortes.
Viale di Trastevere 52
Bus 780
9 h – 22 h

Checco er Carrettiere ■ b 2, p. 126
Un "er" (la version romaine de "il") dans les noms de restaurant est généralement une indication de cuisine traditionnelle – ce qui est le cas ici. Ambiance simple, prix modérés.
Via Benedetta 10/13
Tél. 5 80 09 85
Bus 65
13 h 30 – 15 h 30 et 18 h 30 – 23 h, fermé lu et di soir
Classe de prix moyenne (EC, Visa, DC, Amex)

Destinity Astroclub ■ b 2, p. 126
Lire dans la boule de cristal ou tirer les cartes, le tout accompagné d'un verre de prosecco: il n'y a pas que la haute société qui se laisse dire l'avenir.
Via del Cipresso
Bus 65
Ouvert de 19 h jusqu'après minuit, selon l'affluence

Il Giardino dei Cilieghi
■ b 3, p. 126
Evénement gastronomique mélangé à une part de magie: le chef Massimo demande à ses invités de venir lire l'avenir dans les crêpes et les tartelettes, et leur dit leur horoscope.
Via dei Fienaroli
Bus 44, 75
17 h – 2 h 30, di à partir de 20 h

Da Gigi il Moro ■ b 2, p. 126
Une vraie trattoria italienne, où l'on sert des portions gigantesques. Il ne reste plus beaucoup de place après une assiette de pâtes pour un petit **dolce**.
Via del Moro 43
Tél. 5 80 91 65
Bus 56, 60
12 h – 1 h, sauf lu
Classe de prix inférieure

Rome et ses quartiers

Toujours bruyant et bondé mais tout simplement merveilleux: Ivo, la meilleure pizzeria du Trastevere.

Da Gildo
■ b 2, p. 126

Si vous avez grand faim, vous êtes au bon endroit: les pizzas sont si grandes qu'elles débordent de l'assiette. Mais rares sont cependant ceux qui y laissent des miettes.
Via della Scala 31a
Tél. 5 80 07 33
Bus 170, 719
19 h 30 – 1 h 30, fermé me et ve
Classe de prix inférieure

Gino in Trastevere
■ c 3, p. 126

A quelques pas de la piazza Santa Maria in Trastevere, on peut déguster les meilleurs **calamari fritti.**
Via della Lungaretta 85
Tél. 5 80 34 03
Bus 56, 60
18 h – 24 h, fermé me
Classe de prix moyenne (EC, Visa, DC, Amex)

Ivo
■ b 3, p. 126

Ivo est un classique de la pizza romaine: la pâte y est toujours aussi fine et croustillante. Tout est servi avec gentillesse, ce qui fait que malheureusement c'est pratiquement toujours plein.
Par beau temps, possibilité de manger dehors.
Via San Francesco a Ripa 158
Tél. 5 81 70 82
Bus 780, 170
13 h – 15 h 30 et 18 h – 1 h 30, fermé ma
Classe de prix inférieure

Da Lucia
■ b 3, p. 126

Une adresse secrète. Mais il vous faut du temps – déjà sur la carte on indique qu'on manque de place pour les gens pressés – car tout est toujours cuit à la dernière minute!
Vicolo Mattonato 2/b
Tél. 5 80 36 01
Bus 23, 41
20 h – 23 h 15, fermé lu
Classe de prix moyenne

Da Luigi
b 2, p. 126

Envie d'un petit en-cas rapide? Alors demandez chez Luigi un **tramezzino,** un sandwich triangulaire assez épicé, fourré avec du salami, du fromage, du jambon, du poisson, de la salade où des tomates.
Via della Lungara 14
Bus 23, 41
8 h – 22 h, fermé di

L'Oasi
b 4, p. 126

Rien n'est plus rafraîchissant qu'une glace au citron venant de l'Oasi. On y trouve aussi des **frullati,** des cocktails délicieux et des crêpes savoureuses.
Viale di Trastevere 284/288
Tél. 5 80 33 48
Bus 780
18 h – 1 h, fermé me

Panattoni
b 3, p. 126

Dans cette spaghetteria, les pâtes sont à tomber à la renverse – et cela jusqu'à trois heures du matin. De plus, Panattoni est la pizzeria la plus chaudement recommandée de Rome.
Viale di Trastevere 53
Tél. 5 80 09 19
Bus 780
Classe de prix inférieure

Panzanera
b 4, p. 126

Et Dieu créa la pizza Napoli... Il faut goûter au moins une fois dans sa vie la "mère de toutes les pizzas": sauce tomate, mozzarella, câpres et anchois, le tout bien relevé.
Viale di Trastevere 84
Tél. 5 81 85 45
Bus 170, 719
12 h – 16 h et 19 h – 1 h, fermé me
Classe de prix inférieure

La Parolaccia Cencio
b 2, p. 126

"Domenica mangiate a casa siamo chiusi" (Mangez de préférence à la maison le dimanche, car nous sommes fermés) – c'est l'un des rares restaurants où les insultes adressées à la clientèle sont comprises dans le prix.
Vicolo Cinque 3
Tél. 5 80 36 33
Bus 65
18 h – 23 h, fermé di
Classe de prix moyenne (Visa)

Romolo
b 2, p. 126

Dans une taverne antique, âgée de 350 ans, on sert un remarquable **saltimbocca,** une tendre escalope de veau, recouverte d'une très fine tranche de parmesan et saupoudrée de sauge.
Via di Porta Settimiana 8
Tél. 5 81 38 73
Bus 23, 41
13 h – 15 h et 20 h 30 – 23 h 30
Classe de prix élevée (EC, Visa, DC, Amex)

Sabatini
b 3, p. 126

Cet ancien temple de l'art culinaire n'est plus ce qu'il était, mais la superbe vue que l'on a sur l'église Santa Maria in Trastevere vaut la peine.
Piazza di Santa Maria in Trastevere 13
Tél. 5 81 20 26
Bus 41, 65
12 h 30 – 15 h et 19 h 30 – 24 h
Fermé deux semaines en août
Classe de prix élevée (EC, Visa, DC, Amex)

Rome et ses quartiers

Achats

Livres

Libreria Lungaretta Nova
■ c 3, p. 126
Vous y dénicherez encore la littérature traditionnelle du quartier.
Via della Lungaretta 90
Bus 56, 60

Cadeaux

La Lungara ■ b 2, p. 126
De belles montres, de jolis vases, des tableaux: des cadeaux raffinés pour de grandes occasions.
Via della Lungara 44 A
Bus 23, 65

Studio Elp ■ c 3, p. 126
Plusieurs créateurs italiens se sont réunis dans ce studio. Lors de ventes-expositions, ils dévoilent leurs créations raffinées et inhabituelles – allant de l'étoffe au bijou.
Via dell'Arco dei Tolomei 2
Bus 23

Rodriguez ■ b 2, p. 126
Fais comme l'horloge solaire, ne compte que les belles heures...
Adrian Rodriguez en fabrique lui-même de petites.
Via del Moro 59
Bus 23

Grand magasin

Standa ■ b 4, p. 126
Chaîne de grands magasins qui vendent des vêtements, des cosmétiques, des aliments, etc.
Viale di Trastevere 62
Bus 170, 774

Pour les enfants

Marameo Cucu'
Superbes jouets anciens – certainement pas l'adresse pour les adeptes du game-boy.
Via della Farnesina 99/101
Bus 23

Alimentation

Il Forno Amico ■ b 3, p. 126
Le meilleur pain gris de Rome. Mais il faut se lever tôt: tout est vendu à midi.
Piazza di San Cosimato 53
Bus 774, 780

Frontoni ■ b 4, p. 126
Un paradis pour les "amateurs de sucré": Frontoni propose certainement le plus grand choix en douceurs et sucreries, ainsi qu'en pains et pizzas.
Viale di Trastevere 52
Bus 774, 780

Innocenti ■ c 3, p. 126
Un four géant produit des choses délicieuses à la chaîne: des tartes, des biscuits ou des cakes pour ceux qui raffolent de douceurs, des **pizzette** pour ceux qui préfèrent du plus consistant.
Via della Luce 21
Bus 774, 780

Maroquinerie

Marinucci ■ c 3, p. 126
Pièces uniques en cuir réalisées à la main.
Via della Lungaretta 65/B
Bus 23, 280

Nino Salomone ■ c 3, p. 126
Nino réalise des sacs et des chaussures sur mesure. Vous pouvez même le regarder au travail.
Via della Lungaretta 89/A
Bus 23, 280

Marchés

Mercato di piazza di San Cosimato ■ b 3, p. 126
Un des petits marchés aux fruits et légumes, où les marchands présentent même la plus petite laitue de manière décorative. Egalement du salami avec un parfum... et un choix en fromages...
Bus 44, 75
Lu-sa 7 h – 13 h

Mercato di porta Portese ■ c 4, p. 126
Du neuf et de l'usagé, de l'utile et du précieux, du kitsch et du classique... Le marché de la porta Portese est le plus grand et le plus coloré des marchés de Rome. Le chansonnier Claudio Baglioni lui a même dédié une chanson. Mais il faut se lever tôt pour faire de bonnes affaires!
Bus 23
Sa et di, de l'aube jusqu'à 14 h

Art moderne

Alessandra Bonomo ■ b 3, p. 126
Galerie innovatrice, qui encourage de jeunes artistes italiens et étrangers.
Piazza di Sant'Appollonia 3
Bus 23, 280

Galleria Salon Privé Arti Visivi ■ b 3, p. 126
Art basé sur l'ordinateur, avec des jeux de lumière et des compositions musicales. A l'occasion, des expositions intéressantes.
Via Natale del Grande 39
Bus 280, 710, 717

Immart Gallery ■ b 2, p. 126
La bonne adresse pour celui qui cherche de la peinture contemporaine.
Vicolo Cinque 24 B
Bus 23, 280

Porcelaine et céramique

Galleria del Batik ■ b 3, p. 126
Ce qui est remarquable dans ce magasin, ce sont les plats à spaghetti géants. Si cela pose un problème de transport, rabattez-vous sur les pièces plus petites en céramique décorée, plus adaptées aux bagages.
Via della Pelliccia 30
Bus 23, 280

Sarti Ceramic ■ b 2, p. 126
Des statues merveilleuses qui malheureusement sont extrêmement chères. Par contre, un plat ou une lampe peuvent encore être inclus dans un budget vacances.
Via Santa Dorotea 21
Bus 23, 280
Fermé sa

Le marché aux puces porta Portese: mine d'or pour chineurs

Nous allons vous dévoiler un véritable secret – n'allez surtout pas le répéter! Le marché dominical de la porta Portese du Trastevere est une véritable caverne d'Ali Baba. Entre des objets inutiles et kitsch, se cachent de véritables trésors. En janvier 1995, des **carabinieri** férus d'art ont découvert ici trois tableaux... datant du XVIIe siècle, réalisés par l'école du Caravage et appartenant au cycle "Via Crucis". Les chefs-d'œuvre, estimés à plus de 100 millions de nos francs, avaient été volés en 1992 dans une église près de Catania. Le marchand, peu au courant des choses de l'art, demandait 900 000 lires pour ces œuvres – prix de départ bien entendu. Parmi les découvertes des carabinieri, il y a encore un tableau du XVIIe siècle qui avait disparu d'une église proche de Naples, une statue du Christ datant du XVIe siècle qui manquait dans une basilique proche de Salerne, ainsi qu'une centaine de statues sacrées, du mobilier et des objets provenant d'institutions publiques.

Le ministère public néo-napolitain s'intéresse depuis longtemps au marché aux puces – c'est ici que des œuvres de maîtres néo-napolitains du XVIIe siècle ont réapparu – car il soupçonne que des œuvres en provenance du musée d'Archéologie se retrouvent sur les étals en bois du marché de la porta Portese. Bien sûr, les œuvres d'art "chaudes" ne sont pas présentées de manière ouverte. Le butin subit de légères transformations. Des précieux reliquaires sont incorporés dans des pièces de mobilier ou transformés en colifichets apparemment sans valeur, ou cachés dans des jambons artificiels, de sorte que les caractéristiques de l'objet, introduites dans l'ordinateur, ne sont plus reconnues et le vol n'est plus décelable. Mais si un acheteur potentiel se présente et si en plus il est financièrement solide, alors le marchand du marché aux puces montre le véritable visage de son offre. Le dernier coup

Rome extra

A la porta Portese: art et kitsch se côtoient pour cacher parfois de véritables trésors.

réussi par les carabinieri est un coup de maître où le hasard a joué un grand rôle. Un policier amateur d'art avait été attiré, lors d'une balade sur le marché aux puces, par un tableau enveloppé dans un drap de couleur foncée, qui lui rappelait le style du XVIe siècle. Il découvrit sur la toile des silhouettes en uniforme de soldats espagnols, élément caractéristique de l'œuvre du Caravage. La représentation ne coûtait que quelque 100 000 lires.

Lorsque, avec d'autres clients du marché qui s'étaient regroupés là, il se mit à considérer la peinture d'un œil intéressé, alors que le cercle des acheteurs potentiels ne cessait de s'agrandir, le commerçant alla chercher dans sa voiture deux autres tableaux qui semblaient appartenir à la même série. Le soupçon se mua alors en certitude et le commerçant fut arrêté.

A côté des gros poissons venant des musées, des œuvres de moindre valeur apparaissent aussi régulièrement à la porta Portese, en provenance de petites églises ou de grandes villes. Qui sait combien de bibelots apparemment sans valeur ne cachent pas un passé illustre! Analysez donc attentivement votre petit verre, trouvé sur un marché romain...

Porta Portese ■ c 4, p. 126
Bus 23
Di de l'aube jusqu'à 14 h

Rome et ses quartiers

Quand on parle de l'ancienne Rome ou de la Rome antique, on pense à trois éléments caractéristiques: la colline du Capitole, le Palatin et le Forum romain. Un territoire minuscule mais qui a une influence plus grande sur le développement européen que des Etats entiers.

Se faire une idée de la Rome des Césars, se représenter la manière dont les anciens Romains vivaient, comment ils ont influencé le cours de l'univers, cela n'est pas chose aisée dans une ville qui, depuis plus de 14 siècles, a connu des guerres, des incendies, des destructions et de nouveaux départs.

La Rome antique n'est pas un but de vacances facile et même en faisant de nombreuses visites on n'a qu'une idée limitée de son histoire riche et tumultueuse. Mais pour vous consoler, n'oubliez pas que de grands esprits comme Goethe, Stendhal ou Gogol ont eu besoin de plusieurs mois, si ce n'est des années, pour comprendre les mystères de l'ancienne Rome.

Promenade

Pour bien commencer votre balade à travers la Rome antique, il faut partir de la **piazza del Colosseo,** où d'ailleurs le métro vous conduit.

Vous vous trouvez déjà devant un des endroits importants: le Colisée. La partie inférieure de cette merveille antique peut être visitée gratuitement et nous vous recommandons de ne pas oublier de jeter un coup d'œil aux étages supérieurs. Installez-vous un moment sur les escaliers et laissez agir le charme de l'ensemble. Vous aurez l'impression de percevoir l'esprit antique...

Deux sortes de jeux étaient organisés dans l'arène. Le matin, des gladiateurs se mesuraient à des animaux sauvages. L'après-midi, les gladiateurs luttaient l'un contre l'autre. C'est l'empereur Trajan qui signa le record absolu: il fit combattre 11 000 animaux sauvages contre 10 000 gladiateurs!

Le **Capitole,** autrefois centre religieux et politique de la ville, avec la plus ancienne collection d'œuvres d'art au monde. Le **Forum romain,** un des plus grands sites de fouilles, faisant la couverture de nombreuses revues de voyage et de livres d'histoire – une vision qui laisse muets les plus insensibles à l'histoire. Pour terminer, le **Palatin,** sur lequel trônent encore les fondations imposantes du palais impérial.

Ce que le Colisée a à voir avec la fin du monde

Pour éviter d'attraper un coup de soleil en regardant les combats, les Romains ont fait construire une sorte de toit de protection. Près de 1 000 marins furent enrôlés pour ouvrir et fermer une immense toile de bateau, grâce à un système calculé de manière très précise.

"Aussi longtemps que le Colisée sera debout, Rome restera debout; quand le Colisée tombera, Rome tombera. Quand Rome tombera, c'est que la fin du monde sera proche." Depuis ces sinistres prophéties, attribuées à un historien anglais et datant du VIIIe siècle, on redouble de soins pour la conservation du bâtiment.

Le Forum romain s'étend en face du Colisée – ou, pour être plus juste, ce qu'il en reste: des tas de pierres gisant entre le Colisée et le Forum. Ce sont en fait les restes d'une fontaine antique qui se trouvait devant l'amphithéâtre.

A côté, trône une statue surdimensionnée de l'empereur Néron.

La petite rue qui monte, la **via Sacra**, est aujourd'hui devenue une rue sacrée. Dans l'Antiquité, l'empereur victorieux, couronné de laurier et revêtu de sa toge pourpre, précédé de son quadrige portant le butin de guerre, et accompagné des prisonniers, empruntait la via Sacra, longeant le Forum romain, pour se rendre directement au Capitole afin d'y remercier Jupiter de lui avoir donné la victoire. Les prisonniers attendaient le bourreau dans les cachots...

Beaucoup affirment que c'est la plus belle place du monde. Qui s'en étonne? Le créateur de la piazza del Campidoglio est Michel-Ange.

Rome et ses quartiers

Pose de la première pierre par Romulus

Après être passé devant l'arc de triomphe de Constantin, l'**arco di Constantino,** le plus grand arc et le mieux conservé de Rome, après avoir longé la via di San Gregorio, vous arrivez à l'endroit où Rome fut fondée (ainsi que le Forum romanum), que vous suivrez pendant au moins deux heures.

Sur le **Palatin,** une des sept collines de la ville antique, vous pourrez faire une agréable promenade entre les cyprès et profiter de la verdure de cet endroit historique. Ici, le 21 avril 753 av. J.-C., Romulus aurait posé la première pierre de ce qui deviendrait l'Empire romain.

Dans le Forum tout proche, a débuté la grande aventure de notre civilisation – bien qu'en regardant les ruines de colonnes, de basiliques et de temples, il n'est pas toujours facile d'imaginer l'importance de ce lieu pour notre vie. Fermez les yeux et remontez dans le temps, à l'époque où le cœur de la Rome antique battait encore ici et qu'il était le centre d'élections, de fêtes couronnant des victoires, de procès et de processions.

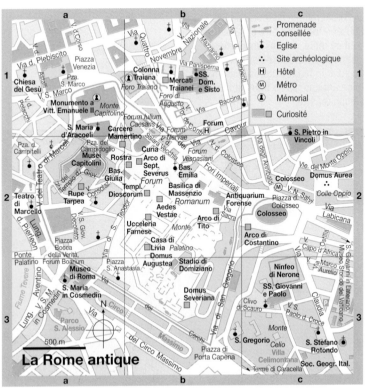

Les combinaisons de lettres et de chiffres dans le texte renvoient à cette carte.

Les maîtres de la parole

La Rostra, l'ancienne tribune des orateurs au Forum, m'a toujours attiré. Autrefois, elle était décorée avec le beaupré de bateaux (**rostre**) qui avaient été pillés. En regardant bien, on distingue encore dans le socle les doubles trous que portent les éperons de navire. C'est de cette tribune que les sénateurs et l'empereur haranguaient leur peuple. C'est ici que se sont livrées les grandes joutes verbales des orateurs qui, avec leur discours, pouvaient changer la face du monde.

D'ailleurs, que diriez-vous d'un mini-Colisée pour décorer votre bureau ou d'un buste de César comme ouvre-lettre? L'imagination dans le domaine des souvenirs kitsch ne connaît pas de bornes.

Mais le plus grand commerce est certainement celui des boissons fraîches, exercé par de multiples marchands ambulants qui les vendent à des prix exorbitants.

La plaine de jeu préférée de l'Antiquité

En continuant par la via di San Gregorio, en longeant la piazza di Porta Capena toujours très animée, vous vous engagez sur la droite dans la via dei Cerchi.

A votre droite, vous voyez le Palatin, dont l'espace vert, à main gauche, était l'endroit préféré pour les jeux antiques, le **Circo massimo.**

Il pouvait accueillir 250 000 spectateurs et était employé 240 jours par an. Actuellement, il ne subsiste qu'un espace vert qui fait le bonheur des joggers et des joueurs de ballon, ainsi que de nombreux quadrupèdes.

Détecteur de mensonge antique

Voici l'heure de vérité, car la **Bocca della Verità** vous attend sur la **piazza Bocca della Verità** (voir Les 10 places les plus animées, p. 164-165): la bouche détectrice de mensonge, (on dit que la bouche mord la main qui ment), se trouve dans la **chiesa di Santa Maria in Cosmedin.** Rien de surnaturel ne se cache derrière cette légende antique: un prêtre était caché dans le temps dans la petite chambre sombre et, lorsqu'un menteur connu de lui venait se confesser, il mordait un bon coup...

Depuis le VIIIe siècle, l'église est devenue une possession grecque. Par peur des persécutions, les Grecs ont fui vers Constantinople et le marché aux bœufs s'est alors installé dans l'ancien Forum boarium. Le temple rond de **Vesta,** en face de l'église, porte aussi des traces grecques. Une tradition continue cependant à exister: Santa Maria in Cosmedin est resté jusqu'à maintenant le siège de la communauté romaine.

La via del Teatro di Marcello vous amène jusqu'au point suivant, le **Campidoglio,** le Capitole, un des autres centres politiques et religieux de la Rome antique. C'est là que se trouve le bâtiment le plus significatif dédié au culte par les riches. Il fut détruit à de nombreuses reprises par le feu – pour être reconstruit à chaque fois, encore plus beau et plus richement décoré. Au Moyen Age, ce lieu de culte déclina. Au XVIe siècle, Michel-Ange redessina la piazza del Campidoglio. Le splendide escalier du sculpteur, qui permet d'accéder au palais des sénateurs, en passant devant **Santa Maria d'Aracoeli,** vaut déjà la peine.

Rome et ses quartiers

Terminus pour les coupables de haute trahison

Le palais des sénateurs est actuellement, pour certaines parties, le siège de la municipalité: bureau avec vue sur le Forum romain, en quelque sorte. Passé les escaliers, vous atteignez le parc de la via Tempio di Giove et vous arrivez à la **roche Tarpéienne:** c'est ici que les traîtres étaient jetés dans le précipice. A main gauche, on peut voir les restes des colonnes du temple de Saturne, quasiment le coffre-fort du trésor d'Etat.

Dans les musées capitolins, se trouve l'emblème de Rome, la représentation de la louve capitoline avec les jumeaux Romulus et Rémus.

Dans le **palazzo Nuovo,** on suit un cours de latin car, dans la salle des philosophes, on peut observer les bustes de Cicéron, Homère, Socrate et Euripide.

La "voie magnifique" de Mussolini: la via dei Fori Imperiali

En traversant la piazza Venezia, qui est dominée par le monument commémoratif ostentatoire de Vittorio Emanuele, vous arrivez dans la via dei Fori Imperiali. Malgré son nom à consonance antique, cette rue fut construite en 1932. Le dictateur Mussolini voulait une rue très large pour ses parades et, de plus, avoir de son balcon du palazzo Venezia une vue sur le Colisée...

La construction de cette rue ne devait céder en rien aux quelques palais médiévaux et aux églises. Le long de la via dei Fori Imperiali, entre la piazza Venezia et le Colisée, se trouvent des restes des forums de César, Trajan, Auguste et Vespasien.

Star de bandes dessinées

Le plus beau morceau se trouve sur le forum de Trajan: la **colonne Trajane**, souvent employée dans des bandes dessinées basées sur l'Antiquité. Mais ici, c'est l'empereur Trajan qui tient la vedette: sa silhouette apparaît plus de soixante fois sur la colonne qui représente des scènes des guerres menées contre les Daces.

Si cette bonne dose d'histoire vous a ouvert l'appétit, faites un détour par la via Cavour. Chez **Valentino** (n° 293), on sert de l'excellente cuisine romaine traditionnelle et dans l'**Enoteca Cavour 313** (n° 313), on sert aussi un bon verre de vin sur les longues tables.

Durée: environ 4 heures

Curiosités

Arc de Constantin ■ c 2, p. 142
L'arc de Constantin est un des monuments les mieux conservés de Rome. Il fut construit de 312 à 315, en souvenir de la victoire de Constantin sur son rival Maxence, au pont Milvius. Comme modèle pour cet arc de 21 mètres de haut et de 26 mètres de large, on a pris l'arc de triomphe de Septime Sévère, au Forum romain, qui était plus vieux de 100 ans.
Piazza del Colosseo
Métro: Colosseo

Campidoglio (Capitole)
■ a 1/a 2, p. 142
Le Capitole était le symbole de la victoire et des oracles. C'est l'endroit où finissaient les parades triomphantes, où les prophéties étaient rendues publiques.

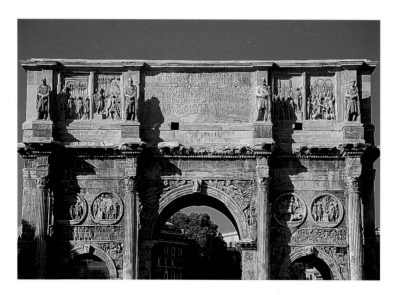

Témoignage grandiose de la Rome antique: l'arc de Constantin. Il se trouve d'ailleurs au milieu de la route.

Le monument le plus important sur la colline du Capitole était le **temple di Giove Ottimo Massimo**, qui fut détruit plusieurs fois par le feu mais reconstruit à chaque fois plus beau qu'avant. Au Moyen Age, les monuments se sont abîmés. Au XIIe siècle, on érigea le palais des sénateurs sur les ruines des archives d'Etat. En 1537, Michel-Ange fit courir sa main d'artiste sur l'ensemble. C'est à lui qu'on doit l'escalier devant le palais. Au milieu de la piazza, se trouvait une statue équestre de l'empereur Marc Aurèle qui, en 1538, fut transportée du palais de Latran par le pape Paul III. Cette statue avait été préservée de la vague de destruction chrétienne parce que l'on avait pris à tort Marc Aurèle pour Constantin, le premier empereur chrétien.

La statue équestre était à l'origine complètement recouverte d'or. Selon une légende romaine, la fin du monde serait proche lorsque le manteau d'or recouvrant la statue aurait complètement disparu. C'est donc une bonne chose que Marc Aurèle ait été depuis entreposé dans le musée capitolin, car il ne reste déjà plus grand-chose de son manteau doré...
Piazza del Campidoglio
Bus 56, 62, 64

Carcere Mamertino ■ a 2, p. 142
Dans l'Antiquité, les prisonniers d'Etat romains étaient d'abord montrés en spectacle pendant les parades triomphantes, pour être ensuite jetés dans un cachot sombre et humide. Ceux qui étaient condamnés à mort attendaient leur exécution dans le Tullianum.
C'est sur cette antique prison d'Etat romaine (300 av. J.-C.) que fut construite, en 1598, l'église **San Giuseppe dei Falegnami** car, selon la tradi-

Rome et ses quartiers

tion, les apôtres Pierre et Paul y auraient aussi été enfermés.

Parmi les victimes qui trouvèrent la mort dans ce cachot sinistre, il y a le roi des Numides Jugurtha et le roi des Gaulois Vercingétorix.

Devant la façade de l'église, on reconnaît encore une partie du cachot avec une inscription.

Via del Foro romano
Bus 56, 62, 64, 95
9 h – 12 h et 14 h 30 – 18 h
Don souhaité

Circo massimo ■ b 3, p. 142

Seuls les films historiques du genre Ben Hur rappellent encore les folles courses de chevaux et de chars qui y avaient lieu. Il ne reste pas grand-chose du plus grand hippodrome de l'Antiquité (600 mètres de long, 200 mètres de large, place pour 250 000 spectateurs). Les premières courses de chevaux s'y seraient d'ailleurs déjà déroulées du temps de Romulus.

Dans l'Antiquité, le cirque maximus était un lieu de rencontre social; on venait autant pour y voir que pour se faire voir. Ce qui était possible 240 jours par an. Sous Auguste, on comptait 12 courses par jour, sous Flavius cela monta jusqu'à 100. Du temps de César et d'Auguste, les gens se réjouissaient aussi de courses d'éléphants.

Entre la via dei Cerchi et la via del Circo massimo
Métro: Circo massimo
Entrée libre

Colosseo (Colisée) ■ c 2, p. 142

La construction du Colisée, qui en fait s'appelait **Anfiteatro Flavio,** débuta sous Vespasien. Le théâtre fut inauguré huit ans plus tard, en 80 av. J-.C., sous Titus. Le Colisée comptait trois étages, avait 188 mètres de long et 156 mètres de large.

Pendant la construction, l'agitation fut intense sur la via Tiburtina. Pour l'amphithéâtre, 50 000 chargements de matériel de construction, faisant une quantité de 100 000 mètres cubes, furent nécessaires. 200 charrettes tirées par 400 bœufs étaient mobilisées chaque jour. Pour célébrer le premier millénaire de Rome, 2000 gladiateurs se livrèrent un combat mortel. La seule question restée sans réponse est: pourquoi une œuvre aussi grandiose ne porte-t-elle pas le nom de son constructeur?

Piazza del Colosseo
Métro: Colosseo
9 h – 16 h,
sauf me et di 9 h – 13 h
Entrée 8 000 lires

Domus Aurea (Maison dorée)
■ c 2, p. 142

Après le gigantesque incendie qui a ravagé la moitié de Rome en l'an 64 après J.-C., l'empereur Néron se fit ériger un imposant palais. Ce dernier devint le palais le plus cher et le plus grand de l'Antiquité, décoré avec de l'or, de la nacre et des pierres précieuses et il fut appelé, de manière tout à fait adaptée, Domus Aurea, la "Maison dorée".

Technique de scène parfaite: par palan on remontait les animaux des couloirs étroits des souterrains du Colisée.

Le Colisée: lieu des jeux et de la cruauté

Ce fut un événement spectaculaire: en l'an 80 av. J.-C., l'Anfiteatro Flavio, comme il s'appelait alors, fut inauguré par une fête gigantesque qui dura trois mois. Environ 2 000 gladiateurs et 9 000 animaux sauvages furent mis à mort durant ces festivités.

Les représentations dans les nouvelles "halles de jeu" n'étaient pas précisément destinées aux natures sensibles. Les visiteurs voyaient un spectacle dont le succès dépendait de la quantité de sang versé, qui d'ailleurs coulait toujours à flots. Plus les jeux étaient cruels, plus le peuple romain les appréciait.

Il existait deux variantes dans les jeux proposés: gladiateurs contre animaux sauvages et gladiateurs contre gladiateurs. Les organisateurs connaissant le plus de succès furent les empereurs Domitien, Trajan et Hadrien. Ces derniers prirent personnellement part aux jeux. On raconte qu' Hadrien tua un lion à mains nues, dans l'arène...

Le spectacle le plus beau fut présenté sous l'empereur Commode, dont le père n'aurait pas été Marc Aurèle mais bien un gladiateur. Commode avait suivi l'école des gladiateurs et se vantait d'avoir gagné plus de 1 000 combats.

Trouver un motif pour organiser des jeux n'était pas vraiment difficile: l'anniversaire d'un empereur, la commémoration d'événements historiques, un triomphe et même un enterrement.

Le public, avide de sensations et assoiffé de sang, attendait le spectacle assis en rangées circulaires sur des bancs de pierre.

Les spectatrices – même les vestales – assistaient aux spectacles cruels mais devaient se contenter des rangées supérieures. Non pas que l'on veuille protéger le sexe faible de la vue du sang, c'était simplement pour éviter des incidents amoureux.

Dans les corridors, situés sous l'arène, les gladiateurs patientaient, fin prêts. Ensemble, avec les animaux sauvages, ils attendaient ce qui allait peut-être constituer leur dernière

Rome extra

148

entrée.

Les lions, les tigres et, sous Antonius Pius, les éléphants et les crocodiles aussi, étaient hissés dans l'arène par un ingénieux système de portes, de trappes et de palans. De cette manière, les bêtes n'avaient pas la possibilité d'attaquer les gardes. Le labyrinthe souterrain était recouvert et, dessous, une couche de sable servait à éponger le sang.

Dans l'arène même, il n'y avait que deux portes: les gladiateurs entraient par une porte, encore un peu étourdis par le traditionnel repas plantureux de la veille. Ils s'alignaient ensuite, saluaient l'empereur avec les mots très significatifs: "Ave Caesar, morituri te salutant!" "Ceux qui vont mourir te saluent." Par l'autre porte, on

Le Colisée: pas précisément pour les âmes sensibles: plus il y avait de sang, mieux c'était!

sortait les gladiateurs tués.

Pour protéger les spectateurs des ardeurs du soleil, on avait imaginé un système complexe en toile de voilier. 1 000 matelots étaient toujours prêts pour s'occuper du système raffiné de protection solaire. Finalement, le fait de hisser le vélum – imaginez la surface, le poids des cordages et de la toile de bateau ainsi que les problèmes statiques qui sont apparus – rendait cette tâche bien plus compliquée que celle de dresser un obélisque.

Piazza del Colosseo
■ c 2, p. 142

Métro: Colosseo
9 h – 16 h, sauf me et
di 9 h – 13 h
Entrée 8 000 lires

149

Rome et ses quartiers

Une construction luxueuse réellement futuriste: la grande salle à manger tournait continuellement sur son axe, la petite salle était décorée avec un plafond en ivoire qui laissait "pleuvoir" des fleurs et des parfums sur les invités.

Après la mort de Néron (68 après J.-C.), l'empereur échappa à la colère populaire en se donnant la mort, Trajan fit construire au même endroit des thermes géants. Au XVe siècle, on découvrit les restes de la Maison dorée, des salles souterraines avec des fresques bien conservées et des peintures, qui servirent de modèle à beaucoup d'artistes de la Renaissance.
Viale della Domus Aurea
Métro: Colosseo

Fori Imperiali   ■ b 1, p. 142
Le Forum romain républicain devint rapidement trop étroit pour l'administration de l'empire. Avec l'élargissement de l'Empire romain, le besoin de représentations de l'ancienne Rome augmentait aussi. C'est ainsi que César commença dès 51 av. J.-C. la construction de nouveaux aménagements.
Le centre des forums de César devint **le temple de Venus Genitrix**, la déesse de l'amour, qui était considérée comme fondatrice de la famille des Juliens à laquelle appartenait César. Juste à côté, a été construit le plus beau forum : le **foro Traiano** (107 av. J.-C.), un endroit dédié au culte personnel, de 300 m sur 185 m. On y pénétrait par un arc de triomphe pour se trouver ensuite sur une place bordée de colonnes, au milieu de laquelle trônait une statue équestre de l'empereur Trajan. Pour pouvoir ériger tant de splendeur, il avait fallu éliminer plusieurs maisons particulières et une colline. La hauteur de la **colonne Trajane** (38 m), derrière les ruines de la basilique Ulpia, correspond à la hauteur de la colline qui a été rabaissée. Les bas-reliefs des colonnes représentent 2 500 figures réparties en 155 scènes (à l'origine peintes en couleur) de la guerre des Daces (début du IIe siècle). A l'intérieur du socle, on a conservé l'urne funéraire de l'empereur. Grâce à ses cinq victoires triomphales, il avait acquis le droit d'être enseveli à l'intérieur des murs.

L'empereur Auguste a aussi créé son propre forum. Il épargna cependant les caisses de l'Etat et finança la construction avec son butin de guerre. Le centre était constitué par un temple dédié au dieu de la guerre Mars. Il n'en reste malheureusement que le podium, trois colonnes et des restes de colonnes. Un mur massif derrière le temple protégeait le forum du quartier très populaire qui le bordait et servait également de protection contre l'incendie.

Du **forum Nervale** (fin du Ier siècle) qui y est attaché, il ne reste que deux colonnes sur une longue place qui a été autrefois entourée de hauts murs. Un temple dédié à la déesse Minerve se trouvait au centre du forum. Il fut démoli au XVIIe siècle sous l'ordre du pape Paul V et les matériaux de construction furent réemployés.

Terminons par le forum de la paix ou forum de Vespasien, qui date du Ier siècle. Une salle de ce forum fut transformée en l'église **Santi Cosma e Damiano** au VIe siècle.
Via dei Fori Imperiali
Métro: Colosseo

Foro romano   ■ b 2, p. 142

En 510 av. J.-C., le dernier empereur étrusque de Rome, Tarquin le Superbe, fit assécher le territoire marécageux du vallon en construisant la Cloaca maxima (les égouts). Après la construction du temple de Jupiter sur le Capitole, le premier temple fut construit dans le Forum romain, rapidement suivi d'un endroit destiné à des réunions, un hall pour les sénateurs, et des tribunes d'orateurs.

En 391, le christianisme devint religion d'Etat, le temple dans le Forum romain restant ouvert jusqu'en 394. Les statues, colonnes et chapiteaux finirent comme matériau de construction pour la nouvelle Rome chrétienne.

Détail de scène dans le Forum romanum

Au XVIIe siècle, le forum fut laissé à l'abandon et devint un **campo vaccino**, une prairie pour les vaches. Au milieu du XIXe siècle, des fouilles furent entreprises. Elles permirent de mettre au jour certains éléments, mais il faut encore de nos jours pas mal d'imagination pour se représenter l'ancien centre.

Des nombreuses découvertes faites sur le forum, on ne citera ici que celles qui ont un aspect politique ou religieux.

Pour le premier, il y a bien sûr la **Curia**, le bâtiment où siégeait le Sénat romain. Il est à l'origine d'une tradition qui remonte à Tullio Ostillio, le troisième roi de Rome. La Curia a été détruite plusieurs fois et à nouveau reconstruite.L'actuel bâtiment, assez élevé, remonte à Dioclétien (303 ap. J.-C.). Le pape Alexandre VII fit transporter la porte de bronze pour l'ajouter à l'entrée principale de la basilique Saint-Jean-de-Latran, la mère de toutes les églises, voir p. 156-157. Des bancs, pouvant accueillir 300

Rome et ses quartiers

sénateurs, bordaient les murs longitudinaux de la partie intérieure. Celui qui présentait une motion se plaçait d'un côté, son opposant de l'autre. C'est ici que furent prises les décisions les plus importantes pour l'histoire de la ville.

Le comitium, que seuls quelques pavés situent, était le lieu des rassemblements populaires. En son centre était planté le figuier sacré, sous lequel, selon la légende, Rémus et Romulus furent nourris par une louve. La curie et le comitium faisaient partie du SPQR (Senatus Populusque Romanus), le précepte conducteur du "Sénat et du peuple romain". La rostra était, sous Jules César, l'arène de joutes oratoires sur fond politique. Sur la tribune des orateurs, on avait placé la proue d'un navire et l'on peut encore découvrir les trous qui servaient à la fixer.

L'arco di Septimius Severus, entre la rostra et la curia, fut construit par Septime Sévère en 203 ap. J.-C., pour fêter sa première décennie de règne et pour commémorer ses grandes victoires. Il le dédia à ses enfants Caracalla et Geta. Caracalla mit "de côté" son frère Geta et fit la même chose pour son nom sur l'arc.

L'arco di Tito (l'arc de Titus), à l'entrée – le point le plus élevé de la via Sacra – est un chef-d'œuvre d'élégance architectonique. Des formes simples lui confèrent un aspect féerique.

L'arc fut érigé par le successeur de Titus, Dioclétien, en 81 après J.-C., pour célébrer le triomphe de l'empereur sur la Galilée en l'an 70 après J.-C.

Le relief de la partie intérieure droite montre des soldats ceints de couronnes de laurier avec des chandeliers à sept branches et des trompettes d'argent en provenance du trésor de Jérusalem. Dans l'inscription, Titus est honoré comme "divo", un nom que le Sénat n'attribuait qu'à des empereurs qui avaient rendu de grands services à l'Etat.

En 1899, on découvrit, lors de fouilles, un morceau de sol réalisé en marbre noir avec, dessous, des rangées de pierres de tuf et une hampe portant une inscription qui n'a pas encore pu être déchiffrée.

Les chercheurs datent leur découverte, le Laps Niger, du VIe siècle av. J.-C.. Dans l'Antiquité, cet endroit était dédié à Romulus, le légendaire fondateur de Rome, et même considéré comme sa tombe.

La via Sacra, qui passait devant la basilica Emilia, était la première rue et aussi la plus importante, qui séparait le forum du temple de Saturne de l'arc de Titus.

Trois temples représentaient, d'une certaine manière, l'aspect religieux: le temple de Castor et Pollux, le temple des Vestales et le temple de César.

Le temple de Castor et Pollux (templum Dioscorum – les jumeaux étaient considérés comme les protecteurs des cavaliers romains) date de l'an 484 av. J.-C. et fut reconstruit plusieurs fois. Les trois superbes colonnes qui sont restées jusqu'à présent datent de l'époque de Tibère (Ier siècle av. J.-C.).

Le temple des Vestales (Aedes Vestae) est très vieux, probablement construit par le deuxième roi de la ville qui était aussi le fondateur du culte des vestales. Dans ce temple, les vestales gardaient le feu sacré – un symbole de la ville de Rome, qui ne devait jamais s'éteindre. Pour cette tâche, six jeunes filles étaient choisies parmi les familles nobles de

Les décorateurs de l'Antiquité avaient un faible pour les statues: Forum romanum.

la ville. Elles devaient promettre chasteté et restaient 30 ans en service.

Si elles manquaient à leur service ou si elles brisaient leur promesse, elles étaient enterrées vivantes... Plutarque en fait une description expressive: "... La malheureuse coupable descend l'échelle qui la mène à la tombe. L'échelle est ensuite retirée. L'entrée est refermée avec de grandes pierres ou de la terre, jusqu'à ce que toute trace de l'endroit tragique soit effacée."

Pour terminer, il y avait encore le **temple de César** (templum Divii Juli), où l'on peut reconnaître les restes du podium, sur lequel César Antoine lisait l'oraison funèbre. L'arc d'Auguste forme l'entrée. Il fut érigé suite à la victoire près d'Actium (31 av. J.-C.).

Pour rendre l'image complète, vous devez vous imaginer plusieurs petits bâtiments, temples et fontaines, mais aussi des auberges, des commerces et des toilettes publiques. Sans oublier les superbes éléments décoratifs, avec lesquels on a enrichi le forum pendant des siècles: colonnes, statues, arcs... Le Forum romain était et reste le vrai cœur de Rome.

Via dei Fori Imperiali
Bus 27, 85, 87
9 h – 19 h (hiver 9 h – 15 h),
di 9 h – 13 h
Entrée 12 000 lires (Palatin inclus)

Forum boarium   ■ a 2, p. 142

Cet ancien lieu d'échange de bœufs est devenu une des places les plus jolies de Rome. Sur l'ancien Forum boarium (marché aux bœufs), se trouve le temple antique **Fontana Virilis** qui fut érigé dans un style greco-romain.

Le temple circulaire en marbre a été

Rome et ses quartiers

nommé de manière erronée d'après l'ancien temple des Vestales du Forum romanum. En fait, ce temple était dédié au dieu protecteur des marchands d'huile, qui avaient d'ailleurs donné les matériaux.
Piazza Bocca della Verità
Bus 15, 23

Mercati Traianei ■ b 1, p. 142
Le marché de Trajan est le prédécesseur antique des grands centres commerciaux. Il comptait un centre commercial réparti sur deux niveaux et une galerie pouvant accueillir environ 50 magasins. Pour que le peuple conserve sa bonne humeur, l'alimentation de base était distribuée gratuitement à la demande, dans les marchés créés par Trajan – de 100 jusqu'à 110 après J.-C.
Via Quattro Novembre
Bus 56, 62, 64
9 h – 13 h; fermé lu
Entrée 3 750 lires

Le Palatin ■ b 2/ b 3, p. 142
Ce n'est pas seulement une promenade agréable qui vous attend à l'ombre des cyprès, mais surtout le lieu de naissance de Rome. La première vision de la ville qu'a le visiteur se doit d'être impressionnante, majestueuse, indescriptible, et, en s'en approchant par la via Appia Antica, c'est ainsi qu'on la perçoit... 500 mètres au-dessus du niveau de la mer, 40 mètres au-dessus du niveau du Tibre, c'est là que Romulus a fondé la ville, le 21 avril 753 av. J.-C., – ce qui est attesté par la découverte des plus anciennes traces d'habitat sur le versant qui va vers le **teatro di Marcello.**
Au Ier siècle après J.-C., le Palatin était la colline préférée des riches Romains dominants, parmi lesquels Crassus et Catilina. Le reste des bâtiments donne encore de nos jours une bonne impression de la taille du palais.

L'empereur Domitien fit finalement égaliser le terrain et il l'élargit par des murs; Dioclétien et ses successeurs y ont érigé de superbes palais. Après la décadence de l'Empire romain, les bâtiments tombèrent en ruine. Au Moyen Age, les ruines furent employées pour les fondations des fortifications.

Au XVIe siècle, la famille Farnese érigea une superbe villa sur le Palatin, dont il reste encore l'**Ucceliera Farnese,** la maison de jardin. Tout le reste a cédé la place aux fouilles, ce qui a fait ressortir la maison de **Livia,** avec des peintures murales antiques, la **Domus Augustea**, la maison de l'empereur Auguste, qui est né en 63 av. J.-C. sur le Palatin. Il y avait, en plus de l'imposant palais impérial, le stade de Domitien. Par la suite, on découvrit aussi des jardins, qui furent employés comme hippodrome, la **Domus Flavia** et la **Domus Severiana** avec un complexe thermal. Des thermes, on a d'ailleurs une belle vue sur le Circus maximus.
Via di San Gregorio
Métro: Colosseo
9 h – 18 h, hiver 9 h – 16 h, ma et di 9 h – 13 h
Entrée 12 000 lires (Forum romain inclus)

San Giovanni in Laterano

■ F 5, carte avant

San Giovanni est la plus ancienne église papale de la ville. Elle est considérée comme "la mère des églises de Rome, l'église principale du globe terrestre". (Voir Saint-Jean-de-Latran: la mère de toutes les églises, p.156-157). Elle fait d'ailleurs partie des cinq églises patriarcales, est le siège de l'évêché et la première dans le classement des sept églises romaines pour pèlerins.

En 312, l'empereur Constantin offrit la basilique à la communauté catholique romaine, sous le pape Melchior. Jusqu'à l'exil du pape en Avignon, en 1305, le Latran est resté le siège du pontificat.

A l'occasion de l'année sainte de 1650, Francesco Borromini modela l'intérieur en style baroque. C'est dans l'élément supérieur, qui ressemble à une cage, le baldaquin de l'autel, que les têtes de Pierre et Paul sont censées reposer.

Le palazzo Lateranense touche au museo storico del Vaticano (p. 162) dans lequel furent signés les accords de Latran qui garantissaient l'indépendance de l'Etat du Vatican. Dans le bâtiment d'en face, on vénère l'escalier sacré Scala Santa, que Jésus-Christ aurait gravi dans la maison de Ponce Pilate. Il fut ramené de Jérusalem au IVe siècle, avec d'autres reliques de la croix, par sainte Hélène.

Cet escalier que, beaucoup de croyants montent à genoux, conduit à la capella Sancta Sanctorum (1585 à 1590), l'ancienne chapelle privée du pape. Sur l'autel est placée une représentation du Christ (vers 600). Elle est considérée comme n'ayant pas été peinte par une main humaine (imago archeropita). "Il n'existe pas de lieu plus sacré au monde": cette phrase est écrite sur l'autel.

L'obélisque situé devant le Latran, qui aurait 3 500 ans, est de loin le plus ancien et, avec ses 31 mètres, le plus haut de Rome. Ce bijou de granit rouge fut amené en l'an 357 par le fils de l'empereur Constantin, par bateau spécial depuis le temple d'Amon à Karnak et ensuite placé au Cirque maximus. A la demande du pape Sixte V, l'obélisque fut placé sur la piazza San Giovanni in Laterano. En Egypte, un obélisque représentait un rayon de soleil. Sixte l'interprétait comme la lumière divine.

Piazza di San Giovanni in Laterano
Métro: San Giovanni
7 h – 17 h

San Pietro in Vincoli ■ c 1, p. 142

Lorsque l'apôtre Pierre fut enchaîné, à la demande d'Hérode, un ange apparut un soir et le délivra – du moins c'est ce que raconte la légende. A la suite de quoi, Pierre se rendit à Rome, où il fut crucifié plus tard.

Pour ses chaînes (vincoli), qui furent amenées de Jérusalem à Rome, l'épouse de l'empereur Valentin créa une église dans les murs d'un palais antique.

Aux XVe et XVIIIe siècles, San Pietro in Vincoli fut transformée plusieurs fois; l'intérieur à trois nefs a conservé son caractère propre des premiers temps du christianisme.

L'œuvre la plus célèbre de cette église est le Moïse de Michel-Ange. Cette œuvre le montre à son retour du Sinaï avec les tables des commandements sous les bras. Les yeux pleins de colère, il regarde le peuple d'Israël en train de danser autour du veau d'or.

Ce chef-d'œuvre fait partie de la

Saint-Jean-de-Latran:
la mère de toutes les églises

Ce n'est pas la basilique Saint-Pierre qui est l'église épiscopale de la ville de Rome mais bien la basilique Saint-Jean-de-Latran, qui est d'ailleurs aussi la première maison de Dieu du monde catholique. C'est ici qu'ont eu lieu les conciles du Moyen Age, c'est d'ici que pendant plus de 1 000 ans les papes ont exercé leur domination spirituelle. Ce n'est que lorsqu'ils revinrent de leur exil d'Avignon qu'ils se sont installés dans le palais du Vatican. Jusqu'à présent, un pape ne prend totalement possession de sa charge que lorsqu'il s'est installé sur le trône épiscopal de l'église de Latran.

Cette basilique a connu une histoire mouvementée, a souvent été détruite et, pourtant, ce sont toujours les pierres érigées par l'empereur Constantin qui la soutiennent. La première construction fut détruite par les vandales. Un tremblement de terre au VIIIe siècle détruisit la deuxième maison de Dieu. En 1308, elle brûla complètement. Un second incendie, 53 ans plus tard, réduisit la basilique en cendres. Elle traversa les 300 années suivantes en ayant besoin d'être restaurée et c'est sous le pape Innocent X que l'architecte Francesco Borromini lui donna son visage actuel. La transformation de l'espace intérieur en style baroque, réalisée en trois ans seulement (1847-1850), fut particulièrement impressionnante. La façade qui, comme celle de la basilique Saint-Pierre, comporte des statues visibles de loin, celles de Jean Baptiste, Jean l'Evangéliste et d'autres pères de l'église, fut édifiée en 1735 par Alessandro Galileo.

Au Moyen Age, on lui ajouta, en signe de sainteté, la **Scala Santa.** Ce sont ces escaliers sacrés, qui furent ramenés du château d'Antonia de Jérusalem par l'impératrice Hélène, que le Christ aurait gravis pour

Rome extra

La basilique de Saint-Jean-de-Latran est considérée comme un lieu de haute piété.

entendre son jugement, si l'on en croit la tradition. Les 22 marches de marbre conduisent à la chapelle privée des papes, le **Sancta Sanctorum,** l'unique partie de bâtiment de l'ancien palais de Latran à être encore conservée. C'est là que la Scala Santa aboutit devant un mur grillagé qui permet d'entrevoir une chapelle faiblement éclairée – un endroit où le sacré devient perceptible et dans laquelle la relique la plus sacrée de l'église est conservée: une épine en provenance de la "couronne d'épines". Il y a également la tige sur laquelle était fixée l'éponge trempée dans du vinaigre, un fragment de la table de la dernière Cène – et en plus une relique de saint Jean Baptiste et d'autres saints romains, toutes conservées dans des reliquaires en or ou en argent.

Au-dessus de l'autel de la chapelle Sancta Sanctorum, on peut lire une inscription en lettres d'or: "Non est in toto sanctior orbe locus" – "Il n'existe pas d'endroit plus sacré sur terre que celui-ci." Dans la nef latérale droite, se trouve un monument commémoratif du pape Sylvestre II – une tombe qui est regardée avec beaucoup de méfiance par les Romains: une légende vieille d'au moins 1 000 ans annonce en effet qu'à chaque fois qu'un pape est sur son lit de mort, une vapeur qui n'a rien de naturel se dégage de la pierre tombale et qu'on entend un cliquetis suspect, comme si les os d'un squelette s'entrechoquaient...

Piazza San Giovanni in Laterano ■ F 5, carte avant
Métro: San Giovanni

Rome et ses quartiers

Le plus ancien détecteur de mensonges du monde: la Bocca della Verità était censée mordre la main de ceux qui mentaient...

tombe inachevée du pape Jules II. Celui-ci avait eu l'ambitieuse intention de créer un monument qui surpasserait tous les autres tombeaux contenus dans le dôme de l'église St-Pierre, mais même Michel-Ange fut dépassé par cette demande.
Piazza di San Pedro in Vincoli
Métro: Via Cavour
7 h – 12 h 30 et 15 h 30 – 19 h

Santa Maria d'Aracoeli
■ a 1, p. 142
Au plus haut sommet du Capitole, l'empereur Auguste aurait vu apparaître, sur un autel, une silhouette féminine qui portait un enfant dans les bras. Une voix disait: "Ceci est l'autel du premier-né de Dieu". Le nom de l'église, Aracoeli (autel cé-leste), rappelle cette légende. Au VIIe siècle, à l'endroit de la prophétie, on érigea la première église. En 1250, des moines franciscains la remplacèrent par une nouvelle construction.
Dans la nef droite, la **capella Bufalini**, qui serait dédiée à saint Bernard de Sienne, fut décorée de fresques en 1485 par Bernardino Pinturicchio. L'icône de Marie, de l'autel principal, est une copie de la Madone de San Sisto – et également la protectrice des Romains. On raconte que, devant la menace d'un danger, elle se met à pleurer pour prévenir les gens. Une urne en marbre rouge se trouve dans la nef transversale gauche. Elle contient les ossements de sainte Hélène. C'est aussi l'endroit où Auguste eut sa vision de la naissance du Christ.
Piazza d'Aracoeli
Bus 56, 62, 64

Santa Maria in Cosmedin
■ a 3, p. 142
L'attraction principale de cette église, qui fut construite au VIe siècle entre les colonnes d'un corridor, se trouve dans l'atrium d'entrée: le célèbre masque de la bouche de la vérité, la **Bocca della Verità**, car c'est d'elle qu'on disait qu'elle mordait ceux qui mentaient. Ce modèle antique de détecteur de mensonges porte les traits de Faune, le dieu protecteur de l'agriculture. Jusqu'à présent, on ignore à quoi pouvait servir ce masque dans l'Antiquité.
Le pape Adrien Ier fit cadeau de l'église au clocher comptant sept étages, à la communauté gréco-byzantine, qui avait cherché refuge sur les berges du Tibre après sa fuite de Constantinople, devant les persécutions des chrétiens.

Les Grecs décorèrent la maison de Dieu avec des ornements superbes et des icônes. Les fresques sur les parois latérales de la nef centrale ainsi que les colonnes antiques et le merveilleux travail de Cosme (superbes décorations en mosaïque réalisées par une famille de tailleur de pierre de la région de Côme) sont une des curiosités de l'intérieur de l'église.
Piazza Bocca della Verità
Bus 15, 23
9 h – 13 h et 14 h 30 – 19 h

Santo Stefano Rotondo

■ c 3, p. 142

Une église circulaire, une maison de Dieu sans début ni fin, dans laquelle le croyant devient obligatoirement le point central: Santo Stefano Rotondo, sur le monte Celio, est une des rares églises avec couloir circulaire et une église qui a donné beaucoup d'énigmes à résoudre aux historiens. Elle fut bâtie sur une ancienne construction datant des premiers temps de Rome, probablement érigée par

Neros Marcellum Magnum, mais peut-être aussi au Ve siècle à la demande du pape Simplicius. Aussi bien le pape Adrien que le pape Nicolas V manifestaient beaucoup d'intérêt pour cette petite église et l'ont conservée grâce à des travaux de rénovation. Une atmosphère étrange règne à l'intérieur – on a l'impression d'être enveloppé par les chefs-d'œuvre religieux. La promenade circulaire est séparée de la partie centrale par 22 colonnes de style ionique.

Il ne faut pas manquer d'admirer une chaise d'évêque finement travaillée, qui aurait appartenu au VIe siècle à saint Grégoire, ainsi qu'une fresque byzantine datant du VIIe siècle, qui montre le Christ non pas sur la croix mais au-dessus de la croix.
Monte Celio

Maison de Dieu sans début ni fin: Santo Stefano Rotondo doit sa célébrité à une architecture peu commune.

Rome et ses quartiers

Métro: Colosseo
9 h – 12 h et 16 h – 19 h

Thermes de Caracalla

 E 5/ E 6, carte avant
Un ancien proverbe romain définit un ignorant comme un homme qui ne sait ni lire ni nager. En conséquence de quoi, la majorité des Romains possédait des bains privés dans leurs villas. Il y avait également une piscine publique dans laquelle l'empereur de l'époque avait appris à nager. L'ancienne Rome disposait de onze thermes publics et de 926 thermes privés et d'au moins 2 000 fontaines. L'eau qui alimentait ces installations était acheminée par un aqueduc. Pour se faire une idée assez exacte des plaisirs de l'eau tels que les connaissaient les Romains, il faut

Anciennement, ils accueillaient 1 500 baigneurs. Jusqu'à il n'y a pas si longtemps, coulisse extra-ordinaire pour une représentation de théâtre: Terme di Caracalla.

visiter les thermes de Caracalla. L'empereur Marcus Antonius Bassianus, né en 186 après J.-C., était d'origine gauloise et avait l'habitude de porter le manteau traditionnel de sa patrie, que l'on appellait le caracalla – c'est ainsi qu'il reçut son surnom.

Le plus grand bienfait de l'empereur, qui mourut en 217 après J.-C. et qui fut ajouté au mausolée d'Hadrien, est la construction des thermes. Celle-ci fut commencée en l'an 212 après J.-C. et, quatre ans après, l'empereur en personne les inaugura en piquant une tête dans l'eau froide. Les hautes murailles et les larges voûtes donnent encore une bonne idée de la taille démesurée des bains antiques – l'installation offrait de la place à 1 500 personnes.

Piazzale Numa Pompilio
Métro: Circo massimo
9 h - jusqu'à une heure avant le coucher du soleil
Di et lu 9 h – 13 h
Entrée 8 000 lires

Villa Celimontana ■ c 3, p. 142
Le monte Celio est l'endroit idéal
pour se promener à l'ombre des palmiers et des pins, en passant devant
des statues antiques et même un
obélisque. Le parc entourant la villa,
recouvrant le côté ouest d'une végé-
tation abondante, a été créé en l'an
1582 et est plus intéressant que le
bâtiment du XIXe siècle, qui est
devenu le siège de la Société nationale de géographie.
Via Claudia
Métro: Colosseo
Ouvert de 7 h jusqu'au coucher du
soleil

Musées et galeries

Antiquarium forense ■ b 2, p. 142
On peut y admirer des objets décou-
verts lors des fouilles réalisées au
Forum romain.
Piazza Santa Maria Nova 53
Métro: Colosseo
Ouvert de 9 h jusqu'à une heure
avant le coucher du soleil
Entrée comprise dans le ticket de la
visite du Forum romain (p. 151)

Antiquarium del foro d'Augusto
■ b 1, p. 142
Des objets en provenance des fouilles du forum d'Auguste peuvent être
admirés ici.
Via Tor de'Conti 3
Métro: Colosseo

Musei capitolini ■ a 2, p. 142
Le premier musée public du monde a
été installé par le pape Sixte IV en
1471, sur le Capitole.
Dans le palazzo Nuovo – une œuvre
de Michel-Ange, se trouve une des
plus anciennes collections de sculptures. La pièce la plus célèbre est le
"Gaulois mourant", une copie romaine. Le point d'orgue incontesté reste
néanmoins la Vénus du Capitole,
qui est depuis près de
2 000 ans le symbole de la beauté.
La salle des Empereurs est une
sorte de salle dédiée à la gloire des
Romains importants de l'Antiquité.
Elle compte 65 bustes de marbre.
Dans la salle des Philosophes,
vous pouvez vous évader dans les
hautes sphères intellectuelles en
compagnie d'Homère, de Socrate et
de Sophocle.
Le symbole de Rome, la Louve du
Capitole, créée vers 500 av. J.-C. par
Vulca di Veio se trouve dans la salle
des Conservateurs. Les jumeaux
Rémus et Romulus n'ont été ajoutés
qu'au XVe siècle par Antonio Del
Pollaiolo. On peut aussi y admirer
une statue remarquable en marbre
du Bernin, qui représente le pape
Urbain VII.
La pinacothèque du Capitole propose
une collection composée en grosse
partie d'œuvres de peintres italiens
du XIVe au XVIIIe siècle, parmi lesquels Titien, le Tintoret et le Caravage. Le palazzo Nuovo est fermé
pour restauration.

Piazza del Campidoglio
Bus 56, 62, 64, 95
9 h – 14 h, fermé lu et ma;
ouvert sa aussi 17 h – 20 h (en été sa
jusqu'à 23 h),
di et ve 9 h – 13 h
Entrée 10 000 lires; entrée libre le
dernier dimanche du mois

Rome et ses quartiers

Les bustes en marbre du musée capitolin: quelle expressivité!

Museo storico del Vaticano

Ce musée, situé dans le **palazzo Lateranense,** est composé de deux départements. L'**Apartamento Papale** comprend dix salles, décorées de fresques d'artistes du XVe siècle. C'est dans la dernière salle que les accords de Latran, entre Mussolini et l'Eglise, ont été signés. Dans le **Museo storico**, on apprend tout sur l'histoire des papes.
Piazza San Giovanni in Laterano 6 a
Métro: San Giovanni
Tous les premiers di du mois
8 h 45 − 13 h 45
Des renseignements sur les visites guidées peuvent être obtenus au bureau des pèlerins du Vatican.
Entrée 6 000 lires

Albalonga
De l'aube jusque tard dans la nuit, on peut y goûter la crème glacée au chocolat noir, crémeuse à souhait et garnie de crème fraîche.
Via Albalonga
Métro: Re di Roma; bus 9
6 h − 2 h

Alvaro al Circo massimo
■ b 3, p. 142
Le nom, la situation... Cela ne peut être qu'un piège à touristes! Pas du tout. Demandez à Alvaro la spécialité du jour et suivez son conseil. Cela en vaut la peine!
Via dei Cerchi 53
Tél. 6 78 61 12
Métro: Colosseo
12 h 30 − 15 h et 19 h 30 − 23 h; fermé lu et di soir ainsi que deux semaines en août
Classe de prix élevée (EC, Visa, Amex)

Angelino ai Fori
■ b 2, p. 142
Le restaurateur n'est pas peu fier d'un événement particulier: Bobby Kennedy a organisé ici une soirée d'anniversaire pour son épouse Ethel − et les consommateurs d'aujourd'hui le paient encore...
Largo Corrado Ricci 40
Tél. 6 79 11 21
Métro: Colosseo
12 h − 13 h 30 et 19 h − 23 h, fermé ma
Classe de prix élevée (EC, Visa)

Cannavota
■ F 5, carte avant
Sante Funari, le propriétaire de l'endroit, a disparu de manière mystérieuse il y a quelques années, mais heureusement il a oublié ses recettes et les plats sont toujours succulents

et surtout riches en ail et piments.
Piazza San Giovanni in Laterano 20
Tél. 77 20 50 07
Métro: San Giovanni
12 h 30 – 15 h et 20 h – 23 h; fermé
me et en août
Classe de prix moyenne (DC, Amex)

Enoteca Cavour 313 ■ b 1, p. 142
En-cas savoureux, servis sur de longues tables – et le vin coule à flots.
Via Cavour 313
Tél. 6 78 54 96
Métro: Colosseo
12 h 30 – 14 h 30 et
19 h 30 – 0 h 30
Classe de prix inférieure

Il Gelato di San Crispino
Le temple du connaisseur en crème glacée: chaque sorte est une véritable tentation mais si vous voulez vraiment découvrir autre chose, essayez la glace au miel, **con miele**.
Via Acaia 55/56, à l'est de la porta Latina
Bus 47, 87, 671
15 h – 2 h, fermé ma

Roof Restaurant ■ b 1, p. 142
La vue sur le Forum impérial est encore plus spectaculaire lorsqu'on mange!
Via Tor de' Conti (à l'Hôtel Forum)
Tél. 6 79 24 46
Métro: Colosseo
12 h 30 – 14 h 30 et 19 h 30 –
22 h 30, fermé di
Classe de prix élevée (EC, Visa, DC, Amex)

Valentino ■ b 1, p. 142
Le jeudi, c'est jour gnocchi à Rome. Chez Valentino, les petites boulettes de pommes de terre sont présentes toute la semaine, les plats de résistance ne sont pas à dédaigner – et

les prix bas ne sont cependant pas en rapport avec la qualité!
Via Cavour 293
Tél. 4 88 13 03
Métro: Colosseo
12 h – 15 h et 19 h – 22 h, fermé ve
Classe de prix inférieure

Vecchia Roma ■ a 2, p. 142
Les **alici** – anchois à l'huile et au citron – feront peut-être aussi votre bonheur culinaire?
Piazza di Campitelli 18
Tél. 6 86 46 04
Bus 87
13 h – 14 h 30 et 20 h – 23 h, fermé me et deux semaines en août
Classe de prix élevée (DC, Amex)

Achats

Aliments

Piastra ■ c 2, p. 142
Ici on cuit du pain depuis 1895. On y crée aussi de succulentes sucreries. Essayez le **pane alla polenta** et la **torta di ricotta.**
Via Labicana 12/14
Bus 81, 85

Marché

Mercato di via Sannio
Ce qui se passe tous les matins derrière la basilique San Giovanni est tout à fait terre à terre: sur des échoppes improvisées, on étale ceintures, bijoux, chaussures, ustensiles de ménage et cosmétiques, ainsi que vêtements bon marché et de deuxième main et des surplus de l'armée.
Via Sannio, au sud-ouest de la basilique San Giovanni in Laterano
Métro: San Giovanni
8 h – 13 h, fermé di

Les 10 places les plus animées

Piazza Campo de'Fiori
■ b 2, p. 100
... parce que les serveurs du "champ de fleurs" sont tout aussi occupés le soir que les vendeuses du marché le matin (→ p. 100).

Piazza di Montecitorio
■ a 2, p. 208
... parce que dans le quartier du Parlement, chaque moment peut devenir le témoin d'un changement de pouvoir (→ p. 209).

Piazza Navona ■ b 2, p. 100
... parce que le marché quotidien de la vanité dépasse encore le marché annuel de Noël (→ p. 106).

Piazza Pasquino
■ b 2, p. 100
... parce que, ici se trouve une statue parlante qui reçoit encore de nos jours des vers satiriques (→ p. 101).

Piazza del Popolo
■ a 2, p. 61
... parce qu'elle a toujours été le point d'accueil des gens du Nord (→ p. 63).

Piazza di San Pietro
■ d 2/d 3, p. 170

... parce qu'on n'y rencontre pas uniquement des touristes avides de visite mais aussi des moines, des prêtres et des nonnes de tous les pays du monde, venus voir le pape (→ p. 177).

Piazza di Santa Maria in Trastevere
■ b 3, p. 126

... parce qu'on peut y voir tous les soirs les plus belles Romaines s'adonner à des jeux amoureux avec les plus beaux Romains (→ p. 127).

Piazza di Siena ■ c 2, p. 61

... parce qu'une halte dans la verdure, sous les pins et les cyprès, est toujours merveilleuse (→ p. 74).

Piazza di Spagna ■ b 3, p.61

... parce que le fameux escalier est occupé par les jeunes du monde entier et par les pappagalli romains des faubourgs (→ p. 62).

Piazza Bocca della Verità
■ a 2, p. 142

... parce que même les plus grands sceptiques passent leur main dans le "détecteur de mensonge" (→ p. 143).

Rome et ses quartiers

Is sont chargés de missions divines, ces nonnes, prêtres et moines venus du monde entier qui se pressent dignement sur la place Saint-Pierre. Le Vatican n'est pas uniquement le siège du Saint-Père, c'est aussi le centre d'un groupe économique et d'une organisation politique mondiale.

Le Vatican, un Etat de l'extrême: d'un côté c'est le plus jeune Etat européen, car ce n'est que le 11 février 1929 que les deux signatures qui scellent sa fondation furent apposées sur le traité de Latran.
C'est aussi le plus petit: la surface de la Città del Vaticano n'est que de 44 hectares.
C'est aussi le dernier Etat européen à être géré par un chef absolu: car le chef du Vatican, c'est l'évêque de Rome. Il est le seul à compter plus d'employés (3 600) que de sujets (1 000) et il est certainement le seul pour lequel la plus grosse part des revenus repose sur la vente des cartes postales et des timbres. Le meilleur vient à la fin: nulle part ailleurs au monde, on ne trouvera une telle concentration de trésors artistiques et religieux qu'au Vatican.

La garde suisse en uniforme de Michel-Ange

Cela excepté, tout est normal: il y a une gare et un sigle pour les voitures que l'on ne confond avec aucun autre (SVC); un garage souterrain, un supermarché, une poste, un journal ("l'Osservatore Romano"), une imprimerie, un émetteur radio (on émet en plus de 26 langues, partout dans le monde), et bien sûr une monnaie propre. Sans oublier sa propre armée: une garde suisse forte de 100 hommes, avec leur superbe uniforme bleu-jaune, créé par Michel-Ange... L'entrée du Vatican est en fait interdite aux étrangers. La place Saint-Pierre est une exception, ainsi que la basilique Saint-Pierre et le Campo santo teutonico, le cimetière allemand (cité la première fois en 799). Si vous possédez le mot de passe correct, le garde suisse vous laisse passer du côté gauche de la façade de l'église. La plaque tournante du Vatican, qui est aussi la plus belle place du monde, est certainement la **piazza di San Pietro.**

La garde suisse du Vatican porte encore l'uniforme dessiné par Michel-Ange, grand couturier avant l'heure.

Papal

Vous êtes déjà allé à Rome et vous n'avez pas vu le pape? Inimaginable! Pour éviter qu'un tel faux pas ne se reproduise, sachez que, chaque mercredi, le pape tient audience, en été sur la place Saint-Pierre, à 17 h, en hiver à 11 h dans le hall Nervi (les cartes d'entrée sont disponibles la veille à l'**Ufficio Informazioni Pelegrini,** piazza San Pietro, lu-sa 8 h 30 – 13 h et 14 h – 18 h 30. Ou auprès du **Bureau des pèlerins Santa Maria dell'Anima,** via della Pace, 24, tél. 6 86 41 60; réservation une semaine à l'avance).

Vous pouvez aussi voir le pape, sans aucun ticket: chaque dimanche à 12 h, lorsqu'il s'adresse aux croyants du haut de la fenêtre de son bureau sur la place Saint-Pierre. Si vous voulez en savoir plus sur le chef de l'Eglise catholique, vous aimeriez peut-être savoir que l'actuel pape Jean-Paul II a étudié la théologie de novembre 1946 à juin 1948 à l'università dell'Angelicum et qu'il a obtenu la note maximum pour sa thèse sur "La Dottrina della fede in San Giovanni della Croce", la doctrine de la foi concernant San Giovanni della Croce (cette église est située en dehors du centre, dans la via Camerata Picena 385).

Vous voulez vous plonger dans le dernier ouvrage sur Giovanni? Le pape a rejoint le monde des écrivains. Dès sa sortie, en 1984, son livre, "Varcare la soglia della speranza", a été épuisé dans les librairies romaines, la vente dépassant même celle du dernier livre d'Umberto Ecco.

100 000 exemplaires furent vendus dès les premiers jours. Les éditions en langue étrangère connurent le même succès. Et le livre reste un des souvenirs les plus prisés acheté par les touristes étrangers visitant Rome.

Vous pouvez également rendre visite aux responsables de

Rome extra

*Qui n'a pas une petite
appréhension à l'idée
d'assister à une au-
dience tenue par le
pape?*

la garde-robe du pape. Annibale et Francesco Gammarelli habillent Sa Sainteté de la tête aux pieds. Depuis près de deux siècles, les papes viennent s'y faire couper leurs vêtements de cérémonie sur mesure, ainsi d'ailleurs que leurs vêtements de tous les jours. Les cardinaux se rendent personnellement dans la sartoria, le pape fait les essayages au Vatican.

Vous n'avez pas encore réussi à vous approcher du pape? Alors songez à ramener dans vos bagages une clochette à son effigie, en espérant que vous aurez plus de chance la prochaine fois. Jean-Paul II a bien l'intention de remplir encore pendant quelque temps son office: "Eh! Questo vecchio papa, con tutti i suoi dolori, arriva al 2 000!". "Ce vieux pape, avec tous ses maux, nous gouvernera bien jusqu'en l'an 2 000!" C'est ce que Jean-Paul II a l'habitude de dire en blaguant...

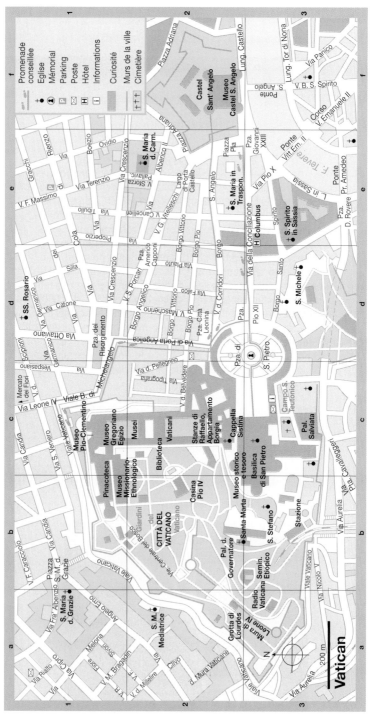

Vatican

Les combinaisons de lettres et de chiffres dans le texte renvoient à cette carte.

Promenade

Pour les visites dans le royaume du Saint-Père, il faut s'habiller de manière correcte: épaules et genoux couverts sont parmi les conditions d'accès. Lorsque vous avez pénétré sur la **piazza Pia** et que vous longez la via della Conciliazione, vous apercevez le dôme de Saint-Pierre. Cette rue, malgré son nom évocateur, est une des plus grandes erreurs architecturales du fascisme italien. Imaginez-vous que se trouvait ici, au début des années trente, un quartier agréable, parcouru de jolies ruelles et parsemé de places pittoresques. Mussolini fit tout abattre pour réaliser ses plans de construction d'une Rome puissante et colossale. Le nom de "rue de la Réconciliation" fait allusion à la signature des accords de Latran (1929) entre Mussolini et le pape Pie XI.

L'illusion d'optique du Bernin

La via della Conciliazione conduit directement à la **piazza di San Pietro**, une des plus belles places du monde qui se révèle être aussi un trait de génie architectural. L'architecte et sculpteur Le Bernin créa en 1667, à la demande du pape Alexandre VII, une esplanade qui avait l'air carrée – mais qui était trapézoïdale en réalité – car les ailes dirigées vers la façade de la basilique Saint-Pierre s'écartent. Ainsi, la façade donne l'impression d'être plus haute qu'elle ne l'est en réalité.

L'obélisque haut de 25 mètres, qui se dresse au centre de la place, provient du cirque de Néron et fut amené ici dès 1586. Les colonnades du Bernin, portées par 284 colonnes, s'ouvrent largement vers la ville; elles semblent embrasser la chrétienté et souhaiter la bienvenue aux visiteurs.

Avant de se consacrer à la basilique Saint-Pierre, il faut visiter le musée du Vatican, car il ferme vers midi alors que la basilique reste ouverte jusqu'au soir.

Pour accéder au musée, il faut prendre la piazza del Risorgimento, en passant par la via di Porta Angelica et la via Leone IV vers la viale Vaticano.

Sept kilomètres d'art

Si vous n'avez pas envie de faire à pied le chemin vers le musée du Vatican, surtout en pensant aux kilomètres que vous ferez à l'intérieur du musée, il est possible de prendre le bus. Il fait la navette de 8 h 45 à 12 h 45, toutes les demi-heures entre la piazza di San Pietro et le musée. Les arrêts sont situés devant l'Ufficio Informazioni, sur la place Saint-Pierre et devant l'Ufficio Postale dei Musei; le trajet simple coûte 2 000 lires.

La direction du musée a eu pitié des visiteurs qui n'avaient pas le temps ou l'envie de parcourir en une fois les sept kilomètres du parcours artistique. Elle a fait construire quatre routes. Le **chemin A**, la chapelle Sixtine, dure environ une heure trente. Le **chemin B**, passant à travers des collections étrusques, romaines et préchrétiennes, ainsi que la pinacothèque, demande environ trois heures. Le **chemin C**, pour les collections égyptiennes et romaines, la chambre de Raphaël englobant l'appartement des Borgia et la bibliothèque, prend environ trois heures et demie. Pour le **chemin D**, qui passe dans tous les musées, il faut compter environ 5 heures.

Pour les visiteurs handicapés, il exis-

Rome et ses quartiers

San Pietro, l'église symbole de la chrétienté, parade avec son imposante coupole. Ce chef-d'œuvre architectonique fut réalisé par Michel-Ange. Comment pouvait-il en être autrement?

te également un chemin spéciale-ment fléché.

Il est évident que la basilique Saint-Pierre se trouve au programme. 60 000 croyants peuvent y prendre place, ce qui en fait la plus grande église chrétienne du monde.

Petite escalade de la coupole de Michel-Ange

Pour couronner la visite, il faut aller voir le royaume du Saint-Père d'en haut. A droite, à côté du Dôme, vous pouvez escalader la coupole, un chef-d'œuvre d'architecture, que Michel-Ange a terminé à l'âge de 72 ans. Avant de commencer cette ascension, il faut être certain de sa condition physique car le trajet mène en haut du toit, au-dessus de la nef centrale et du transept. L'ascension à pied peut alors commencer. La coupole est formée de deux hémisphères et, entre les deux, un escalier conduit au sommet. Lorsque vous êtes arrivé à cette hauteur, il n'y a pratiquement plus moyen de faire demi-tour: la spirale devient de plus en plus étroi-te, la pente des murs s'accentue. Si, au début, on pouvait encore marcher à deux de front, les épaules touchent maintenant les murs. Pendant l'as-cension, chacun a le loisir de se de-mander comment il a été possible, il y a 350 ans, de construire une telle coupole sans machine et sans ordi-nateur... Lorsque, enfin vous débou-chez à l'air libre, 136 m plus haut, la vue superbe vous fait oublier votre peine.

Curiosités

Basilique di San Pietro

■ c 3, p. 170

L'empereur Constantin fut le premier empereur à embrasser la foi chrétienne. C'est à sa demande que, en 315, les travaux de la première église Saint-Pierre débutèrent. Elle est supposée avoir été construite à l'endroit où l'apôtre Pierre fut enseveli après sa crucifixion en l'an 64, dans le cirque de Néron, tout proche. En 349, l'église était terminée et elle avait déjà quasiment la même taille que l'actuelle basilique Saint-Pierre.

Le pape Jules II projetait de faire construire à cet endroit une tombe à sa convenance, à laquelle Michel-Ange était déjà en train de travailler. C'est pourquoi il demanda à Bramante de détruire l'ancienne église pour ériger une nouvelle. Les travaux commencèrent en 1506, cependant ni le pape ni Bramante ne virent la fin des travaux. Pendant les cent années qui suivirent, plusieurs artistes travaillèrent sur la basilique, notamment Michel-Ange et Raphaël. En 1614, Carlo Maderno termina la façade.

La plus grande église chrétienne du monde mesure 211 mètres de long, 186 mètres de large et 132 mètres de haut; la coupole de Michel-Ange a un diamètre de 42 mètres. Elle est composée de deux hémisphères, l'un intérieur et l'autre extérieur. Entre les deux, court un escalier.

Deux fois par an, à Pâques et à Noël, le pape paraît au balcon central de la basilique Saint-Pierre et bénit le monde avec les paroles célèbres "urbi et orbi". A l'intérieur de la basilique, au-dessus du maître-autel et de la tombe de l'apôtre Pierre (un escalier en marbre conduit sous son dernier lieu de repos), le Bernin devait construire au XVIIe siècle, à la demande du pape Urbain VIII, un baldaquin en bronze. Le bronze provenait des traverses du Panthéon. Le pape, de la famille Barberini, les fit fondre pour pouvoir les employer à ses fins, ce qui fit dire à la sagesse populaire: "Ce que les barbares n'ont pas fait, Barberini le fait". Les quatre colonnes du baldaquin reposent sur des socles en marbre qui portent les armes du pape Urbain VIII. Ce ne sont pas seulement les abeilles de Barberini qui frappent sur ces armes. En y regardant de plus près, on découvre une tête de femme qui forme avec le restant du blason un corps de femme. Les formes du corps varient de blason en blason: les neuf images représentent un corps de femme depuis le début de sa grossesse jusqu'à la naissance et cela de manière très réaliste. Le pape avait fondé l'autel pour commémorer – contre toute attente – l'heureuse issue d'une grossesse difficile de sa nièce. Depuis lors, les femmes enceintes viennent prier saint Pierre à cet endroit pour obtenir un accouchement facile.

En 1628, seize ans avant sa mort, le pape Urbain VIII demanda au Bernin de réaliser sa tombe. Deux figures de marbre – justice et miséricorde – flanquent le sarcophage. La mort est assise au-dessus de la **tomba di Urban VIII**, en train d'écrire le nom du pape...

Le pied le plus baisé de la terre est sans conteste celui de la statue de bronze de saint Pierre. Depuis 1857, le pied droit de la statue de saint Pierre représenté dans l'attitude du philosophe antique est couverte de baisers. Cette statue se trouve sur le pilier de saint Longinius.

L'œuvre la plus célèbre de la basili-

Les scènes infernales de Rome

Don Gabriele Amorth exerce vraiment un métier infernal: il est le seul exorciste à travailler à plein temps à Rome. Le père mène un âpre combat contre le mal et ne peut pas se plaindre de manquer de travail. Environ 15 patients viennent chaque jour lui demander son aide. Il a déjà traité 30 000 possédés. "Le diable ne se trouve jamais loin de l'endroit où siège le pape" – du moins c'est de cette manière qu'Amorth explique la demande croissante d'exorcismes à Rome... Le père lui-même n'est pas protégé des attaques diaboliques et n'est pas non plus tout à fait épargné des annonces amicales ("Cette nuit je vais te jeter au bas de ton lit" ou des menaces... "Cette nuit je viendrai te voir, mais changé en serpent"). L'exorciste les considère comme les risques du métier.

Avant de démarrer sa carrière en tant que père "homme du diable", il y a 29 ans de cela, il a récolté des lauriers et des distinctions comme résistant pendant la Deuxième Guerre mondiale. Pendant dix ans, il s'est en plus occupé du journal "Madre di Dio" et, en 1986, il fut promu exorciste par le cardinal Poletti.

Mais à quoi don Gabriele reconnaît-il que son vis-à-vis est prêt pour une séance d'exorcisme? Comme tout fanatique de cinéma le sait, le premier signe de possession par le mal est une peur panique en face d'une croix ou tout autre objet religieux. Celui qui de plus parle de manière étrange de choses que normalement il ne doit pas connaître, celui-là est prêt pour Amorth.

Le père a aussi traité des patients qui étaient passés de médecin en médecin pour des symptômes inexplicables et qui avaient finalement reçu comme diagnostic une "schizophrénie avec phénomènes apathiques". Ces cas constituent en fait les plus grandes réussites du père. Abandonnés par le corps médical car estimés cas sans espoir, ils ont quitté don Amorth complètement guéris! Si la possession s'est révélée

Rome extra

Un padre à Rome: entre le ciel et l'enfer?

une fausse alerte, ou si c'est l'époux légal qui transforme la vie de son partenaire en enfer, alors don Amorth les renvoie à la maison, avec cette petite phrase assassine "Si vous vous faites encore du mal, trouvez-vous un bon vétérinaire".

Même en présence du vrai mal, le père arrive à conserver son humour...

A côté de l'exorciste en chef Amorth – le président de l'Association internationale des exorcistes –, il existe encore quatre autres exorcistes officiels à Rome.

La proximité du Saint-Père semble aussi attiser l'occultisme: des messes noires sont déjà célébrées à plus de cent endroits différents de la ville. Pour l'Eglise romaine, cela crée un problème de vol de nature assez peu courante. Ce n'est plus la monnaie qu'on retire des troncs, ce sont les hosties qui sont emportées. Car, pour réussir une messe noire, la profanation de la dernière Cène est nécessaire.

Les anciens curés sont aussi des "objets" de la convoitise occulte. Comme ils disposent encore de la puissance de la consécration de la dernière Cène, ces "retourneurs de veste" sont admis avec un baise-main sur la scène obscure. Don Amorth connaît un certain nombre de curés qui ont signé un pacte avec Belzébuth.

On ne s'ennuie donc pas sur la "scène du diable".

Don Amorth prend les rendez-vous dans la via Alessandro Severo.

Rome et ses quartiers

que Saint-Pierre est la **Pietà**. Michel-Ange avait 25 ans lorsqu'il créa cette statue de marbre représentant la Vierge Marie tenant dans ses bras le corps sans vie de Jésus. Aux critiques qui trouvaient à redire à l'apparente jeunesse de Marie, l'artiste rétorquait que le temps n'agissait pas sur la mère de Dieu, à cause de sa pureté. La Pietà est d'ailleurs la seule œuvre que Michel-Ange ait signée: en travers de la poitrine de la Madone.

Jusqu'en l'an 1972, date à laquelle un déséquilibré frappa avec un marteau sur le chef-d'œuvre, on pouvait encore admirer la statue de tout près. Les débris, comme le nez de la vierge, ont pu être rajoutés par la suite – mais, depuis lors, elle est protégée par du verre.

Piazza di San Pietro
Métro: Ottaviano; bus 64
Descendre à la coupole: 8 h – 18 h
(en hiver jusqu'à 17 h); fermé à Pâques et le 25 décembre.
Entrée 5 000 lires pour les piétons,
6 000 lires en cas d'usage de l'ascenseur

Campo santo teutonico

■ c 3, p. 170

En passant sous le portail du clocher, situé du côté gauche de la basilique Saint-Pierre, vous arrivez au Campo santo teutonico. Dans les tombes de la Scuola Francorum reposent, entre autres, la reine Charlotte Frédérique du Danemark et Louis Curtis.
Piazza di San Pietro
Métro: Ottaviano; bus 64
9 h – 13 h, sauf di, et 15 h 30 – 18 h 30

Città e giardini del Vaticano

■ a 3/b 2, p. 170

Plus œuvre d'art que jardin – avec aveu d'une guérison miraculeuse: dans la partie nord-ouest du jardin se trouve une reconstruction précise de la grotte de Lourdes.
Métro: Ottaviano; bus 64
Visites guidées tous les jours à 10 h (après réservation au n° de tél: 6982)
Entrée 16 000 lires

Grotte vaticane

■ c 3, p. 170

Lors de la reconstruction de la basilique Saint-Pierre, le niveau du sol fut placé environ 3 mètres plus haut que le niveau du sol précédent, de sorte qu'il est resté un espace entre les deux. C'est par ce couloir étroit, auquel on accède par un escalier, que, déjà au Moyen Age, les pèlerins arrivaient pour dire leur prière au point culminant. A droite, un corridor bifurque vers la tombe de l'apôtre Pierre. Des documents et des tombes de l'ancienne basilique se trouvent dans la deuxième pièce. L'entrée se situe dans le quatrième pilier avant du transept.
7 h – 18 h (hiver 7 h – 17 h)
Entrée libre

Les fouilles qui ont permis de mettre au jour la tombe de Pierre et le cimetière environnant la **Necropoli Vaticana** peuvent aussi être visitées, mais ceci demande de toute manière un travail préalable.
Il vous faut remplir un formulaire à l'**Ufficio Scavi di San Pietro**, (ouvert de 9 h – 17 h fermé di et ve, entrée à gauche de la basilique Saint-Pierre) qui reprend votre numéro de téléphone à Rome, le jour de la visite et la langue souhaitée lors de la visite.
Il faut aussi verser un acompte de

5 000 lires (entrée complète 10 000 lires). Les appareils photos et les sacs ne sont pas admis et l'entrée est interdite aux enfants de moins de 14 ans.

Piazza di San Pietro

■ d 2/d 3 p. 170

L'architecte "star", Gian Lorenzo Bernini, a commencé la construction de la place Saint-Pierre en 1656 sous le pape Alexandre VII. Elle fut terminée onze ans après. Le Bernin avait comme mission de construire une place elliptique avec une esplanade carrée, dont les ailes du bâtiment s'écartent l'une de l'autre en se rapprochant – en fait la place est de forme trapézoïdale. Les colonnades, portées par 284 colonnes, sont couronnées de 104 statues de saints et sont considérées comme le symbole de la domination papale. Elles s'ouvrent vers la ville et semblent vouloir embrasser le monde entier.

L'**obélisque** au milieu de la place se trouve sur le dos de deux lions en bronze et est flanqué de deux superbes fontaines. La fontaine de droite est de Carlo Maderno, celle de gauche du Bernin. Ce bijou de l'art égyptien fut apporté d'Héliopolis à Rome, à l'époque de Caligula, pour en un premier temps décorer le Circus maximus de l'empereur Néron. Le pape Sixte fit transporter l'obélisque sur la place Saint-Pierre avec l'aide de 900 hommes et de 140 chevaux. L'emblème au sommet contient – en signe de christianisation – une relique de la Sainte Croix. On croyait d'abord qu'elle contenait les cendres de Jules César.

Métro: Ottaviano; bus 64

Une image divine: la place Saint-Pierre vue du ciel.

Rome et ses quartiers

Musei vaticani ■ c 1/ c 2, p. 170
Sept kilomètres d'art réunis en quatorze musées. Les collections du Vatican forment – prises dans leur ensemble – le plus grand musée du monde. Pour effectuer une visite plus ou moins détaillée, il faut compter au moins trois jours. Une visite du type "express" peut se faire en une bonne heure – le tout est de jeter un coup d'œil dans la chapelle Sixtine, le nec plus ultra du Vatican.
Le guide que vous pouvez acheter à l'entrée vous rendra de toute manière service. Ce qui suit ne reprend que quelques points importants.

Appartamento Borgia

Le pape Borgia, Alexandre VI, chargea, en 1492, Pinturicchio de réaliser les fresques de l'appartement papal. Les plus belles fresques, entre autres celles des armes de la famille Borgia, au plafond, se trouvent dans la quatrième pièce. Pour le portrait de sainte Catherine, ce serait sa fille, Lucrèce Borgia, qui aurait servi de modèle (la dame avec la coupe de poison).

Biblioteca apostolica Vaticana

La bibliothèque la plus prestigieuse au monde fut fondée par le pape Nicolas V. Elle contient environ 25 000 livres manuscrits datant du Moyen Age, 7 000 incunables et 60 000 manuscrits.

Cappella Sistina (chapelle Sixtine)

L'instant où Adam essaie de toucher la main de Dieu, cette tension presque perceptible entre les deux figures, c'est le chef-d'œuvre de Michel-Ange qui décore le plafond de la chapelle Sixtine. Il est considéré comme le tableau le plus expressif jamais réalisé et la fresque du plafond, qui ne compte pas moins de 300 personnages, est considérée comme le plus grand chef-d'œuvre de l'humanité.
Il est vrai que l'on ressent une intensité incroyable dans la chapelle Sixtine. Les personnages ont l'air de vouloir sauter du plafond, un effet que Michel-Ange a réussi à créer en travaillant les ombres. Une restauration coûteuse, réalisée dans les années 80, a rendu leur éclat aux couleurs ternies par la suie.
Le pape Sixte IV avait obligé les meilleurs artistes de l'époque, le XVe siècle, – Botticelli, Ghirlandaio, Signorelli – à décorer les murs de la chapelle. Il laissa le plafond à Michel-Ange. L'histoire qui y est racontée se divise en trois époques: la période avant que Moïse ne reçoive les commandements de Dieu, la période qui suit, ainsi que celle après la naissance du Christ. Michel-Ange y travailla pendant 4 ans, de 1508 à 1512, la plupart du temps allongé sur le dos, fanatisé par son travail, bien qu'au début il n'ait pas été content de réaliser cette œuvre à cause d'une dispute qui l'avait opposé au pape: peindre le plafond semblait au Florentin une véritable perte de temps. Ce n'est que lorsque le pape menaça de faire la guerre à Florence qu'il suivit son destin.
Quelques décennies après la réalisation de la fresque du plafond, Mi-

Vieux de 2 000 ans et d'un réalisme prenant: le groupe Laocoon au Musée du Vatican.

chel-Ange peignit le **Jugement dernier** derrière l'autel. Après 7 ans, l'œuvre fut dévoilée et provoqua un scandale: le Christ était nu et barbu de surcroît... 23 ans plus tard, le pape Pie IV demanda au peintre Daniele a Volterra de cacher les parties nues.

Lors des travaux de restauration, on commença par se demander s'il fallait éliminer le travail de Volterra. Mais le problème se résolut de lui-même, car un censeur était manifestement déjà passé par là bien avant et avait "retiré" les parties intimes...

Museo gregoriano egizio

Un des rares musées où l'on peut voir de véritables momies, ainsi que les statues qui ont été trouvées dans des villas romaines et la villa Hadrien de Tivoli (p. 303).

On peut également admirer le trône du pharaon Ramsès II et une statue géante de sa mère la reine Tuia.

Musée missionario-etnologico

Il expose 3 000 pièces et documents en provenance des cultures et religions non-européennes, entre autres Chine, Perse, Afrique et Polynésie.

Museo Pio-Clementino

Le point d'orgue de ce musée est le travail laissé par un groupe de plusieurs artistes datant du 1er siècle av. J.-C., Laocoon et ses fils, qui montre le prêtre et ses deux enfants engagés dans un combat mortel contre des serpents. La douleur des personnages est montrée avec une grande intensité et a énormément influencé Michel-Ange. A voir abso-

Le chef-d'œuvre de Michel-Ange: la chapelle Sixtine

La chapelle Sixtine est le cœur du Vatican – un lieu empreint d'une intensité à couper le souffle. Il a fallu pas mal d'effort pour que cette merveille voit le jour: c'est le pape Sixte IV qui a commencé, en voulant offrir au Vatican en 1475 une chapelle papale. Giovanni de Dolci créa une grande salle toute simple; l'extérieur ressemblait à une forteresse, l'intérieur n'était pas décoré. Au plafond, on découvrait un ciel bleu avec des étoiles dorées. Sixte appela en 1482 les meilleurs artistes italiens au Vatican, pour décorer les murs de la chapelle de quinze grandes fresques de taille égale: Perugino, Botticelli, Ghirlandaio, Pinturicchio, Signorelli et Rosselli reçurent un catalogue de thèmes comprenant des motifs. Ils avaient à terminer leur travail pour un jour donné. Jules II bénit la chapelle en août 1483, le jour de la Pentecôte. La chapelle Sixtine s'était transformée en un bel espace calme qui plaisait à celui qui la contemplait, mais sans plus. Jusqu'à l'intervention de Michel-Ange. Lorsque le pape rencontra l'artiste, il fut immédiatement fasciné par le génie du sculpteur et lui demanda de construire un tombeau qui ne ressemblât à rien d'existant. Michel-Ange se mit avec enthousiasme au travail. Il s'était presque déjà procuré le marbre de Carrare quand Bramante, l'artiste attitré de la maison et de la cour papale et architecte responsable de la reconstruction de la basilique Saint-Pierre, craignant la concurrence de Michel-Ange, réussit à convaincre le pape d'ajourner la réalisation du tombeau. Furieux, Michel-Ange retourna à Florence.

Ce n'est que lorsque le pape Jules menaça d'entrer en guerre contre Florence que Michel-Ange revint à Rome. Mais il n'était plus question du tombeau: le pape souhaitait qu'il décore le plafond de la chapelle Sixtine d'une fresque de 1 000 mètres carrés, avec notamment les douze apôtres. Michel-Ange n'avait encore jamais peint de fresque et proposa de ce fait son concurrent Raphaël pour réaliser ce travail. Mais celui-ci était occupé à réaliser les chambres (Stanze) (p. 182).

Rome extra

La création sous forme de fresque: la chapelle Sixtine est un endroit vraiment inoubliable.

Michel-Ange dut donc bien exécuter cette mission en 1508 mais il proposa au pape une composition reprenant 300 personnages en remplacement des apôtres.

Les quatre années qui suivirent, Michel-Ange les passa couché sur le dos et entama son œuvre, d'abord avec l'aide d'artistes originaires de Florence, qu'il renvoya à la maison dès qu'il eut acquis une certaine assurance dans la technique de la fresque. Le maître resta seul sur l'échafaudage – et travailla jusqu'à l'épuisement. De temps à autre, le pape lui rendait visite et l'exhortait à travailler encore plus vite. Quatre mois après l'achèvement du plafond, à la Toussaint 1512, le pape Jules II mourait.

Plus d'une dizaine d'années après, le pape Paul III demanda à Michel-Ange une représentation du Jugement dernier, pour le mur de l'autel de la chapelle Sixtine. L'artiste, qui avait toujours espéré pouvoir terminer le tombeau de Jules II, se mit à contrecœur au travail en 1535. A cause de la nudité des corps, l'œuvre essuya de violentes critiques. Le successeur de Paul, Pie IV, donna finalement son accord à la demande qui lui était faite de recouvrir cette nudité. Un élève de Michel-Ange, Daniele Da Volterra, occasionna de grands dégâts avec ses peintures. Les Romains ne l'appelèrent plus que "peintre de pantalon".

Michel-Ange n'a pas eu à assister au massacre de son œuvre, il mourut le 18 février 1564 à Rome.

Musei vaticani ■ c 2, p. 170
Entrée viale Vaticano
Métro: Ottaviano

Rome et ses quartiers

lument dans cette collection de sculptures grecques et romaines, ce sont l'Apollon du Belvédère et le Torse du Belvédère.

De plus, vous y verrez aussi beaucoup de personnages antiques représentés dans la pierre: dans la galleria delle Statue, Jules César, Cléopâtre, Auguste, Hadrien, Antoine vous attendent...

Museo sacra
Des objets des fouilles et des œuvres en provenance des catacombes et d'autres musées préchrétiens y sont exposés.

Pinacoteca
18 salles qui comprennent quelques-unes des pièces les plus significatives du monde. Les noms des artistes se lisent comme le "Who's Who" de la peinture – de Léonard de Vinci au Caravage et Raphaël en passant par le Titien.

Stanze di Raffaello
Parce que le pape Jules II ne voulait pas habiter les appartements Borgia du bas, où avait logé précédemment Alexandre VI qui le haïssait, il demanda à Raphaël de lui construire de nouveaux appartements.

De 1508 jusqu'à sa mort en 1520, l'artiste travailla à ces quatre pièces: la stanza dell'Incendio di Borgo, la stanza della Segnatura, la stanza di Eliodoro ainsi que la sala da Constantino.

Accès à tous les musées du Vatican: Viale Vaticano. Métro: Ottaviano 8 h 45 – 13 h 45, fermé di; entrée jusqu'à 13 h. Tous les dernier di du mois, l'entrée est libre.
Fermé le 1er et 6 janv., 11 fév., 19 mars, di et lu de Pâques, 1 mai,

29 juin, 15 août, 1 nov., 8, 25 et 26 déc.
Entrée 12 000 lires

Museo storico e Tesoro
■ c 2, p. 170
La chambre du trésor la plus riche de l'Occident se trouve dans la basilique Saint-Pierre. Le musée contient les cadeaux qui ont été offerts à des églises, des papes, des rois et des empereurs – des œuvres superbes en or et en argent, décorées de diamants. On peut aussi y contempler le tombeau de Sixte IV (1493), une œuvre gigantesque en bronze d'Antonio Del Pollauilo, un des plus beaux tombeaux de la Renaissance italienne.
Basilique Saint-Pierre (entrée par la nef droite de la basilique).
Métro: Ottaviano
9 h – 18 h (hiver 9 h – 17 h)
Entrée 5 000 lires

Manger et boire

Alfredo a San Pietro ■ d 2, p. 170
Convient pour une assiette de pâtes après le marathon du musée.
Via dei Corridori 60
Tél. 6 86 95 54
Bus 64
12 h – 15 h et 18 h 30 – 22 h, fermé ve
Classe de prix moyenne (EC, Visa, DC, Amex)

Caffè San Pietro ■ e 3, p. 170
C'est là que celui qui a commis l'attentat contre le pape a bu son dernier expresso avant de passer à l'acte...
Via della Conciliazione 40
Bus 64
8 h – 20 h

Osteria Orfeo da Cesaretto
◼ e 2, p. 170

Nourriture saine et traditionnelle à des prix étudiés. Le soir, il existe aussi différentes sortes de pizzas.
Vicolo dell'Orfeo 20
Tél. 6 87 92 69
Bus 23, 64
12 h – 15 h et 20 h – 24 h, fermé lu
Classe de prix moyenne (Visa, DC)

Pellacchia
◼ e 1, p. 170

Avez-vous déjà goûté de la glace à la pastèque? Essayez! Malheureusement, ce gelato à la anguria ne se vend qu'en plein été, sinon vous devrez vous consoler avec d'autres parfums, ce qui ne sera pas difficile.
Via Cola di Rienzo 23
Bus 81
14 h – 23 h

Restaurant Pierdonati
◼ e 3, p. 170

Ambiance pseudo-antique pour pèlerins épuisés et affamés – la nourriture n'y est pas mauvaise.
Via della Conciliazione 39
Tél. 68 80 35 57
Bus 62, 64
12 h – 14 h et 19 h – 22 h 30, fermé je
Classe de prix moyenne (EC, Visa, Amex)

Achats

Livres

Libreria Belardetti　◼ e 3, p. 170
En plus de la littérature et des cartes postales, il y a aussi des souvenirs.
Via della Conciliazione 4
Bus 64

Libreria Paoline　◼ e 3, p. 170
Grand choix de littérature religieuse et de livres d'art.
Via della Conciliazione 18
Bus 64

Marché

Mercato dei Fiori
Un marché au parfum de fleurs et autres plantes, au nord du Vatican. Attention: ne composez pas un bouquet avec trois, cinq ou sept... roses, un nombre impair de fleurs, cela porte malheur en Italie!
Via Trionfale
Bus 23, 31, 70
Chaque ma 10 h 30 – 13 h

Souvenirs

All' Pellegrino Cattolico
◼ d 2, p. 170

Comble les besoins religieux et toutes les demandes de souvenirs, même pour laïques.
Via di Porta Angelica 83
Bus 64

Rome et ses quartiers

Pour fonder leur empire, les Romains choisirent un endroit au bord de l'eau pour permettre aux gens et aux biens de circuler avec facilité.

Alors que d'autres villes vivent encore aujourd'hui de leurs artères fluviales, que le fleuve se transforme en lieu de villégiature ou en joyau dont les rives sont agrémentées de promenades, de cafés, le Tibre a été emprisonné entre de hauts murs. Lorsqu'on se donne la peine de se pencher au-dessus du mur, on voit jusqu'à l'autre rive. Ce n'est que grâce aux platanes, qui ombragent une allée, que l'on aperçoit l'eau qui coule entre eux.

Pontifex maximus: le bâtisseur de ponts

Sa meilleure époque, le Tibre l'a connue dans l'Antiquité: il était alors considéré comme un dieu. Des prêtres étaient chargés de surveiller les ponts, on les appelait des "pontifex", gardien des ponts. Les ancêtres des actuels **pontifex maximus** étaient donc des ouvriers... Le premier pont sur le Tibre fut le **ponte Sublicio** (600 av. J.-C.), obligatoirement construit en bois. Ainsi, lorsqu'un ennemi était en vue, il était tout simplement détruit.

Le Tibre permettait d'assurer l'approvisionnement en nourriture des Romains. Il leur procurait de l'eau fraîche car, jusqu'en 312 av. J.-C. et la construction de l'aqueduc, on ne buvait que son eau. Il était aussi un endroit de circulation intense.

Sans le Tibre, Rome n'aurait possédé aucun obélisque, et César et Cléopâtre ne se seraient jamais rencontrés.

Crues menaçantes

Mais le Tibre, c'est aussi des destructions car les crues provoquaient inondations et maladies. Beaucoup de maisons portent encore des indications de la hauteur du fleuve.

Le "ghetto juif" était particulièrement visé car il était enfermé par un mur sur la berge du Tibre et les conditions de vie et d'hygiène étaient inhumaines. Le pape Pie IX fit détruire cette prison située au cœur de Rome en 1847. Actuellement, environ 2 000 juifs vivent encore dans l'ancien ghetto – et le nombre d'étrangers qui se font construire ici d'élégantes habitations ne cesse d'augmenter.

Guidé par des murailles: le cours du Tibre.
Bien que le fleuve ne soit pas vraiment une pièce de choix, il est tout à fait à la mode de venir habiter sur ses rives – dans le Testaccio ou dans l'ancien ghetto juif.

Rome et ses quartiers

Les Romains se rendent dans ce quartier pour y faire leurs achats, manger casher, mais c'est surtout le **Forno del Ghetto** qui est un lieu de rencontre privilégié pour les amateurs de douceurs. Les Romains viennent de très loin dans cette petite boulangerie juive pour y chercher le dessert du dimanche midi.
Jusque dans les années soixante, les Romains avaient l'habitude de venir pêcher et nager dans le Tibre. Cependant, la pollution du fleuve par les industries est telle qu'ils ont dû mettre fin à ces activités agréables.

Début d'année traditionnel

Une seule fois par an, à l'occasion de la nouvelle année, la tradition veut que l'on plonge dans le Tibre à partir d'un pont – mais ce n'est pas une obligation!
Le plus beau pont est certainement le **ponte Sant'Angelo,** le pont Saint-Ange, décoré par le Bernin d'anges baroques qui découvrent hardiment leur jambes de marbre.
Les vestiges de pont les plus anciens sont ceux de **pons Aemillius** (179 av. J.-C.). Une pile de pont en pierre se dresse solitairement hors de l'eau près de l'île du Tibre, ce qui a valu au pont le sobriquet de **ponte Rotto,** le pont cassé.
L'unique île du Tibre – d'après la légende, elle s'est créée sur les restes d'un navire échoué – est un des endroits les plus romantiques de Rome, idéal pour l'album de photos: la pointe se trouvant en aval est très prisée des jeunes mariés qui viennent poser pour la célèbre photo de famille.
C'est le soir que le quartier du Tibre, le **Testaccio,** prend vie. Autour des amas de débris d'amphores cassées que les Romains ont jetés depuis des années, se sont installés des night-clubs, des cafés chic et des pizzerias ouvertes toute la nuit. Ce quartier de noctambules a été baptisé par ses habitants "le village de Rome".
On peut aussi y faire une excursion en plein jour pour venir admirer le cimetière non catholique très romantique qui s'y trouve.

Promenade

Notre balade débute par une des places les plus importantes de Rome, la **piazza del Gesù** – avec l'église du même nom. L'histoire raconte que le diable et le vent partirent un jour se promener ensemble dans la **chiesa Il Gesù** – et depuis lors, le vent attend toujours dehors...
La via Celsa vous amène dans la **via delle Botteghe Oscure.** Dans cette rue, se trouve le quartier général des communistes, l'actuel PDS. Tout proche, le café "Vezio" est leur lieu de rencontre préféré. Il fut une époque où la rue était bordée de petits magasins obscurs (**botteghe oscure**), qui ont été victimes de la folie d'assainissement de Mussolini.

La fontaine des Tortues

La via Paganica amène à la piazza Mattei avec la **fontana delle Tartarughe,** la fontaine des Tortues, une des plus belles fontaines de la ville. Le sculpteur florentin Taddeo Landini s'est occupé du gros du travail. Il acheva, en 1518, les quatre éphèbes qui s'appuient sur le bassin conchiforme en marbre. Gian Lorenzo Bernini, dit le Bernin, y a ajouté, en 1659, les tortues en bronze et reçut les

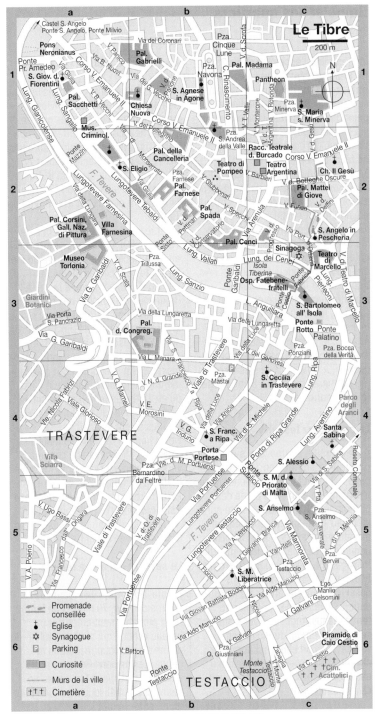

Le Tibre

200 m

N

Les combinaisons de lettres et de chiffres dans le texte renvoient à cette carte.

Légende:

- Promenade conseillée
- † Eglise
- ☆ Synagogue
- P Parking
- Curiosité
- Murs de la ville
- ††† Cimetière

Rome et ses quartiers

lauriers pour l'ensemble de l'œuvre. De la piazza Mattei, on passe au **palazzo Mattei di Giove,** avec sa cour intérieure qui est un bijou au point de vue sculptural, puis dans la via Michelangelo Caetani. En 1978, on fit une découverte macabre juste en face. Le corps sans vie d'Aldo Moro, enlevé par des terroristes, fut découvert. Une plaque de bronze y a été placée, à la mémoire de l'ancien président du Conseil.

Par la piazza Lovatelli, on atteint la via Sant' Angelo in Pescheria. Jusqu'à la fin du XIXe siècle, vous auriez été guidé par l'odeur car, depuis l'Antiquité, c'est là que se tenait le marché au poisson. Le **portico d'Ottavia,** le reste d'une salle avec colonnes, qui aurait dû devenir en 147 av. J.-C. le premier musée romain à exposer l'art grec confisqué lors des guerres, a servi au VIIIe siècle comme esplanade à l'église **Sant' Angelo in Pescheria.**

Le pape chez les juifs

A main droite, se trouve la **synagogue juive,** terminée en 1907. Le pape Jean-Paul II fut le premier pape à assister en avril 1986 à une célébration du culte juif. Sur le côté qui mène au Tibre, une plaque commémorative rappelle les juifs déportés pendant la Deuxième Guerre mondiale. A gauche, se trouve le **Teatro di Marcello,** le plus grand théâtre, et aussi le mieux entretenu, de la Rome antique, commencé par César et terminé sous Auguste. Pour s'amuser, l'empereur lui donna le nom de son neveu Marcellus, qui aurait dû devenir son successeur. Mais il n'a pas vécu assez longtemps pour voir ce moment.

La prison du Tibre

Vous arrivez maintenant dans le cœur de l'ancien ghetto juif. Au Moyen Age, l'agitation y était très grande: il y avait beaucoup de petites entreprises artisanales et de nombreux commerces. Au XIIIe siècle, de plus en plus de juifs avaient quitté le Trastevere où ils vivaient depuis l'Antiquité et s'étaient établis sur la rive nord du Tibre.

C'est le pape Paul IV, (qui régna de 1555 à 1559), qui créa le ghetto juif au XVIe siècle. Il fit construire un mur du ponte Fabricio, en longeant la via Portico d'Ottavia, jusqu'à la via del Progresso. Au coucher du soleil, les portes devaient être fermées. Le ghetto était surpeuplé. En 1656, près de 4 000 personnes y vivaient dans des conditions d'hygiène épouvantables. De plus, l'endroit était constamment inondé par le Tibre... Ce n'est qu'en 1848 que le mur inhumain au cœur de Rome fut abattu. Les ruelles étroites furent assainies.

De ce lieu qui rappelle de mauvais souvenirs, la promenade continue vers l'un des endroits romantiques de la Ville Eternelle – l'île du Tibre. Pour l'atteindre, il faut traverser le **ponte Fabricio,** aussi appelé au Moyen Age pons Judaerorum à cause de sa proximité avec le ghetto.

Le serpent qui a son temple

L'**isola Tiberina,** l'île Tibérine (270 mètres de long, 70 mètres de large), s'est probablement créée sur un bateau échoué qui s'est ensablé – du moins c'est ce que raconte la légende. Les anciens Romains ont ajouté une poupe et une proue en pierre et un obélisque au milieu pour représenter le mât.

En 293 av. J.-C., on envoya une mission forte de douze hommes en Grèce, pour aller demander conseil chez les prêtres du dieu de la médecine Esculape. Sur la route du retour vers Rome, le serpent guérisseur grec aurait sauté par-dessus bord et aurait atterri ainsi sur l'île Tibérine. C'est exactement à cet endroit qu'on érigea le temple dédié à Esculape. Depuis lors, l'île Tibérine a servi de relais médical, dans lequel des malades porteurs de maladies infectieuses pouvaient être isolés. Ce n'est que 240 ans plus tard que l'île fut reliée à la terre ferme par le ponte Fabricio et le ponte Cestio. Au début du Moyen Age, ce bout de terre dans le Tibre fut abandonné. En l'an 1000, une famille noble y fit ériger un château fort, qui devint par la suite propriété des Caetani. L'empereur Otto III y fonda une église, qui fut détruite lors d'un incendie au XIIe siècle. L'empereur Frédéric Barbe-Rousse fit remettre la maison de Dieu en état et la fit bénir par l'apôtre Bartholomé.

Au XVIIe siècle, **San Bartolomeo all'Isola** vécut des changements profonds – il ne resta que la petite fontaine en marbre datant du XIe siècle et située sur les marches du chœur. 500 ans plus tard, on installa à nouveau une clinique sur l'île. Des frères de la Charité s'occupèrent de l'hôpital San Giovanni di Dio, qui existe encore de nos jours et qui est dirigé par des prêtres portugais.

Le plus ancien pont de Rome

Les restes de pont que l'on aperçoit dans l'eau, à côté du ponte Palatino, sont en fait tout ce qui subsiste du premier pont de pierres à enjamber le Tibre, le **pons Aemilius** (IIe siècle av. J.-C.). Son état l'a fait surnommer **ponte Rotto**, le pont cassé.

Le plus vieux pont sur le Tibre, le **ponte Sublicio**, se trouvait plus loin en aval. Il fut construit au Ve siècle av. J.-C. pour améliorer les relations avec les voisins étrusques. C'est volontairement que l'on choisit une construction en bois. Au cas où les voisins redeviendraient des ennemis, il aurait été facile de le démolir...

Un petit creux? Dans la trattoria Sora Lella, via Ponte 4, Capi 16, il faut goûter les merveilleux **gnocchi alla romana.** Les petites boulettes ovales ne sont pas préparées avec des pommes de terre, mais avec de la semoule de blé. Pour le dessert, il faut absolument essayer une **granita** à base de "grattacheco". Des petites charrettes ambulantes vendent de la glace pilée disponible dans des parfums variant du moka au citron. Un rafraîchissement agréable par un jour d'été ensoleillé! C'est aussi de cette manière que les anciens Romains se rafraîchissaient...

Durée: env. 2 heures

Rome et ses quartiers

Curiosités

Castel Sant'Angelo

■ B 2, carte avant
Le château Saint-Ange est, avec le Panthéon et le Colisée, l'un des monuments les plus significatifs de l'Antiquité. L'empereur Hadrien fit ériger son tombeau de 135 à 139 sur le modèle du mausolée d'Auguste – non pas par vanité mais parce qu'il n'y avait plus de place disponible. Sur le socle et la muraille, une tour avec une statue d'Hadrien se dressait. Son successeur, l'empereur Aurélien, a intégré le mausolée dans la muraille de la ville. En 590, la peste faisait rage à Rome, le pape Grégoire ordonna une procession pour implorer la pitié du ciel. Au cours de cette marche, le pape eut une vision; il vit l'archange saint Michel portant une épée au-dessus du tombeau d'Hadrien.

Le prince de l'Eglise interpréta cela comme un signe positif. La prière avait été entendue. Il fit ajouter une chapelle dédiée à saint Michel. Depuis lors, le mausolée est appelé castel Sant'Angelo. Au XIVe siècle, le pape déplaça sa résidence de Saint-Jean-de-Latran au mausolée; un chemin secret fut creusé entre le Vatican et le château. C'est aussi là que se trouvait le trésor du Vatican et que l'or papal était conservé. Le pape Borgia Alexandre VI fit décorer les murs avec de superbes fresques. Plus tard, Sant'Angelo fut transformé en prison et en lieu d'exécution. C'est maintenant un musée.

Le pont Saint-Ange, devant le château du même nom, fut à une certaine époque un lieu maléfique – juste derrière la place où avaient lieu les exécutions dans la Rome papale. La tête des brigands était exposée sur le ponte Sant'Angelo.

Avant de visiter le château Saint-Ange, il faut jeter un regard sur l'entrée à trois modèles.

L'une des représentations est antique, l'autre moyenâgeuse et la troisième de la Renaissance. Le **cortile dell'Angelo** est le point fort du château. Il est appelé ainsi car il ressemble à un ange monumental de Raphaël da Montelupo.

La salle de bains de **Clément VII** est petite mais élégante et décorée de fresques, ainsi que la **sala Paolina,** une pièce superbe avec des fresques et une architecture en trompe-l'œil. Le château Saint-Ange aurait également inspiré un opéra: la dernière scène de l'opéra de Puccini, la Tosca, se déroule sur la terrasse du monument.

Lungotevere Castello 50
Métro: Lepanto
Lu-sa 9 h – 14 h, ve 9 h – 13 h; fermé chaque 2e et 3e ma du mois
Entrée 8 000 lires

Chiesa Il Gesù ■ c 2, p. 187

La mère des églises des jésuites a été construite en 1568 par Jacopo Vignola à côté de la maison d'Ignace de Loyola, le fondateur de l'ordre. L'intérieur, abondamment garni de marbre et de pièces en or, est le plus intéressant à voir. Ignace de Loyola est enterré dans un autel de la nef transversale. La statue du saint est une copie; la véritable statue en argent a été fondue sur l'ordre du pape Pie VI pour pouvoir payer des réparations à Napoléon. Dans le bâtiment situé à droite de l'église, il est possible de visiter les pièces dans lesquelles saint Ignace a vécu et est mort.

Piazza del Gesù
Bus 46, 60, 70
6 h – 13 h 30 et 16 h – 19 h 30

Tombeau égyptien pour empereur romain: la pyramide de Cestius est un témoignage d'une mode ancienne.

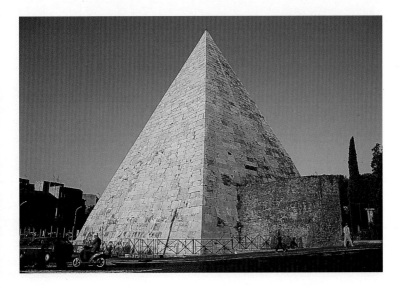

Les 10 pano-ramas les plus sensationnels

Du toit de la basilique Saint-Pierre ■ c 3, p. 170

... parce que Rome se lit d'ici comme un livre d'images, et qu'autrement il faudrait des jours pour regarder chaque page (→ p. 172).

La fontaine de Trevi la nuit ■ b 2, p. 208

... parce que les jeux de lumière de l'énorme bassin baroque rendent insignifiante n'importe quelle coulisse de théâtre (→ p. 211).

Le Forum romanum de la colline du Capitole ■ b 2, p. 142

... parce que même celui que l'histoire n'intéresse pas reste muet devant une vue pareille (→ p. 151).

Du Gianicolo au coucher de soleil ■ a 3, p. 126

... parce que la ville, parsemée de coupoles, brille alors de tous ses feux (→ p. 129).

Le Capitole en fin d'après-midi ■ a 1/ a 2, p. 142

... parce que cette silhouette dorée n'est pas l'expression du romantisme que pour les jeunes mariés (→ p. 144).

10x10

Le Colisée à la pleine lune

■ c 2, p. 142

... parce que la vue du disque lunaire, à travers la dentelle de pierre, est à couper le souffle (→ p. 146).

Le Panthéon au crépuscule

■ c 2, p. 100

... parce que le temple de tous les dieux, brillant dans la lumière du soir, forme un véritable contraste avec le ciel nocturne (→ p. 106).

Du Pincio au lever du jour

■ a 2, p. 61

... parce qu'on a l'impression de voir la ville se réveiller tranquillement à travers des lunettes roses (→ p. 63).

De la promenade du castel Sant'Angelo

■ B 2, carte avant

... parce que la partie supérieure du château semble tourner lorsqu'on le longe lentement (→ p. 190).

Du thon-tramezzino pour le repas de midi

... parce que, après tant de belles choses, on a une faim de loup!

Rome et ses quartiers

Cimitero Acattolici ■ c 6, p. 187
A l'ombre de la pyramide de Cestius, se trouve un des plus beaux cimetières de Rome – qui était en fait un lieu plein de discrimination, car il était réservé à l'enterrement des non-catholiques (**acattolici**).
Jusqu'en 1870, l'opinion était très répandue que le droit à la rédemption était l'apanage des catholiques. Près de 4 000 non-catholiques et beaucoup d'étrangers sont enterrés ici, par exemple le fils de Goethe, Auguste et le poète John Keats.
Via Caio Cestio 6
Métro: Pyramide
8 h – 11 h 30 et 15 h 30 – 17 h 30 (en hiver 14 h 30 – 16 h 30), fermé le me
Entrée 6 000 lires, visite incluse

Monte Testaccio ■ b 6/c 6, p. 187
La première montagne de déchets non recyclables de l'histoire. Les Romains entassaient la vaisselle cassée et les amphores en terre cuite en ce lieu. Les débris portaient le nom de **testae**, tessons – d'où le nom de la montagne. Des siècles plus tard, des grottes ont été creusées dans le Testaccio. Elles se révélèrent d'excellents endroits pour entreposer le vin. Ces caves à vins antiques sont actuellement une zone archéologique interdite d'accès.
Via di Monte Testaccio
Bus 27

Palazzo Cenci ■ c 2, p. 187
Une tragédie familiale, qui a secoué toute la ville, s'est déroulée en 1598 derrière les murs de ce palais datant du XVIIe siècle, érigé sur les restes du cirque Flaminio. Francesco Cenci, le chef d'une des plus riches familles de Rome, était un tyran brutal qui portait aussi la main sur sa fille Béatrice. La famille décida en commun de le tuer. Le pape Clément condamna les conjurés à mort. Le 11 septembre 1599, Béatrice et sa belle-mère furent décapitées sur la place devant le pont Saint-Ange. Chaque année, à l'occasion de l'anniversaire de leur mort, une messe en leur honneur est dite. Elle a lieu dans la chapelle de famille du palais Cenci.
Via Monte dei Cenci
Bus 23

Parco degli Aranci ■ c 4, p. 187
Un des parcs les plus merveilleux de Rome se trouve sur le **monte Aventino**. Il est encerclé par les murs du château Savello. Depuis 1932, le jardin, avec son orangerie superbe, est ouvert au public. Il est difficile de dire ce qui est le plus beau, le jardin ou la vue.
Via di Santa Sabina
Bus 94

Piramide di Caio Cestio
■ c 6, p. 187
Après les campagnes d'Egypte, il n'y a pas que les obélisques qui furent à la mode. Il était aussi très chic de se faire enterrer comme un pharaon. De toutes les pyramides construites à cette époque, une seule a survécu. Selon l'inscription, le préteur et tribun Caius Cestius se fit construire, en l'an 11 av. J.-C., une tombe de ce type, d'une hauteur de 36 mètres.
Piazzale Ostiense
Métro: Piramide

Pons Neronianus ■ a 1, p. 187

Si le niveau de l'eau est bas, on peut encore apercevoir les restants du pont. Il fut construit de 54 à 68 ap. J.-C., à la demande de Néron, pour permettre une liaison entre le Campus Martius (aujourd'hui corso Vittorio Emanuele, piazza del Popolo) et son cirque, près de la basilique Saint-Pierre. Une crue particulièrement abondante au Moyen Age emporta le pont.

Entre le ponte Vittorio Emanuele et le ponte Principe Amedeo di Savoia Aosta.

Bus 62, 64

Ponte Fabricio ■ c 3, p. 187

Le pont de pierre reliant la rive gauche du Tibre à l'île Tibérine, a conservé sa structure originale (62 av. J.-C.) encore en bon état.

Seule la rambarde était à l'origine en bronze.

Entre la piazza Monte Savello et l'isola Tiberina.

Bus 23

Un endroit où l'on aime s'arrêter: le parco degli Aranci – le parc des Orangers, sur l'Aventin. La vue est fantastique.

Ponte Milvio

Lorsque Maxence fut tué sur le ponte Milvio, la bataille de Saxa Rubra (312 av. J.-C.) fut gagnée pour l'empereur Constantin. Depuis, le pont sur le Tibre a dû être reconstruit à plusieurs reprises; la dernière fois en 1842, lorsque le héros national, Giuseppe Garibaldi, en fit sauter une partie pour arrêter l'avancée des troupes françaises.

Depuis 1980, le pont est fermé à la circulation.

Entre le puntale Ponte Milvio et le piazzale Cardinal Consalvi.

Bus: 32

Rome et ses quartiers

Ponte Sant'Angelo

■ B 2, carte avant

Le pons Aelius a été construit en même temps que le castel Sant'Angelo pour accentuer encore la signification de cette construction. L'année sainte, il y eut une catastrophe sur le pont. Des milliers de pèlerins se trouvaient dessus, en route vers le centre-ville. A l'époque, le pont, comme le ponte Vecchio, était bordé de planches en bois. Soudain, à une extrémité, un cheval s'est effrayé, provoquant la panique. Les planches constituant la rambarde s'effondrèrent et 170 personnes trouvèrent la mort. A la suite de cette tragédie, on élimina les planches en bois.

Au XVIIe siècle, le pons Aelius changea de nom, devenant le ponte Sant'Angelo. Gian Lorenzo Bernini avait, avec l'aide de ses élèves, décoré le pont avec 10 statues d'anges.
Lungotevere Castello 50
Métro: Lepanto

Ponte Sisto

■ b 2, p. 187

Les origines du pont remontent à l'époque romaine. Il fut détruit en 772. Le pape Sixte l'a fait reconstruire en 1472. Si vous voyez simultanément une vieille femme, un cheval blanc et un prêtre traverser le ponte Sisto, cela vous portera bonheur, du moins c'est ce qu'affirme la croyance populaire...
Entre piazza Trilussa et piazza Pallotti.
Bus 23

Roseto comunale

■ D 5, carte avant

Une mer de roses – 5 000 sortes à admirer. A l'époque de la floraison des roses, le jardin est ouvert. Parallèlement, des expositions et des concours permettant de présenter les nouvelles créations sont organisés.
Via di Valle Murcia
Métro: Circo Massimo;
bus 94
Mai et juin, 9 h – 19 h

Synagogue

■ c 3, p. 187

La synagogue du ghetto a été construite en 1904 dans le style assyrien. Située au bord du Tibre, une plaque commémorative rappelle les déportations juives de 1943 pendant lesquelles les nazis déportèrent les juifs romains vers les camps de concentration. Le musée juif se trouve aussi dans la synagogue. Une exposition permanente sur la communauté juive est présentée.
Via del Tempio
Bus 23
Lu, ve et di 10 h – 14 h

Teatro Argentina

■ c 2, p. 187

C'est dans ce théâtre que fut donnée la première représentation du "Barbier de Séville" – un fiasco total. Pauline Borghese n'y serait pas étrangère. Elle éprouvait de la rancune envers Rossini, qui avait refusé qu'un ami de Pauline ne retravaille le rôle du ténor. Des festivals internationaux ont encore lieu ici à l'occasion.
Museo del Teatro Argentina
Via Barbieri 21
Bus 44, 75

Teatro di Marcello ■ c 3, p. 187

Ce projet grandiose de César aurait dû éclipser le théâtre de Pompéi. Il fut terminé sous Auguste. L'empereur a donné à ce théâtre, pouvant accueillir 15 000 personnes, le nom de son neveu Marcellus, son successeur potentiel. A l'arène en demi-cercle, on a ajouté une scène assez haute. Au Moyen Age, ce théâtre fut transformé en forteresse familiale.
Via del Teatro di Marcello
Bus 15, 23, 774

Lieu historique. C'est dans la synagogue de Rome que, pour la première fois, un pape a assisté à un service religieux juif. Cet événement remarquable remonte à dix ans.

Musées

Museo d'Arte ebraica
■ c 3, p. 187

Des objets d'art et religieux donnent un aperçu de la communauté juive de Rome. Le musée se trouve dans la synagogue.
Lungotevere dei Cenci
Bus 23, 65
10 h – 13 h et de 15 h – 17 h, di 9 h 30 – 12 h 30, fermé sa et les jours de fêtes juives
Entrée 8 000 lires

Museo criminologico
■ a 1, p. 187

Une ancienne prison est véritablement l'endroit rêvé pour un musée du crime. On y trouve une salle d'armes, une chambre de torture – et une "salle des fous du siècle" ...
Via del Gonfalone 29
Bus 23, 65
ma, me, ve et sa 9 h – 13 h, ma et je 14 h 30 – 18 h 30, fermé di et lu
Entrée 4 000 lires

Rome et ses quartiers

Raccolta teatrale del Burcado
■ c 2, p. 187

Dans l'ancienne maison du maître de cérémonie du pape, Burcado, se trouve maintenant un petit théâtre avec une collection de masques et de costumes. Actuellement, fermé pour cause de rénovation.
Via del Sudario 44 (largo Argentina)
Bus 44, 56, 60

Les pizzerias traditionnelles s'alignent sur le monte Testaccio. Les hôtes du Checchino viennent aussi se faire gâter ici depuis 1887.

Manger et boire

Le Donne ■ c 2, p. 187
Excellent tiramisu.
Piazza Cenci 70
Tél. 6 86 40 08
Bus 23, 65
20 h – 2 h, sauf lu
Classe de prix inférieure (Amex)

Il Drappo ■ a 1, p. 187
Dans ce joli petit restaurant, on mange des spécialités sardes et aussi la **carta da musica** – un pain gris et croquant, qui est servi arrosé de quelques gouttes d'huile d'olive et grillé.
Vicolo del Malpasso 9
Tél. 6 87 73 65
Bus 23, 62
20 h – 24 h, fermé di
Classe de prix élevée (Amex)

Evangelista ■ b 3, p. 187

Temple de la restauration pour gourmets chic depuis peu, car les créations extraordinaires de l'endroit attirent également les stars de la télévision et les politiciens.
Lungotevere Vallati 24
Tél. 6 87 58 10
Bus 23, 65
19 h – 24 h,
fermé di
Classe de prix élevée (Visa)

Isola del Sole ■ C 1, carte avant

Calamari fritti, dans une atmosphère amicale. Un repas du soir servi sur la rive du Tibre, par une tiède nuit d'été: à ne pas manquer...
Lungotevere Arnaldo da Brescia
Tél. 3 20 14 00
Bus 90, 90 B
13 h – 15 h et 20 h 30 – 23 h 30,
fermé lu
Classe de prix élevée (DC, Amex)

Ghetto

Meeting Meal ■ c 3, p. 187

Nourriture casher rapide: le seul et unique restaurant fast-food juif.
Via Portico d'Ottavia 76
Bus: 23, 94
12 h – 22 h

Piperno ■ c 3, p. 187

Nulle part ailleurs les **carciofi alla giudea** typique ne sont si bien préparés que dans ce restaurant juif de première classe.
Via Monte dei Cenci 9
Tél. 68 80 66 29
Bus 23, 94
12 h 15 – 15 h et 20 h – 23 h; fermé me, di soir et en août, ainsi que de Noël à Nouvel An
Classe de prix élevée (EC, Visa, DC, Amex)

Portico ■ c 3, p. 187

Nourriture familiale judéo-romaine, seule dans la ville à servir de la nourriture strictement casher.
Via Portico d'Ottavia 1/E
Tél. 68 30 79 37
12 h – 15 h et 19 h 30 – 23 h 30,
fermé sa midi et di soir
Classe de prix moyenne (EC, Visa, DC, Amex)

Vezio ■ c 2, p. 187

C'est ici que les communistes du PDS ont forgé avec Vezio des plans pour prendre le pouvoir...
Via dei Delfini 23
Bus 90, 94
8 h – 24 h

Testaccio Checchino dal 1887
■ c 6, p. 187

Depuis cinq générations, la famille Mariani s'occupe avec succès du bien-être de ses invités.
Le choix permettant d'étancher sa soif est grand. 400 sortes de vin et 50 sortes de grappa.
Via Monte Testaccio 30
Tél. 5 74 63 18
Bus 23, 713
12 h 30 – 15 h et 20 h – 23 h; fermé di soir
Classe de prix élevée (EC, Visa, Amex)

Perilli ■ c 5, p. 187

Local familial confortable aux murs peints de décors muraux représentant des scènes de la vie romaine. On y sert de délicieuses tripes.
Via Marmorata 39
Tél. 5 74 24 15
Bus 23, 95
12 h 30 – 15 h et 19 h 30 – 23 h,
fermé me
Classe de prix moyenne

Rome et ses quartiers

Piramide da Maometto
■ E 6, carte avant

Chaque vendredi soir, on peut venir
écouter de la live music en mangeant
sa pizza et aussi assister à la danse
du ventre car le local était arabe au
départ – il est également toujours
plein, réservation absolument nécessaire.
Viale di Porta Adreatina 114
Tél. 5 75 98 80
Bus 94, 160
12 h – 15 h et 19 h 30 – 1 h, fermé
me
Classe de prix moyenne

Taverna Cestia
■ D 6, carte avant

Essayez une **focaccia,** la sœur de la
pizza, à pâte plus épaisse, plus molle
et moins riche en garniture.
Viale Piramide Cestia 65
Tél. 5 74 37 54
Bus 23, 77
12 h 30 – 15 h et 19 h 30 – 23 h
Classe de prix inférieure (Visa)

Al Vecchio Mattatoio ■ b 6, p. 187
Excellente cuisine romaine tradition-
nelle, avec de savoureux plats de
poisson.
Piazza O. Giustiniani 2
Tél. 5 74 13 82
Bus 27, 713
13 h – 14 h 30 et 20 h – 22 h 45
Classe de prix moyenne

Ile du Tibre

Alfonso's bar
■ c 3, p. 187

Une bonne tasse de cappuccino à
boire sur l'île Tibérine, voilà ce que
propose Alfonso.
Via Ponte 4 Capi
Bus 23, 77

Sora Lella
■ c 3, p. 187

Située au pied de la torre Caetani.
Peut-on rêver d'un meilleur endroit
pour une trattoria?
Via Ponte 4 Capi 16
Tél. 6 86 16 01
Bus 23, 77; 12 h – 14 h et 20 h – 23 h
Classe de prix moyenne

Achats

Livres

Feltrinelli
■ c 2, p. 187

Large choix en littérature italienne,
en guides de voyage, en cartes.
Largo Torre Argentina 5
Bus 46, 64

Menorah 85
■ c 2, p. 187

Principalement de la littérature juive.
Via Portico d'Ottavia 1/A
Bus 23, 717

Olimpico
Dans ce magasin spécialisé en
histoire médiévale, possibilité de
bouquiner jusqu'à 22 h 30.
Piazza Gentile da Fabriano
Bus 23, 280

Rinascita
■ c 2, p. 187

Chacun trouvera lecture à son goût et
selon ses aspirations; également
depuis peu dans le domaine de la
musique, vidéo et cinéma. Ouvert le
dimanche aussi.
Via delle Botteghe Oscure 1/2/3
Bus 46, 64
9 h – 20 h

Cadeaux

Ditte Leone Limentani
■ c 3, p. 187

Une boutique fourre-tout pour vaisselle, verres et gadgets pour la cuisi-

ne et le ménage.
Via Portico d'Ottavia, 47
Bus 23, 94

Spazio Sette ■ c 2, p. 187
Dans ce palais baroque, 3 étages de
meubles design et d'accessoires pour
le ménage.
Via Barbieri 7
Bus 23, 719

Alimentation

L'Albero del Pane ■ c 2, p. 187
Huile, vin, pâtes et sucreries, par
exemple les merveilleux **biscotti ai
cereali** et le pain – tout naturel.
Via Santa Maria del Pianto 23
Bus 23, 46

Antica Erboristeria Romana
■ c 2, p. 187
L'endroit où on est certain de trouver
tous les ingrédients nécessaires à la
fabrication de l'élixir magique. Il
suffit de demander un **amaro sve-
dese,** laisser macérer le mélange
avec un peu de grappa pendant un
mois dans un endroit ensoleillé, bien
secouer et en boire tous les jours un
petit verre allongé avec de l'eau et
du sucre. Efficace contre tous les
maux.
Via Torre Argentina 15
Bus 46, 170

Dolceroma ■ c 3, p. 187
Le propriétaire, Stefano Ceccarelli,
travaillait avant comme confiseur à
Vienne. Son amie est américaine. Il
en résulte un cocktail de Sachertorte
viennoise, de cheesecake et de pie
au citron qui font, à dire vrai, un joli
mélange international.
Via Portico d'Ottavia 20 b
Bus 23, 94
Fermé lu

Enoteca Corsi ■ c 2, p. 187
Dans ce bar à vins, dégustation des
vins blancs locaux avant achat.
Via del Gesù 88
Bus 44, 46
8 h – 20 h, fermé di

Il Forno del Ghetto ■ c 2, p. 187
Dolci juifs et autres sucreries y sont
présentés. La **pasta di mandorla** et
la **pasta di ricotta** sont tout simplement divines!
Via Portico d'Ottavia
Bus 23, 94

Fratelli Carilli ■ c 2, p. 187
Un **panino**, garni de jambon de chez
Carilli... Que vouloir de plus? On y
trouve également de l'excellente
morue séchée, le **baccalà.**
Via Torre Argentina 11/12
Bus 46, 170

Marché

Piazza Testaccio ■ c 5, p. 187
Un autre marché aux fleurs-légumes-
poissons, coloré, plus naturel que
celui du Campo de' Fiori. D'ailleurs,
les Romaines sont plus nombreuses
à venir y choisir leurs salades pour le
repas du soir.
Piazza Testaccio
Bus 27, 57
7 h 30 – 14 h

Etoffes

Bises ■ c 2, p. 187
Beaux tissus de laine, de lin, soies
chatoyantes du lac de Côme. Le tout
vendu dans un palais merveilleux.
Via del Gesù 91
Bus 44, 46

Dragons, escargots et mauvais esprits

Vous avez certainement remarqué que l'histoire de la ville de Rome est intimement liée à un certain nombre de légendes.

Sur la **piazza del Popolo**, par exemple, la tombe de Néron, l'ennemi juré des chrétiens, a été creusée. Plus tard, à cet endroit, on enterra ceux qui s'étaient suicidés. Pendant des siècles, les citoyens de la ville ont été convaincus que les démons et les esprits s'y réunissaient. Au Moyen Age, les revenants étaient devenus tellement insupportables que le peuple demanda l'aide de Pascal II. Le pape ordonna un jeûne de trois jours, se retira en prières – et reçut bientôt l'ordre du Saint-Esprit de faire abattre le noyer qui marquait l'emplacement de la tombe de Néron. Le pape obéit. Les os de l'empereur furent brûlés, ses cendres dispersées dans le Tibre – et tout rentra dans l'ordre. Vous n'y croyez pas? Dans l'église Santa Maria del Popolo, vous pouvez admirer un bas-relief sur lequel on peut voir le pape muni d'une hache en train d'abattre le noyer...

Et l'histoire du dragon qui est enterré au Forum romain, en dessous des trois colonnes du temple de Pollux, vous la connaissez? Le venin du dragon, c'est ce que raconte l'histoire, avait déjà tué beaucoup de gens dans l'Antiquité. Un jour, le pape Silvestre se décida à descendre dans le précipice, muni d'une croix. Il a ainsi vaincu le dragon avec ses prières. Bien que le dragon ait été tué, les Romains évitaient l'endroit, de peur de respirer de l'air empoisonné. Lorsque le Forum romanum fut complètement mis au jour, on trouva à l'endroit exact une source qui était devenue l'endroit de ponte des moustiques porteurs de malaria...

Les Romains ont conservé jusqu'à nos jours leur faculté de croire à l'irrationnel. Plusieurs sorcières professionnelles vivent dans le quartier du Trastevere. Elles brassent des élixirs mystérieux permettant de jeter un sort rien qu'en regardant

Rome extra

leur victime avec le mauvais œil, le **malocchio**. Celui qui a été regardé ne peut être délivré que par une autre sorcière; elle doit posséder le don particulier de pouvoir effacer le malocchio. Presque tous les Romains connaissent au moins une façon d'obtenir cet œil malin...

Vous voulez encore quelques exemples? Eh bien, cela porte malheur de "couper" un coin de rue. Si l'équipe favorite d'un match de football a enfin marqué un but, alors chaque spectateur reste un instant immobile, exactement dans la position qu'il avait au moment où le but a été marqué.

Le moyen le plus efficace pour se protéger du mauvais sort est de posséder, si étrange que cela puisse paraître, la corne

La corne d'un bœuf: un moyen très efficace pour se protéger du mauvais sort.

d'un bœuf. Lors d'événements imprévisibles ou de mauvais augure, le Romain forme encore, avec ses doigts, une sorte de **corno,** reste d'une tradition païenne, qui est la protection la plus efficace contre un danger potentiel. Beaucoup de Romains préfèrent d'ailleurs jouir d'une protection vingt-quatre heures sur vingt-quatre et portent la corne comme porte-clés ou bracelet ou l'ont toujours avec eux en voiture.

Le 23 juin, c'est "le point culminant des cornes". A la **festa di San Giovanni,** qui est fêtée dans le quartier entourant le Latran, un nombre incalculable d'escargots est grillé. Ce petit animal pourvu de minuscules cornes est le symbole de la lutte. Le fait de le manger permet de supprimer toute discorde.

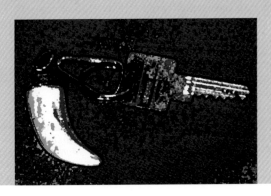

Rome et ses quartiers

Depuis environ 2 000 ans, l'Italie est régie par Rome. La politique actuelle est aussi dirigée par le Quirinal. Chaque soir, le "telegiornale" envoie sur le petit écran des communiqués concernant la situation politique de la nation à partir du palais Chigi, du palais Montecitorio ou du palais du Quirinal.

Le Quirinal était dans l'Antiquité une des sept collines les plus hautes de la ville et, jusqu'à la fondation de Rome, la maison des Sabins, qui avaient donné à cette colline le nom du dieu de la guerre Quirinus. Aujourd'hui, le nom a été politisé. Le palais du Quirinal, ancienne résidence d'été du pape, est le siège officiel du président de la république. Depuis fin 1994, il est ouvert au public certains jours. C'est un succès car les visiteurs viennent en masse. Ils découvrent aussi les deux autres palais politiques le **palazzo Madama** et le **palazzo Montecitorio.** La **piazza Venezia** représente le gigantisme et l'intransigeance des fascistes que rien n'a arrêté, ni le Forum impérial ni le tombeau de Michel-Ange. "Ce que les papes Barberini n'ont pas fait, Mussolini l'a fait."

L'eau de fontaine comme filtre d'amour

La **fontana di Trevi,** objet de prestige et preuve de la générosité papale, se dresse dans toute sa splendeur. La fontaine dut être restaurée sous le pape Urbain VIII. Pour pouvoir payer les travaux, le pape leva un impôt sur le vin. Etre taxés sur une boisson noble, pour une simple eau de fontaine, les Romains n'en revenaient pas! Pleins de mépris, ils lançaient à chaque fois avec beaucoup d'emphase une pièce comme impôt dans le bassin de la fontaine. C'est ainsi qu'est née cette tradition, un geste de rébellion contre l'autorité du pape... Jusqu'à la fin du XVIIIe siècle, une autre tradition entourant la fontaine de Trevi a subsisté: celui qui devait quitter sa fiancée pour partir à l'étranger ou pour partir à la guerre l'amenait à la fontaine pour lui dire adieu. Ensemble ils buvaient un verre d'eau et ensemble ils brisaient ensuite le verre, pour assurer leur amour. Il y a quelques années, la fontaine fut restaurée, délivrée de sa patine et des micro-organismes qui la recouvraient. Elle resplendit à nouveau de toute sa splendeur – pour le plus grand bonheur de la Ville Eternelle car Stendhal déjà avait écrit dans ses "Promenades romaines": "Quand la fontaine de Trevi s'arrête de couler, pour cause de rénovation, un grand silence se répand dans Rome..."

"Bande dessinée" pour un empereur : la colonne de Marc Aurèle de 30 mètres de haut raconte des événements de la vie de l'empereur.

Le cas Berlusconi, chronique d'une carrière à l'italienne

"S'il n'avait pas existé, on aurait dû l'inventer mais il aurait été difficile de le réussir aussi bien." C'est ainsi qu'en 1995 "Il Messaggero" intitulait un article de fond sur une des personnalités italiennes les plus colorées des dernières années: Silvio Berlusconi. En août 1993, le Milanais a fondé une nouvelle formation politique portant le nom de **Forza Italia.** Grâce à la participation massive des médias et au soutien enthousiaste des fanatiques de football (le club **AC Milan** appartient à Berlusconi), la nouvelle formation fut bientôt connue de chacun. Berlusconi, nommé **il Cavaliere,** profita pleinement de l'attitude négative et emportée du peuple envers le gouvernement de Craxi, qui s'était transformé en un océan de corruption. A Milan, l'action **mani pulite,** action mains propres, battait son plein. Le 28 mars 1994, Forza Italia fut élue avec 21 % des voix. Berlusconi s'allia avec la **Lega Nord** et son chef Umberto Bossi et l'**Aleanza nazionale,** parti de droite ayant à sa tête Gianfranco Fini, et se fit élire chef de gouvernement au palazzo Chigi. Le 12 juin, les élections européennes confirmèrent son succès; Forza Italia enregistra une augmentation de 9, 6 % des voix.

Les premiers nuages se profilent à l'horizon gouvernemental de Berlusconi le 25 juillet. La raison en est le **decreto Biondi** portant le nom du ministre de la Justice, qui avait pour but d'améliorer les conditions de détention préventive des politiciens – une avancée qui coûtera 2,4 % de sa popularité à Berlusconi. Parallèlement, les tensions entre le chef de gouvernement et Umberto Bossi augmentent. Une "rencontre au sommet" entre les deux personnages, le 24 août, en Sardaigne, permet d'arrondir un peu les angles et fait remonter la cote de popularité de Berlusconi de 3, 7 %. Mais le jour suivant annonce le début de la fin. Berlusconi présente le programme financier de son gouvernement. Sa popularité chute immédiatement de 4,4 %. Pendant ce temps, à Milan, les enquêtes dirigées contre le chef de la firme de Berlusconi

Rome extra

"En avant l'Italie!"
Oui, mais vers où?
Le programme du parti
de Berlusconi est très
léger.

"Fininvest" et contre Paolo Berlusconi, le frère du président, se poursuivent. La lire est en chute libre... En automne 1994, le gouvernement propose d'autres mesures économiques impopulaires; notamment, des coupes dans les pensions. L'Italie passe d'une grève à l'autre. Les manifestations sont à l'ordre du jour.

Le 20 novembre, des élections ont lieu dans certaines communes d'Italie. Forza Italia perd 8 % de ses voix. Le 22 novembre, Berlusconi reçoit une convocation de Milan. Dans les trois jours, il doit paraître avec son avocat devant le tribunal: on lui impute trois cas de corruption. Dans un discours à la nation, il proclame son innocence et réaffirme qu'il ne se retirera en aucun cas. Ce n'est que le 13 décembre que Silvio Berlusconi condescend à se présenter devant le juge d'instruction qui a depuis remplacé Di Pietro. Pendant sept heures et demie, le chef de gouvernement répond aux questions du juge. Le 22 décembre, le rideau se lève sur le dernier acte: Berlusconi remet sa démission au président Oscar Scalfaro, dans le palais du Quirinal. Il doit sa chute à trois motions de méfiance – l'une venant d'un partenaire de sa propre coalition, la Lega Nord. La fin (provisoire) d'une carrière politique italienne...

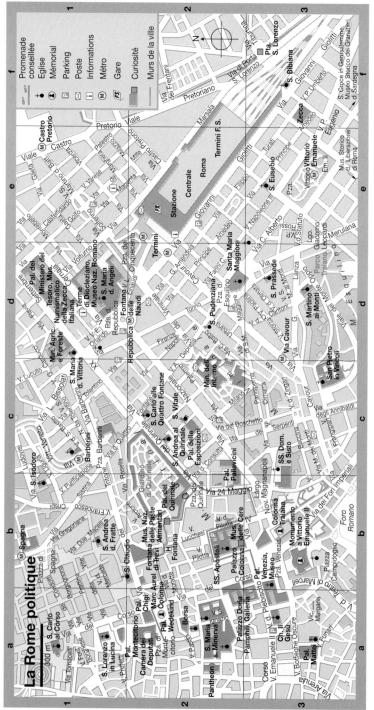

La Rome politique

300 m

Légende:
- ··· Promenade conseillée
- + Eglise
- Ⓜ Memorial
- P Parking
- ⊠ Poste
- ⓘ Informations
- Ⓜ Métro
- FS Gare
- ▪ Curiosité
- — Murs de la ville

N

Les combinaisons de lettres et de chiffres dans le texte renvoient à cette carte.

208

Cure de rajeunissement pour le quartier de la gare

La zone entourant la gare est un gouffre politique de la Rome d'aujourd'hui. L'esplanade de la **Stazione Termini** et la **piazza dei Cinquecento** sont éternellement en chantier et les rues avoisinantes sont réputées pour l'insécurité qui y règne la nuit. Tout aussi mal lotie, voici la **piazza della Repubblica**, où l'une des rues les plus fréquentées de Rome, la **via Nazionale**, démarre. Elle fut construite en l'an 1871, pour relier la gare et le centre – mais au tournant du siècle, elle avait déjà perdu son éclat. Cependant, depuis la restauration de la piazza della Repubblica, le quartier commence à revivre. C'est important car c'est souvent la première image de Rome donnée au visiteur sortant de la gare. Et aussi parce que c'est là que se trouve l'entrée d'un musée assez particulier, le **Museo nazionale romano,** encore appelé **musée des Thermes.**

Promenade

Vous commencez votre promenade à un endroit où se fait l'actuelle histoire de l'Italie et vous la terminez là où la politique menée par Mussolini donna des résultats. Alors que le Duce, les papes et les empereurs montraient leur puissance en construisant de superbes palais, la démocratie italienne réside dans des bâtiments ayant une histoire significative.

Le point de départ de notre promenade est la **piazza di Montecitorio** avec le **palazzo** du même nom, le siège de la Chambre des représentants – un beau palais avec une façade convexe et un clocher doré. C'est l'empereur Auguste qui fit amener d'Héliopolis l'obélisque du pharaon Psammétique II qui se trouve au centre de la place.

Le livre d'images de Marc Aurèle

La piazza Colonna est attachée à la piazza di Montecitorio, ainsi nommée par référence à la colonne de Marc Aurèle.

La colonne Trajane a servi de modèle à cette colonne haute de 30 mètres, sur laquelle des scènes de la guerre contre les Germains et les Sarmates sont représentées.

Dans le **palazzo Wedekind,** se trouve la Centrale du Parti socialiste et dans le **palazzo Chigi,** le siège du président du Conseil. Par moquerie, les Romains disent de ce dernier qu'il est l'hôtel le plus cher d'Italie, en constatant la vitesse à laquelle les chefs de gouvernement changent. Silvio Berlusconi avait demandé à l'un des meilleurs architectes d'intérieur de la ville de lui créer un environnement convenable – ce à quoi il

Rome et ses quartiers

a aussi dû renoncer...

De la piazza Colonna, on poursuit jusqu'à la **fontana di Trevi,** la plus merveilleuse fontaine de Rome, qui brille de tout son éclat après sa récente restauration. Une fois que vous aurez jeté la pièce de monnaie traditionnelle, vous pourrez continuer vers la via della Dataria, en n'oubliant pas un petit détour par le Scanderberg et l'étrange **musée des Pâtes.** L'endroit rêvé pour les inconditionnels de pâtes qui veulent tout savoir, absolument tout, sur les spaghettis...

Lorsque vous serez "rassasié", continuez votre promenade vers la **piazza del Quirinale** et le **palais** du même nom. Celui-ci est reconnaissable grâce aux postes de garde et au drapeau italien qui flotte au-dessus. Le maître des lieux est, depuis 1992, Oscar Luigi Scalfaro. Il partage depuis peu son palais avec le public. En effet, il est possible de visiter l'ancienne résidence papale tous les dimanches. Ce palais a été l'objet de grands projets. On a voulu en faire un deuxième Vatican et plus tard un second Versailles. L'histoire a tiré un trait sur ces deux futures réalisations, cependant l'intérieur est de toute beauté.

Le Quirinal est le palais le plus fascinant parce qu'il est le plus vivant et qu'il fait le lien entre l'histoire et le futur. Il est le seul palais romain devant lequel passent encore les précieuses et les rois, derrière les murs duquel des décisions sont encore prises, peut-être pas au niveau mondial mais certainement décisives pour l'Italie.

Le travail de garde, bien que peu mobile, est fort prisé. N'y sont admis que des carabiniers d'élite, ayant une taille minimum de 1,82 m.

Le bassin de la fontaine de la piazza a finalement trouvé son utilité: du temps du Forum romain, elle servait d'abreuvoir pour les chevaux.

Le chef-d'œuvre baroque du Bernin

Faites encore un petit détour par la via del Quirinale pour voir l'église baroque **Sant' Andrea al Quirinale,** le chef-d'œuvre du Bernin, avec son intérieur très travaillé.

Tournez maintenant sur la droite dans la via 24 Maggio, puis dans la via Cordonata. Ensuite, dans la via IV Novembre, passez devant le palazzo Colonna, avec la **galleria Colonna.** La collection privée de la famille Colonna est une exhibition insolente de richesse et de puissance. C'est surtout la **sala del Trono** qui est impressionnante. Le fauteuil du trône est tourné vers le mur car il ne peut être employé que par le pape.

Et maintenant une petite excursion dans l'immortalité: le musée de figures de cire vous attend sur la piazza Santi Apostoli 67. La piazza Cesare Battisti conduit finalement à la **piazza Venezia.** Cette place animée est dominée par la plus grande statue équestre du monde qui a été positionnée là pour honorer le roi **Vittorio Emanuele.** La taille de la statue n'est aucunement représentative des services rendus par le roi.

Le balcon du Duce

La piazza Venezia était la place favorite du Duce. Sur le balcon du **palazzo Venezia,** qu'il fit choisir comme siège du gouvernement fasciste, Mussolini a annoncé le retrait de l'Italie de la Société des Nations. De nombreuses pièces d'art peuvent être admirées. La salle de travail de

Mussolini également peut être visitée. Pour convaincre les Romains de ses immenses efforts pour l'amélioration du bien-être du peuple, la lumière devait y brûler jour et nuit... Le palais de style pseudo-Renaissance a été construit en 1911 sur la piazza, pour une compagnie d'assurances vénitienne. Le palais d'origine qui se trouvait à cet endroit a été démoli – il empêchait une bonne vue de la statue équestre. La maison dans laquelle Michel-Ange mourut en 1564 a subi le même sort. Dans leur grande bonté, les destructeurs apposèrent une plaque sur le palais nouvellement construit.

N'oubliez pas de jeter un regard compatissant au policier solitaire qui règle la circulation, tout seul, au milieu du carrefour où se croisent quatre routes principales et qui essaie courageusement d'y faire régner un semblant d'ordre.

Durée: environ 2 heures

Curiosités

Fontana delle Naiadi ■ d 1, p. 208
Un immense bassin, orné de quatre naïades en bronze qui jouent avec des monstres marins, constitue le centre de la place de la République. La fontaine des naïades est une des plus belles fontaines de Rome. Elle fut construite en 1885 d'après un projet de Mario Rutelli. Quatre jeunes naïades de bronze, installées sur le pourtour du bassin, y batifolent en compagnie de monstres marins. Trente ans plus tard, on ajouta au groupe de nymphes un personnage masculin, symbolisant la lutte contre les forces de la nature.
Piazza della Repubblica
Métro: Repubblica

Fontana di Trevi ■ b 2, p. 208
Depuis sa restauration, la plus grande et la plus célèbre fontaine de Rome, de style baroque, resplendit à nouveau.
Dans le passé, l'eau de l'aqueduc de l'Acqua Vergine provenait de la fontaine de Trevi.
Au milieu du Moyen Age, le pape Nicolas V avait déjà caressé l'idée de construire un monument décent au bout de la canalisation d'eau. Au milieu du XVIIe siècle, le pape Urbain VIII demanda au Bernin d'imaginer un mur décoratif d'eau. Celui-ci ne fut terminé qu'en 1762 sous le pape Clément XIII.
Un concours fut organisé pour déterminer qui achèverait la réalisation de la fontaine. Bien que l'architecte Niccolo Salvi ne fusse pas le gagnant, le pape lui demanda quand même de construire la fontaine.
Alors que les touristes se sacrifient maintenant au rituel du lancer de pièce, autrefois on croyait que boire

Rome et ses quartiers

*Le pompeux monument commé-
moratif à Vittorio Emanuele, de
12 mètres de haut, sur la piazza
Venezia – appelé aussi la
"denture de Rome" par ses
détracteurs...*

une gorgée d'eau à la fontaine ramè-
nerait un visiteur à Rome.
Piazza di Trevi
Métro: Barberini

Fontana del Quirinale ■ b 2, p. 208
Castor et Pollux embrassent un obélisque, apporté à Rome par l'empereur Auguste. La pierre se trouvait
auparavant, avec sa jumelle de la
piazza dell'Esquilino, devant le mausolée d'Auguste. Le pape Pie VII, le
fit ensuite transporter devant le Quirinal.
Piazza del Quirinale
Métro: Barberini

Colonne de Marc Aurèle
■ a 2, p. 208
Marc Aurèle était un empereur très
pacifique, plus porté sur la philosophie que sur la guerre. Cependant, il
eut à conduire quelques batailles
sanglantes – et c'est ce que raconte
une bande dessinée comique qui se
rapporte à l'an 193 av. J.-C. Jusqu'en
1589, il y avait une statue de l'empereur au sommet de la colonne. Le
pape Sixte V la fit remplacer par
celle de l'apôtre Paul.
Piazza Colonna
Bus 52, 53, 119

Monumento a Vittorio
Emanuele II ■ b 3, p. 208
Ressemblant à un gigantesque gâteau de mariage ou à une immense
machine à écrire, ou encore, pour
certains, à la "denture de Rome",
cette gigantesque statue équestre de
12 mètres de haut trône au milieu de
la piazza Venezia. Le roi Vittorio Emanuele la fit construire entre 1885 et
1911. Après la Première Guerre mon-

*Le palazzo Chigi, siège adminis-
tratif du premier ministre italien,
a été récemment le lieu de nombreux changements de pouvoir.*

diale, le **tombeau du soldat incon-
nu** fut ajouté sous l'autel de la patrie. En 1970, on fit un dernier ajout,
le **feu éternel.** Le monument est
couronné avec la déesse de la victoire, créée en 1908 par Carlo Fontana
et Paolo Bartolini. La déesse de la
victoire est visible de plusieurs endroits de la ville. Elle sert au moins
pour s'orienter.
Une entrée, située du côté gauche,
conduit au **museo del Risorgimento.** Ce musée permet de se documen-
ter sur l'histoire de l'Italie au XIXe
siècle.
Piazza Venezia
Bus 56, 62, 64

Palazzo Chigi　　　■ a 2, p. 208
Les travaux de construction du palais
traînèrent en longueur de 1562 à
1630. Il fut terminé sous la direction
de Carlo Maderno. En 1659, le pape
Alexandre VII fit l'acquisition de cette superbe villa pour sa famille Chigi.
En 1917, le bien devint possession
d'Etat et, depuis lors, le palazzo Chigi
est devenu le centre de la vie politique et aussi la résidence officielle du
président du Conseil italien.
Via del Corso/Piazza Colonna
Bus 49, 119

Palazzo Doria-Pamphili
　　　　　　　　　■ a 2, p. 208
Le cardinal Fazio Santorio fit construire ce superbe palais. Tant de
beauté provoqua la jalousie du pape
Julius II. Il conseilla de manière pres-
sante au cardinal de laisser la construction au duc d'Urbino, un de ses
neveux.
Plus tard, le palais passa entre les
mains de différentes familles nobles.
Au XVIIe siècle, Andrea III épousa

Mannequins, magiciens, tous se retrouvent autour de la fontaine de Trevi

Depuis longtemps, la fontaine de Trevi n'avait suscité autant d'attention et de manchettes dans les journaux que ce jour de novembre 1994. Comme l'avait fait Anita Ekberg à l'époque où Fellini tournait "La dolce Vita", c'est le top model allemand Claudia Schiffer qui est descendue dans la fontaine la plus célèbre du monde. Elle aussi a pris un bain de foule, en même temps qu'un bain humide.

Mais le mannequin était vêtu de bottes en caoutchouc montant jusqu'aux genoux pour ne pas avoir froid aux pieds. Elle a posé, tout simplement, avec un collègue masculin. L'objet de la visite n'étant pas de tourner une séquence de film mais de réaliser une publicité pour le couturier romain Valentino. Les mannequins actuels ne connaissent pas la vie des acteurs d'il y a cinquante ans et tout écart leur est interdit. Ils vivent une vie sévère, ne laissant plus beaucoup de temps à la rêverie. Néanmoins, les Romains furent très heureux de cette blonde apparition.

Le fiancé de Claudia Schiffer, l'illusionniste américain mondialement connu David Copperfield, s'en est tenu à la tradition populaire et a lancé une pièce de monnaie dans la fontaine. Un quart de dollar, fit remarquer la Croix-Rouge italienne de manière assez neutre (ou bien l'a-t-il fait disparaître dans sa poche?)

Toutes les pièces qui atterrissent dans la fontaine vont à la Croce Rossa. Trois à quatre fois par an, l'administration communale nettoie la fontaine de Trevi et lui donne les pièces de monnaie. Une personne de la Croix-Rouge est employée uniquement pour le tri des pièces en provenance de la fontaine – aidée en cela par deux surveillants. Toutes les pièces ne sont pas bienvenues: des schillings kényans, des zlotys polonais, des forints hongrois, des pesos colombiens, des dirhams marocains ne sont que quelques exemples de devises qui rendent la vie dure à la Croix-Rouge. Les "bonnes" pièces sont changées en lires, les autres doivent être ven-

Rome extra

Neptune tient la pre-
mière place au milieu
des flots dans ce chef-
d'œuvre baroque.

dues aux enchères. Ce qu'il en reste sert à la formation: les pièces de monnaie étrangères sont réparties dans les écoles primaires pour initier les élèves au cours des monnaies étrangères.

On a même pensé renvoyer les pièces étrangères dans leur pays d'origine mais cette solution a été jugée un peu trop compliquée. Peut-être faut-il tout simplement interdire aux touristes de lancer des piécet-

tes de monnaie dans la fontaine? Ce n'est pas une bonne alternative. La meilleure solution semblerait être celle de placer un écriteau devant la fontaine, en demandant de ne pas y lancer certaines sortes de pièces: "Ne pas jeter de zlotys, de forints, de pesos... dans la fontaine s.v.p."

Piazza di Trevi ■ b 2, p. 208
Métro: Barberini

Rome et ses quartiers

Doria, l'héritière de la famille Pamphili. Les palais des deux époux, qui se trouvaient quasi côte à côte, furent réunis.

Le palais contient aussi la galerie de tableaux du même nom (voir Musées et galeries).

Via del Corso/Piazza del Collegio Romano 1a
Bus 56, 62, 64

Palazzo Montecitorio ■ a 2, p. 208
En 1650, le Bernin commença la construction de ce luxueux palais pour le compte du pape Innocent X. Il fut terminé en 1694 par Carlo Fontana. Depuis 1871, il est le siège de la Chambre des représentants. Au début de ce siècle, la construction vers la piazza del Parlamento fut continuée.

Piazza Montecitorio
Bus 52, 53, 119

Palazzo Pallavicini
■ b 2/ c 2, p. 208
Le cardinal Scipione Borghese fit ériger ce palais en 1603, sur une belle place bordée de palmiers. L'attraction principale en est le casino dell'Aurora, qui malheureusement n'est ouvert que chaque premier jour du mois
(10 h – 12 h et 15 h – 17 h): fresque d'Aurora de Guido Reni. La déesse du matin est représentée au moment où elle ouvre avec le soleil les portes du ciel.

Via 24 Maggio 43
Métro: Barberini

Palazzo del Quirinale ■ b 2, p. 208
L'imposant palais du Quirinal a été construit en 1573 comme lieu de résidence papale. Il formait le bout de la piazza du même nom. En 1572, très haut au-dessus de la vallée, le pape Grégoire XIII se fit construire une résidence d'été par Gian Lorenzo Bernini et Carlo Maderno. Il donnait sa bénédiction du balcon. De 1870 à 1946, le roi d'Italie a résidé ici et actuellement c'est le président de la République, Oscar Luigi Scalfaro. Depuis octobre, l'intérieur du palais peut être visité sans avoir fait au préalable une demande écrite. Les portes du Quirinal sont ouvertes chaque dimanche entre 9 h et 13 h et des milliers d'amateurs d'art – ou tout simplement des curieux – font la queue. On y découvre de superbes fresques datant du XVIe siècle, une galerie qu'Alexandre VII fit décorer par Pietro Da Cortona et une superbe salle en style rococo. On peut aussi y admirer le plafond de la **cappella Paolina,** recouvert de petites roses dorées, pièce où le cardinal se retirait pour consulter. Il y a aussi: la **sala Gialla,** dont la beauté dorée rend presque aveugle, la **sala degli Ambasciatori,** dans laquelle chaque ambassadeur se sent comme un envoyé du roi et la salle des miroirs, la **sala degli Specchi,** avec des lustres en verre de Murano.

Piazza del Quirinale
Métro: Barberini
Di 9 h – 13 h

Palazzo Venezia ■ b 3, p. 208
Pietro Barbo commanda, avant de devenir le pape Paul II, ce palais de style renaissance en 1467 à Leon Battista Alberti. En 1564, le bâtiment devint la propriété de la république de Venise, qui en fit la résidence de ses ambassadeurs. Il resta entre des mains vénitiennes, jusqu'à ce que Napoléon conquît la cité des lagunes et offrit le palais aux Autrichiens, qui y établirent leur ambassade en 1797. Pendant la Première Guerre mondia-

le, le palais fut redemandé par le roi d'Italie. Le maître des lieux suivant fut Mussolini. Il transforma la **sala del Mappamondo** – ainsi nommée par référence à un tableau de 1495 qui était censé représenter le monde – et en fit probablement la plus grande pièce de travail au monde. Un long corridor menait à la table de travail du Duce, qui devait insuffler le respect nécessaire au visiteur. Quand Rome fut délivrée en 1944, le palais fut ouvert pour la première fois au public. Depuis on y a constitué un musée.
Piazza Venezia
Bus 56, 62, 64

Les nymphes nues de la fontaine des Naïades, sur la piazza della Repubblica, émurent les âmes sensibles au tournant du siècle.

Piazza della Repubblica
◼ d 1, p. 208
La place donne une belle idée de la grandeur des thermes dioclétiens. Elle longe les murs extérieurs de la station balnéaire antique. La piazza fut construite après que Rome fut promue capitale de l'Italie, pour relier la via Nazionale avec l'esplanade de la gare.
Métro: Repubblica

Sant'Andrea al Quirinale
◼ c 2, p. 208
Cette église baroque, de deux étages, a été érigée par le Bernin pour les jésuites, entre 1658 et 1671. L'espace intérieur nage dans le doré, le blanc et le vieux rose. Les armes rappellent le soutien financier des familles romaines nobles, qui viennent encore fêter les événements spéciaux dans la petite église. Des personnages en stuc, assez effrontés, décorent la coupole.
Via del Quirinale
Métro: Repubblica

Rome et ses quartiers

San Carlo alle Quattro Fontane
■ c 2, p. 208

Les Romains appellent gentiment cette maison de Dieu "San Carlino" et, lorsque vous aurez jeté un coup d'œil à l'intérieur, vous aurez compris pourquoi. San Carlo est une minuscule église construite, pour l'ordre des théatines, en 1634, par Francesco Borromini. Il ne disposait pas de plus de superficie. Cependant il a réussi là son œuvre la plus originale.
Via del Quirinale
Métro: Barberini

Santa Croce in Gerusalemme

Après la reconnaissance de la chrétienté en l'an 313, l'impératrice Hélène fit transformer une grande salle de son palais en église. Au XIIe siècle, on ajouta le clocher. En 1743, l'église fut restaurée et reçut une façade réalisée par Domenico Gregorini. Dans la chapelle aux reliques, on trouve, à côté de morceaux de la croix du Christ, un clou de la croix – relique qu'Hélène fit venir de Jérusalem.
Piazza Santa Croce in Gerusalemme
Tram: 30 b

Sant'Eusebio
■ e 3, p. 208

Un fois l'an, on entend aboyer, miauler et gazouiller dans la petite église. La maison de Dieu s'ouvre aux animaux du quartier (mi-janvier), et les Romains viennent par centaines faire bénir des chiens, des chats, des oiseaux et même des poissons rouges.
Piazza Vittorio Emanuele II 12
Métro: Vittorio

Santa Maria Maggiore
■ d 2, p. 208

De la neige qui tombe en hiver et le manteau blanc qui continue de briller sur l'Esquilin, malgré la grande chaleur... il ne peut s'agir que d'un miracle! Dans la neige, le pape Libère découvrit les fondations d'une basilique – comme une vision de Marie le lui avait prédit la veille.
Au IVe siècle, la construction d'une église démarra à cet endroit. Elle fut terminée sous le pape Sixte. Le transept et l'abside datent du XIIIe siècle, la superbe façade et le perron ont été créés par Carlo Rinaldi au XVIIe siècle. C'est de cette manière qu'est née la plus grande des églises mariales de Rome. Le plafond, réalisé par Giuliano Da Sangallo (1493 à 1498), est dédié à Marie. Il devait être recouvert d'or en provenance de l'Amérique récemment découverte. L'arc de l'abside et les niches sont décorées d'un cycle de scènes de l'Ancien Testament réalisé en mosaïque. La **cappella Sistina,** créée par Domenico Fuga pour le pape Sixte V, comme chapelle funéraire, se trouve dans la nef droite. La **cappella Paolina** est située dans la nef de gauche. Le pape Paul V la fit ériger en 1610 pour la petite icône de Marie, posée sur l'autel principal.
Piazza Santa Maria Maggiore
Métro: Termini

Une belle histoire est à la base de la construction de la plus grande église mariale de Rome: Santa Maria Maggiore.

Rome et ses quartiers

San Prassede
■ d 3, p. 208

Le pape Pascal Ier fit ériger l'église en 855 pour y conserver les reliques des martyrs qui se trouvaient dans les cimetières devant les murs de la ville. L'intérieur de la maison de Dieu a la forme d'une basilique. Au milieu du sol, une plaque de porphyre recouvre une fontaine dans laquelle sainte Praxedis, qui a donné son nom à l'église, aurait conservé des reliques et du sang des martyrs.

La **cappella di San Zerone** est le monument byzantin de Rome le plus remarquable, décoré avec des mosaïques très colorées, qui ont résisté à toutes les rénovations depuis le XVe siècle.

Via San Martino ai Monti
Métro: Vittorio

Santa Pudenziana
■ d 2, p. 208

Les chercheurs ne sont pas unanimes sur les origines de cette église. On a d'abord cru que l'église avait été érigée sur la maison du sénateur Pudens. L'apôtre Pierre avait habité dans cette maison patricienne et toute la famille s'était convertie au christianisme. Plus tard, on a identifié les ruines comme étant celles de thermes romains. La mosaïque de l'abside de Santa Pudenziana est une des plus anciennes.

Via Urbana 160
Métro: Termini

Stazione Centrale Roma Termini
■ e 2, p. 208

Lorsqu'on quitte l'esplanade du bâtiment de la gare, on reconnaît à droite un mur imposant en tuf – reste des **remparts serviens** de la ville, qui datent probablement encore du VIe siècle avant Jésus-Christ. L'esplanade de la gare, la piazza dei Cinquecento, est éternellement en chantier. De temps à autre, on peut y observer un spectacle naturel étrange. Des hirondelles, tout en gazouillant, forment des essaims. Elles dessinent des formes artistiques dans le ciel puis finalement se posent sur les arbres entourant la piazza.

Piazza dei Cinquecento
Métro: Termini

Terme di Diocleziano
■ d 1, p. 208

Le précurseur des "thermes modernes". Avec ses 112 000 mètres carrés d'extension, les thermes de Dioclétien étaient la plus grande installation de bains de l'ancienne Rome. Et ils étaient équipés des derniers raffinements. Il y avait une piscine, des bassins avec de l'eau froide et de l'eau chaude, des pièces de détente, une pièce de massage ainsi qu'une école de boxe et une d'escrime. Plus de 2 000 baigneurs pouvaient ici conjuguer la phrase "mens sana in corpore sano".

Ces installations gigantesques ont été construites de 298 à 306 par Maximien, le bras droit de l'empereur Dioclétien. 40 000 chrétiens prirent part à sa construction. Plus tard, Michel-Ange a ajouté l'église **Santa Maria degli Angeli,** au centre de l'installation. En 1561, un couvent de chartreux est venu s'y ajouter. Depuis 1889, le **Museo nazionale romano** s'est installé dans la partie éloignée des thermes. (p. 222)

Piazza dei Cinquecento/ Viale Enrico de'Nicola 79
Métro: Termini
9 h – 14 h, di et ve 9 h – 13 h, fermé lu
Entrée 12 000 lires

Musées et galeries

Galleria Colonna
■ b 2, p. 208
Une démonstration de richesse et de puissance. La collection privée de la famille Colonna est exposée dans la galerie. Il s'agit d'une impressionnante composition de tableaux – notamment de Véronèse, le Tintoret, Palma le Vieux – de fresques de plafond, de pièces dorées à l'or fin et d'étoffes précieuses. Pour le pape, on avait arrangé une pièce particulière, la **sala del Trono**, avec le siège du trône qui était uniquement réservé aux visiteurs de marque.
Palazzo Colonna
Via della Pilotta 17
Bus 56, 62, 64
Sa 9 h – 13 h; fermé en août
Entrée 10 000 lires

Au musée des Thermes, on peut admirer une imposante collection de joyaux antiques.

Galleria Doria-Pamphili
■ a 2, p. 208
Collection de tableaux superbes, comprenant deux portraits du pape Innocent X, – il était originaire de la famille Pamphili – peints par Vélasquez et le Bernin. Des morceaux de plafond recouverts d'or, des murs tendus d'étoffes précieuses, les pièces sont aussi belles que les objets qu'elles contiennent. Le buste d'Olimpia Maidalchini Pamphili est intéressant aussi: les traits du visage de cette dame énergique et ambitieuse sont rendus très fidèlement, ainsi que sa coiffe typique.
Piazza del Collegio Romano 1 a
Bus 56, 62, 64
Ma, ve et di 10 h – 13 h
Entrée 8 000 lires

Rome et ses quartiers

Museo delle Cere　■ b 2, p. 208
Un des groupes importants du musée de cire est le groupe des participants à la conférence de Yalta.
Piazza Santi Apostoli 67
Bus 56, 62
9 h – 20 h
Entrée 5 000 lires

Museo nazionale delle Paste alimentari　■ b 2, p. 208
"Tout ce que vous avez toujours voulu savoir au sujet des spaghettis" ou "Pâtes de tous les pays, unissez-vous". Vous découvrirez tout au sujet de leur procédé de fabrication, les différentes sortes et formes. Vous pourrez admirer et même visiter des œuvres d'art en pâtes.
Piazza Scanderberg, 117
Métro: Barberini
9 h 30 – 12 h 30 et 16 h – 19 h, sa 9 h 30 – 12 h 30, fermé di
Entrée 12 000 lires

Museo nazionale romano
　　　　　　　■ d 1, p. 208
Les chartreux ont établi un couvent dans ce qui avait été les thermes de l'empereur Dioclétien. Lorsque les moines quittèrent les bâtiments en 1889, le Museo nazionale romano y fut transféré. Il regroupe une collection importante d'œuvres d'art.
Le **chemin de croix** du couvent fut dessiné par un élève de Michel-Ange.
Le **trône de Ludovisi**, un chef-d'œuvre de l'art antique, appartient à la collection du cardinal Ludovisi, la **collezione Ludovisi**. Il présente une jeune femme avec une expression de visage très amicale, qui est soutenue par deux autres jeunes femmes. Les historiens l'ont interprété comme la naissance d'Aphrodite, la déesse de l'amour. Le bas du corps d'Aphrodite

est artistement recouvert d'écume. On y voit aussi plusieurs objets provenant des fouilles de la villa de rêve d'Hadrien, près de Tivoli (p. 303), dont une statue de Bacchus et la danzatrice di Tivoli, statue célèbre représentant une danseuse. La statue d'Auguste est également renommée. Elle représente l'empereur romain à l'âge de 50 ans dans la pontifex maximus toga, ainsi que le **"Perse mourant"** un chef-d'œuvre d'Asie Mineure, qui réussit à rendre l'expression de la mort dans les yeux du mourant.
Piazza dei Cinquecento/Viale Enrico de'Nicola 79
Métro: Termini
9 h – 14 h et 9 h – 13 h, fermé lu et di
Entrée 12 000 lires

Museo numismatico della Zecca italiana　　　　■ d 1, p. 208
Les monnaies et les médailles de tous les pays sont présentées dans le palazzo del Ministero del Tesoro, datant de l'année 1877. La collection de pièces papales de 1471 à nos jours y est jointe. Pour pouvoir visiter le musée, il faut demander un rendez-vous et présenter son passeport.
Via XX Settembre 97
Métro: Repubblica
Lu-ve 9 h – 11 h
Entrée libre

Museo di palazzo Venezia
　　　　　　■ a 3/b 3, p. 208
Des tableaux et des sculptures des XVe et XVIe siècles, des armes antiques, de la céramique et de l'argenterie – ainsi que la pièce de travail du Duce dans la **sala del Mappamondo** – peuvent y être vus. Après 10 ans de fermeture, l'**appartamento di Cibo,** un département consacré

à l'art du Moyen Age, est à nouveau ouvert.
Via del Plebiscito 118
Bus 56, 62, 64
9 h – 14 h, di et ve 9 h – 13
fermé lu
Entrée 8 000 lires

Museo storico dei Granatieri di Sardegna

Piazza Santa Croce
Bus 9
Ma, je et sa 10 h – 12 h
Entrée libre

Museo storico della Liberazione di Roma

Documents et pièces concernant la lutte pour la libération de la Ville Eternelle.
Via Tasso Torquato 145
Métro: San Giovanni
Ma, je et ve 16 h – 19 h, sa et di 9 h 30 – 12 h 30
Entrée libre

Museo degli Strumenti musicali

Rassemble des instruments de musique de tous les temps et de tous les pays, parmi lesquels des pièces antiques que les anciens Romains employaient pour créer l'ambiance. Les instruments les plus intéressants sont les harpes de Barberini qui datent du XVIIe siècle et un piano-forte de Bartolomeo Cristoforo, qui est considéré comme l'inventeur du clavier.
Piazza Santa Croce in Gerusalemme 9/A
Bus 9
9 h – 14 h sauf di et ve
Entrée 4 000 lires

Palazzo delle Esposizioni

■ c 2, p. 208
Ce bâtiment datant de la fin du XIXe siècle, avec plusieurs salles et espaces réservés aux expositions, vient d'être rouvert après des années de restauration. La presse quotidienne informe sur les expositions en cours. Vous trouverez un bar-restaurant dans la cour couverte.
Via Nazionale 194
Bus 57, 64, 65
10 h – 21 h, fermé ma
Entrée 12 000 lires

Les expositions du Palazzo delle Esposizioni attirent surtout un public jeune – le joli café dans la cour des colonnes est à recommander à tous.

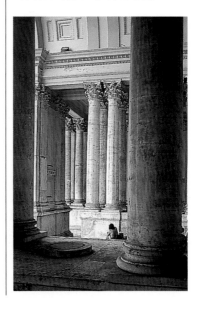

Rome et ses quartiers

Manger et boire

Achilli ▦ a 1, p. 208
Un apéritif, un verre de vin ou de
champagne avec des amuse-gueules... et si vous avez appréciez le vin,
vous pouvez l'acheter. Gianfranco
Achilli le vend dans une gamme de
prix allant de 4 000 lires jusqu'à
1 million de lires.
Via dei Prefetti 15
Bus 52, 54
9 h 30 – 13 h 30 et 16 h 30 – 20 h 30,
fermé lu matin

Alemagna ▦ a 1, p. 208
Un des bars préférés du centre de
Rome, qui offre un peu de tout: de la
glace, des **panini** et une superbe
focaccia garnie aux légumes.
Via del Corso 181
Bus 81, 90
7 h – 21 h 45, fermé di

Il Buco ▦ a 2, p. 208
Une trattoria classique, où même des
parlementaires viennent reprendre
des forces avec une assiette de **pasta.**
Via Sant' Ignazio 9
Tél. 6 79 32 98
Bus 90, 95
12 h 30 – 15 h 30 et 19 h 30 – 23 h
30, fermé lu et deux semaines en
août
Classe de prix moyenne (EC, Visa,
DC, Amex)

La Caffettiera ▦ a 2, p. 208
Une bonne adresse pour un expresso
bien crémeux.
Piazza di Pietra 65
Bus 90, 119
7 h – 21 h

Caffè Dini ▦ a 2, p. 208
Lieu de rendez-vous pour parlementaires pressés de se restaurer. Mais
tous ceux qui dînent ici ne sont pas
aussi importants qu'ils en ont l'air...
Piazza del Parlamento 37
Bus 90, 119
7 h – 21 h, fermé je

Cicilardone ▦ d 3, p. 208
Ce petit restaurant est, depuis des
années déjà, un lieu de rendez-vous
secret des gourmets. Il faut absolument essayer les **spaghetti cacio e
pepe**, des pâtes avec un fromage
typique et du poivre.
Via Merulana 77
Tél. 73 38 06
Métro: Termini
13 h – 14 h 30 et 19 h – 22 h 30,
fermé di et me; et en juillet et août
Classe de prix moyenne

Dal Freddo da Fassi ▦ f 3, p. 208
Un palais de la glace dans le plus pur
sens du terme! Une crème glacée
onctueuse à souhait, avec des morceaux de chocolat qui fondent dans
la bouche...
Via Principe Eugenio 65/67
Métro: Vittorio
11 h – 22 h

Gemma alla Lupa ▦ e 1, p. 208
Une des meilleures trattorie de la
ville: ici tout est aussi bon que chez
la mamma du coin.
Via Marghera 39
Tél. 49 12 30
Bus 71, 75
12 h – 15 h 30 et 19 h – 23 h 30,
fermé je soir et deux semaines en
juillet, fermé en août
Classe de prix inférieure

Le Naiadi   ■ c 2, p. 208
Du poisson grillé, c'est le plat idéal
après des courses en ville, sur la via
Nazionale.
Via Nazionale 251
Tél. 48 90 54 44
Métro: Repubblica
12 h 30 – 14 h 30 et 18 h 30 –
21 h 30
Classe de prix moyenne

*Manger est un autre mot pour
passion – c'est pourquoi un bon
repas dure au moins deux heures. Les ripailles abondantes
sont peut-être une des raisons
de la décadence de l'Empire
romain.*

Palazzo delle Esposizioni
■ c 2, p. 208
Comme les grands musées
européens, le palazzo est équipé d'un
bar-restaurant servant à tout moment
de la journée. Du petit-déjeuner jusqu'à l'apéritif, on y trouvera son bonheur, même si on ne veut pas visiter
le musée.
Via Milano 7
Tél. 4 82 80 01
Bus 57, 64, 65
10 h – 21 h,
fermé ma
Classe de prix moyenne (EC, Visa,
DC, Amex)

Pasquale   ■ a 1, p. 208
"Se la pizza bona voi mangà da Pa-
squale devi andà" (Si tu veux manger
une bonne pizza, va chez Pasquale) –
voilà la philosophie du propriétaire.
Et il a raison.
Via dei Prefetti 34 A
Tél. 6 87 37 26
Bus 52, 54
12 h – 23 h, fermé di
Classe de prix inférieure

Les 10 meilleures pizzerias

Acchiappafantasmi
■ b 2, p. 100
... parce qu'il faut s'exercer pendant une semaine au moins avant de prononcer correctement le nom de ce temple "in" des pizzas
(→ p. 112).

Da Baffetto ■ b 2, p. 100
... parce qu'à voir la file d'attente, la pizza ne peut être qu'excellentep. (→ 113).

La Capricciosa ■ a 3, p. 61
... parce que c'est ici que la pizza du même nom a cuit pour la première fois sur un feu de bois et qu'elle est restée une des favorites du menu
(→ p. 81).

Da Gildo ■ b 2, p. 126
... parce que la pizza y est si fine, si chaude et si croustillante que c'est un régal quand on mord dedans (→ p. 134).

Le Grotte ■ b 4, p. 61
... parce que, sur les photos souvenirs, on se trouve assis à côté de Japonais en train de manger une pizza dans un décor de grottes (→ p. 84).

10x10

226

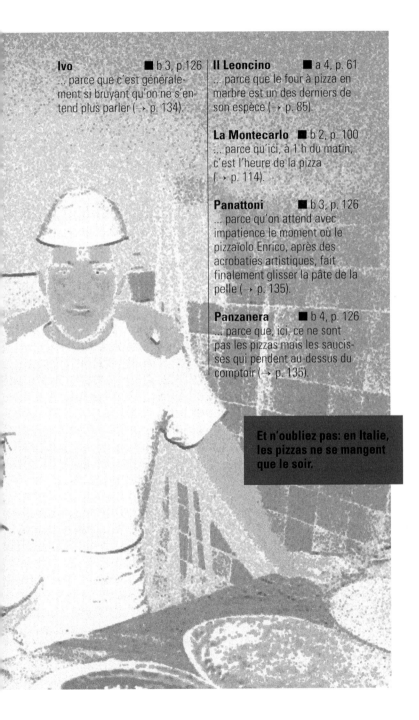

Ivo ■ b 3, p.126
... parce que c'est généralement si bruyant qu'on ne s'entend plus parler (→ p. 134).

Il Leoncino ■ a 4, p. 61
... parce que le four à pizza en
marbre est un des derniers de
son espèce (→ p. 85).

La Montecarlo ■ b 2, p. 100
... parce qu'ici, à 1 h du matin,
c'est l'heure de la pizza
(→ p. 114).

Panattoni ■ b 3, p. 126
... parce qu'on attend avec
impatience le moment où le
pizzaïolo Enrico, après des
acrobaties artistiques, fait
finalement glisser la pâte de la
pelle (→ p. 135).

Panzanera ■ b 4, p. 126
... parce que, ici, ce ne sont
pas les pizzas mais les saucis-
ses qui pendent au-dessus du
comptoir (→ p. 135).

**Et n'oubliez pas: en Italie,
les pizzas ne se mangent
que le soir.**

227

Rome et ses quartiers

Tana del Grillo ■ F 4, carte avant
La spécialité de la maison, c'est du salami avec de la sauce... pour ceux qui aiment...
Les autres plats sont (aussi) excellents...
Via Alfieri 4
Tél. 70 45 35 17
Métro: Vittorio
12 h 30 – 14 h 30 et 19 h 15 – 22 h 30
Classe de prix moyenne (Ec, Visa)

Yogobar ■ E 1, carte avant
Le lieu de rencontre des fanas du yaourt: ce produit laitier y est présenté dans de multiples parfums.
Via Lucania 23
Bus 490, 495
7 h – 1 h, fermé di

Achats

Livres

Santa Maria Maggiore
■ d 2, p. 208
Rome est internationale et ses librairies aussi. Celle-ci s'est spécialisée dans la littérature orientale.
Piazza dell'Esquilino 67
Bus 70, 71

Lunettes

Optariston Ottica ■ c 2, p. 208
Fontaines, colonnes, sculptures – et bien sûr des lunettes de toutes marques, au cas où il vous faudrait une paire de lunettes solaires.
Via Nazionale 243-246
Métro: Repubblica

Cadeaux

Bottega d'Arte ■ b 2, p. 208
Alfredo di Prinzio est le maître du talisman. Il réalise de superbes porte-bonheur en or, bronze, argent ou en pierre.
Via Lucchesi 35
Bus 70, 71

Io sono un autarchico
■ c 3, p. 208
Un petit magasin avec beaucoup de choses utiles pour la cuisine et la table.
Via del Boschetto 92
Bus 65, 75

Magasin

Upim ■ c 2, p. 208
Chaîne de magasins de vêtements et d'ustensiles de ménage, de qualité moyenne à des prix avantageux.
Via Nazionale 111
Métro: Repubblica

Celui qui cherche des vêtements amusants trouvera son bonheur dans les magasins de seconde main – par exemple ici, dans la via del Governo Vecchio.

Rome et ses quartiers

Lampes

Sciolari ■ c 2, p. 208
Verres, lampes, lustres – traditionnels ou futuristes – Sciolari est le
meilleur et le plus ancien magasin de
lampes de Rome.
Via Milano 24
Bus 71

Alimentation

Cestroni ■ d 1, p. 208
Le poisson frais de tout Rome – avec
un choix immense.
Via Flavia 30
Bus 60, 62
Ouvert uniquement le matin

Moriondo e Gariglio ■ b 2, p. 208
Le temple de la douceur. Vous pouvez
y acheter des chocolats délicieux au
rhum, à l'orange, à la noix de coco.
De plus, la crème est faite maison.
Via della Pilotta 2
Bus 52, 54

Pan Asia ■ e 3, p. 208
Un petit régal avec des produits à
base de soja, de riz, de thé et aussi
des produits alimentaires européens,
centrés sur l'aspect qualitatif.
Via Merulana 254/255
Métro: Vittorio

Panella l'Arte del Pane
■ e 3, p. 208
Pain frais tout croustillant, à chaque
heure du jour, et aussi des **dolci,**
préparés avec d'anciennes recettes.
Largo Giacomo Leopardi 10/Via
Merulana
Métro: Vittorio

Al Parlamento ■ a 1, p. 208
Endroit typique: les gens viennent y
goûter le vin et cela jusque tard le
soir.
Via dei Prefetti 15
Bus 52, 54

Marché

Via Milazzo ■ e 1, p. 208
C'est ici que la mamma vient s'approvisionner en aubergines fraîches
pour la sauce qui accompagnera les
pâtes du repas.
Via Milazzo
Métro: Termini
7 h – 13 h, fermé di

Mode

Mode chic et jeune pour pas cher:
voila ce qu'on trouve dans la **via
Nazionale** et les rues avoisinantes.

Albertelli ■ a 1, p. 208
Le spécialiste en chemises d'homme
sur mesure ainsi que des vêtements
de nuit.
Via dei Prefetti 11
Bus 52, 54

Ambassador ■ c 2, p. 208
C'est ici que la jeunesse romaine
déniche les habits à la mode.
Via Nazionale 166
Métro: Repubblica

Aria ■ c 2, p. 208
Jeans, tee-shirts, mini-jupes, un
magasin pour jeunes.
Via Nazionale 239
Métro: Repubblica

Box 233 ■ c 2, p. 208
Lieu de rencontre des adolescents.
Via Nazionale 233
Métro: Repubblica

Discount System ■ d 2, p. 208
Pièces de créateurs et autres vête-
ments à la mode – à moitié prix.
Via del Viminale 35
Métro: Repubblica

Duglas ■ d 1, p. 208
Si vous devez sortir dans le grand
monde romain mais qu'il vous manque la garde-robe ad hoc, vous trouverez ce qu'il vous faut. Il y a aussi
des modèles d'Ungaro et de Pierre
Cardin.
Via Flavia 80/82
Bus 60, 62

Gardini ■ c 2, p. 208
C'est ici que les jeunes Romains
viennent s'acheter la veste en cuir à
la mode.
Via Nazionale 57
Métro: Repubblica

Misano Noleggio Abiti
■ c 2, p. 208
Louer un costume ou un autre vête-
ment? C'est possible chez Misano.
Via Nazionale 87
Bus 16, 71

Chaussures

Santini ■ d 2, p. 208
Chaussures à la mode et voyantes à
moitié prix – toute l'année.
Via Santa Maria Maggiore
Métro: Vittorio

Shoeshop ■ c 2, p. 208
Avec des talons aiguilles super fins
ou plats, chaque pied trouvera la
chaussure qu'il lui faut!
Via Nazionale 252/253
Métro: Repubblica

Souvenirs

Segatori ■ b 2, p. 208
Un peu de tout: chapeaux, tee-shirts,
cravates et souvenirs.
Piazza di Trevi 103
Métro: Barberini

Journaux et illustrés

Sur chaque grande place – comme la
piazza Repubblica ou la **piazza
Colonna** – vous trouverez un kiosque
à journaux bien garni, offrant également la presse en langue française.
C'est aussi vrai pour la **Stazione
Termini** sur la piazza dei Cinquecento.

*Les marchés romains sont aussi
beaux et appétissants que ces
artichauts.*

Rome et ses quartiers

La via Appia Antica – la Regina Viarum, la rue Royale – la première voie et la plus importante datant de l'Antiquité.

Son constructeur fut, en 312, Appius Claudius, censeur de Rome. Il fit recouvrir la via Appia avec des plaques de basalte de quatre mètres de long, de forme polygonale irrégulière et qui permettait à deux véhicules roulant en sens opposé de se croiser. Elle devait permettre une liaison rapide entre Rome et Capoue, ce qui veut dire que sa longueur totale était de 195 km. On a également pensé aux piétons: un chemin en terre battue longeait la route sur ses deux côtés – d'une largeur d'un mètre et demi et bordé avec de la pierre. Les pistes cyclables n'étaient pas encore nécessaires à l'époque...

Bien entendu, les voyageurs pouvaient se réconforter en chemin avec un bon verre de vin – pas de danger de devoir subir l'alcootest. Tous les 10 ou 12 kilomètres, on trouvait des endroits de repos et de détente. Cela permettait aussi de changer de chevaux.

Promenade

Il est toujours agréable de se promener le long de la via Appia, mais il est conseillé de commencer votre marche au niveau des catacombes de Calixte. Car – tout comme il y a 2 000 ans – la via Appia sert encore toujours de voie rapide. Les voitures passent en trombe, les camions se dandinent et les chauffeurs de bus romains roulent comme des fous. Les catacombes de saint Calixte sont un lieu de visite très couru. Malgré le nombre de visiteurs, elles n'ont rien perdu de leur atmosphère particulière. Les morts ont été sortis depuis longtemps de leurs sépultures souterraines, mais les petits corridors cachent encore beaucoup de secrets.

Souvenirs préchrétiens

Les pierres portent, gravées en elles, de nombreuses traces du passé, que le guide éclaire avec sa lampe. Les couloirs courent sur quatre niveaux et couvrent une surface de 12 000 mètres carrés. Il vaut donc mieux rester près du guide!

La via Appia Antica: en partie promenade romantique, en partie chemin pavé dangereux.

Rome et ses quartiers

En sortant du labyrinthe souterrain, vous retrouvez la lumière sur la via Appia. A gauche, vous voyez immédiatement les restes de la **résidence impériale de Maxence**. A l'avant-plan, le mausolée de Romulus, dans lequel le fils de l'empereur Maxence fut enterré en 309 après J.-C. A l'arrière-plan, le **Cirque**, dont la partie frontale est limitée par deux tours; plus de 10 000 spectateurs pouvaient venir vibrer en regardant les courses de chevaux.

Sur le sommet de la butte, se trouve le tombeau de **Caecilia Metella** (50 av. J.-C.), fille de Marcus Crassus, un motif fort apprécié des peintres paysagers romains. Au cas où vous au-

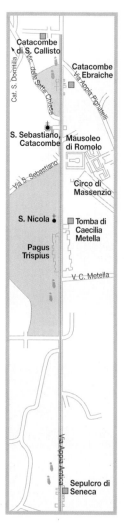

riez besoin d'un remontant... Tout près du tombeau, le Ristorante Cecilia Metella vous accueille. Vous pourrez manger dehors en été et devant la cheminée à l'intérieur en hiver.

Piste battue par les légionnaires

Un peu plus en avant, à la bifurcation avec la via Cecilia Metella, on peut encore reconnaître un morceau de l'ancienne route pavée. C'est derrière que commence la partie la plus riche en monuments commémoratifs – et c'est alors qu'elle ressemble à ce que l'on imagine: mystérieuse, sans fin...

Le centre de Rome n'est qu'à quelques minutes. Cependant on se retrouve dans le monde des légionnaires qui, par ce chemin encore en partie recouvert de pavés, partaient à la conquête du monde. Le vent souffle doucement dans les pins et les cyprès.

Vous pouvez continuer votre marche jusqu'à **Casal Rotondo,** le plus grand tombeau de la via Appia, qui est aussi l'extrémité de la partie la plus accessible de la route. Le mausolée devrait en fait être la tombe du consul Messalla Corvinius (31 av. J.-C.), mais les archéologues n'en sont pas certains. Celui qui désire tout savoir sur la via Appia, du moindre caillou ou de la moindre colline, doit se procurer, au bureau d'information pour touristes, le guide "La Via Appia Antica" et l'emporter avec lui en promenade.

Durée: environ 2 heures

Curiosités

Catacombes

La pierre tendre de tuf de la campagne romaine était facile à creuser, et elle durcissait au contact de l'air – l'idéal pour creuser des galeries souterraines. Depuis le IIe siècle, les chrétiens, à qui la crémation était interdite, ont enterré leurs morts dans des tombes souterraines communes car, à cette époque, les terrains étaient peu nombreux et chers. Les **catacombes** valent surtout une visite pour les peintures et les dalles funéraires, témoins des débuts de l'ère chrétienne.

Jusqu'à présent, on a découvert des tunnels sur une longueur de 700 kilomètres. La visite des catacombes n'est possible qu'avec un guide; il faut absolument respecter cette interdiction. Celui qui souffre de claustrophobie doit éviter cette visite!

San Callisto
Via Appia Antica 110
Bus 118
8 h 30 – 12 h et 14 h 30 – 17 h,
fermé me
Entrée 8 000 lires

San Sebastiano
Via Appia Antica 136
Bus 118
8 h 30 – 12 h et 14 h 30 – 17 h 30,
fermé je
Entrée 8 000 lires

San Domitilla
Via delle Sette Chiese 280
Bus 94
8 h 30 – 12 h et 14 h 30 – 17 h
Entrée 8 000 lires

Rome et ses quartiers

Chiesa Domine Quo Vadis

L'apôtre Pierre avait fui Rome devant les persécutions de Néron, lorsqu'il rencontra Jésus. Pierre lui demanda: "Domine, quo vadis?" (Maître, où vas-tu?). Ce à quoi Jésus répondit: "Venio iterum crucifici" (Je vais à nouveau me faire crucifier). L'apôtre Pierre retourna, honteux, à Rome où il mourut en martyr. En 1637, une église fut construite à cet endroit. L'empreinte de pied visible sur une plaque en marbre, au milieu de l'église, confirme l'apparition miraculeuse de Jésus.
Via Appia Antica 35
Bus 118

L'amour pétrifié d'un père pour sa fille. Le tombeau de sainte Cecilia, sans doute le plus beau et le plus célèbre monument de la via Appia.

Circo di Massenzio e mausoleo di Romolo

Le grand **tombeau de Romulus**, en forme de coupole, a été construit sur l'ordre de l'empereur Maxence, en 309, en l'honneur de son fils. Derrière le tombeau: le **circo di Massenzio**, la dernière piste de course de l'antiquité.
Via Appia Antica 153
Bus 118
9 h – 13 h 30; ma, je et sa aussi 16 h – 19 h, di et ve 9 h – 13 h
Entrée 3 000 lires

San Sebastiano

C'est ici qu'au IIIe siècle, au temps des persécutions dirigées contre les chrétiens, les ossements des apôtres Pierre et Paul auraient été conservés, avant de recevoir une sépulture dans une église au IVe siècle. Par la suite, l'église a été batptisée du nom du martyr saint Sébastien.
Via Appia Antica 132
Bus 118
9 h – 12 h et 14 h 30 – 17 h, fermé je

Tomba di Caecilia Metella

Le superbe tombeau de Cecilia, la fille de Quintus Metellus Creticus, est le monument le plus célèbre de la via Appia.
Via Appia Antica km 3
Bus 118
9 h – 15 h et ve 9 h – 13 h

Musée

Museo delle Mura Romane

■ F 6, carte avant
L'histoire des murs de la ville est racontée ici et cela vous donne l'occasion de vous promener sur une partie du mur d'Aurélien.
Porta San Sebastiano
Bus 118
9 h – 13 h 45, ma et je aussi 16 h – 19 h, fermé lu
Entrée 7 500 lires

Manger et boire

Cecilia Metella

Même les familles romaines, de retour de l'excursion du dimanche, aiment s'arrêter dans le restaurant le plus connu de la via Appia, juste en face de l'église San Sebastiano.
Via Appia Antica 125
Tél. 5 13 67 43
Bus 118
12 h – 15 h 30 et 19 h 30 – 24 h, fermé lu
Classe de prix élevée (EC, Visa, DC, Amex)

Osteria l'Archeologia

Une ancienne maison de campagne, transformée en restaurant qui réussit des pâtes parfaites et des plats de viande délicieux.
Via Appia Antica 139
Tél. 7 88 04 94
Bus 118
12 h 30 – 15 h et 19 h 30 – 23 h, fermé je
Classe de prix moyenne

Liberti

Cuisine romaine à un endroit qui donne la chair de poule: c'est ici qu'on enterrait les esclaves libérés – d'où le nom de "Liberti"
Via Appia Antica 87
Tél. 5 13 28 88
Bus 118
12 h – 15 h 30 et 19 h 30 – 24 h, fermé lu
Classe de prix moyenne

Quo Vadis

La question à poser, c'est "Que veux-tu manger?" Et ce sera de toute manière de la bonne cuisine romaine.
Via Appia Antica 38
Tél. 5 13 67 95
Bus 118
12 h – 14 h 30 et 19 h – 24 h
Classe de prix moyenne (EC, Visa, Amex)

Comme dans la Rome antique?

Imaginez une journée tout à fait normale dans la vieille Rome, au moins deux siècles avant la naissance de Jésus. Nous nous trouvons dans une spacieuse maison romaine avec jardin. Spartago S., le maître de maison, se lève à l'aube, s'asperge le visage et les mains avec de l'eau froide et se glisse dans sa tunique de lin ou de laine. Suivant la température, il en enfile deux ou trois l'une sur l'autre. Spartago est content car aujourd'hui aucune festivité n'est prévue, sinon il aurait dû ajouter une lourde toge, un survêtement blanc-pourpre. Il boit rapidement un verre d'eau. Ensuite ses pas le conduisent chez le barbier, car même un esclave ne peut lui toucher le visage. Les poils sont soigneusement brûlés ou bien retirés avec une mixture de poix, de résine, de bile de chèvre et de graisse d'âne.

Vers neuf heures du matin, il déjeune d'un morceau de pain avec du fromage. Alors la journée peut commencer. La maîtresse de maison, Lidia S., est en train de se faire coiffer et essaie sur un bouton de son front la nouvelle crème miracle à base d'excréments d'oiseaux écrasés. Ensuite, elle étale une poudre à base de plomb et de vinaigre de vin sur son visage, ses épaules et ses bras – car il faut avoir le teint le plus blanc possible. Lidia mélange un peu d'ocre et étale la pâte sur ses lèvres et sur ses joues. Un peu d'antimoine sur les cils pour terminer et le maquillage est prêt. Il lui faut encore choisir ses bijoux et sa tunique. Il ne reste plus grand-chose à faire à la maîtresse de maison. En moyenne, chaque maîtresse de maison dispose d'une centaine d'esclaves. Pendant ce temps, Spartago s'occupe de ses affaires dans les foires et assiste à des débats judiciaires et à des séances au Sénat. Vers midi, sa journée de travail est quasiment terminée. Après un repas léger, il peut se consacrer à la vie sociale. L'événement principal de la journée est, comme chaque jour, le bain aux thermes. Même les esclaves n'y renoncent pas. Les dames peuvent s'y rendre à la sixième heure, ce qui correspond pour nous à environ 11 h. A la neuvième heure, c'est le tour des messieurs.

Rome extra

La vie était vraiment belle pour un patricien de l'antiquité.

Après la natation, on se rend au sauna, à la salle de gymnastique où on se fait masser. Un peu de lecture empruntée à la bibliothèque, de la glace pilée au kiosque, une promenade entre les sculptures et les bustes de marbre...

L'après-midi, vers 3 heures, on est déjà prêt pour le repas du soir. Celui-ci peut durer facilement jusqu'à minuit. A l'entrée du "temple de la nourriture", on retire ses chaussures et les pieds sont lavés. Pour manger, on s'allonge confortablement sur un divan.

Le repas est composé de huit services, séparés par des danses, des pièces de théâtre. Après chaque service, les mains sont lavées dans de l'eau parfumée. Et, si après le cinquième service, le ventre est déjà trop rempli, on s'arrange pour le vider. Un ventre plein n'a pas beaucoup envie de travailler, mais un petit divertissement culturel est toujours le bienvenu, le plus sanguinaire possible: par exemple si le héros de la pièce de théâtre doit se donner la mort à la fin de la pièce, il doit le faire réellement sur scène. Pour changer de registre, on peut aller assister à des courses de chars au Circus maximus, qui durent presque toute la journée, avec des gladiateurs. Les Romains peuvent s'adonner à leur passion: le pari.

Cependant, la fin de la belle vie de patricien est proche. C'est le début de la décadence de l'Empire romain. De plus en plus souvent, on parle de révoltes d'esclaves – mais qui s'en soucie: Rome est puissante, la vie est belle...

Rome et ses quartiers

Rome est une des rares villes dont le rempart de murailles est pratiquement complet. Il a résisté à la Seconde Guerre mondiale. Les murs imposants qui entourent la ville sont moins une expression de sa force que de sa faiblesse: ils ont été érigés comme protection d'un royaume déclinant.

Lorsque l'Empire romain était au sommet de sa puissance politique et commerciale, un mur primitif doublé d'un fossé profond suffisait comme protection. Contre les menaces de plus en plus pressantes des Barbares – en l'an 268, les guerriers du Nord avaient poussé jusqu'en Ombrie – l'empereur Aurélien avait fait construire un rempart en tuiles de six mètres de haut et trois mètres et demi de large. La construction prit neuf ans. Plus l'importance politique de la ville s'amenuisait et plus on renforçait le rempart. Au Ve siècle, la hauteur du mur a dû être doublée à cause des attaques des Goths. Au VIe siècle, il fut encore fortifié. A la fin, le mur de rempart avait 19 kilomètres de long, un bon huit mètres de haut et quatre mètres d'épaisseur. Une tour s'élevait tous les 100 mètres, avec une chambre de tir à l'étage supérieur. Plus de 2 000 ouvertures de fenêtre venaient encore en supplément. Il y avait 4 portes principales.

Le mur d'Aurélien commence à la porta del Popolo, suit le viale del Muro Torto pour être ensuite interrompu par la porta Pinciana. En longeant le corso d'Italia, on atteint la porta Salaria, qui s'enroule autour du castro Pretorio vers la porta Tiburtina et la porta San Lorenzo, pour aller jusqu'à la porta Maggiore, porta San Giovanni et porta Metronia. Le plus beau morceau se trouve entre la porta Latina et la porta San Sebastiano, où commence la **via Appia Antica** (p. 232).

Le rempart est très impressionnant. Au **Museo delle Mura romane**, à la **porta San Sebastiano**, vous pouvez faire un petit tour à la manière des légionnaires (p. 237).

D'une certaine manière, le lieu de naissance de la capitale italienne. Il y a 125 ans, Garibaldi enfonça la porta Pia et proclama "Roma capitale".

Rome et ses quartiers

Campo Verano

Fare una bella figura – jusqu'à la fin. Sur le campo Verano, le plus grand cimetière de Rome, c'est la vanité qui est éternelle. Le passage vers l'au-delà, dans cette ville où les mausolées et les tombes sont immenses, se fait de manière triomphante.
Piazzale San Lorenzo
Tram: 30 b
9 h – 18 h

Catacombe di Santa Priscilla

La plus ancienne et la plus étendue des catacombes de Rome, qui remonte au IIe siècle. Ce labyrinthe souterrain est composé de deux étages et a été créé sous l'égide de la famille Acilii, à laquelle Priscilla appartenait. Cette famille, qui s'était convertie au christianisme, a permis à ses coreligionnaires d'enterrer leurs morts dans les galeries souterraines situées sous la villa. La **cappella della Vergine col Bambino,** une des plus anciennes représentations de Marie, se trouve aussi dans ces catacombes.
Via Salaria 430
Bus 56, 57
8 h 30 – 12 h et 14 h 30 – 17 h; fermé en janvier
Entrée 8 000 lires

Città universitaria

L'université de Rome a été déplacée en 1935 de l'espace réduit du palazzo della Sapienza vers la Città universitaria. Cette ville universitaire, qui est un exemple expressif de l'architecture italienne du temps du fascisme, possède toute une série de musées – une véritable source de découvertes pour ceux que les sciences naturelles attirent. Il y a là un musée de paléontologie, de la minéralogie, de la géologie, de l'anthropologie, une collection d'herbes comptant 420 000 pièces et un musée d'arts classiques, pour n'en citer que quelques-uns.
Viale delle Scienze
Tél. 4 99 11
Tram: 30 b
Entrée libre, la visite n'est possible que sur demande.

Porta Pia　　■ F 1, carte avant

C'est ici que se termine l'histoire du Risorgimento italien. Les troupes de Garibaldi pénétrèrent dans la ville le 20 septembre 1870, en passant par la porte Pia, expulsèrent le pape et déclarèrent Rome capitale de l'Italie réunifiée. L'endroit où ils pénétrèrent est marqué d'une colonne décorative. La façade, qui est tournée vers la via XX Settembre, fut conçue par Michel-Ange entre 1561 et 1564 à la demande du pape Pie IV. La maison près de la porte abrite le **museo storico dei Bersaglieri** qui, selon l'histoire, est dédié aux tireurs d'élite.
Piazzale Porta Pia
Tram: 30 b
Ma, je et sa 9 h – 13 h
Entrée libre

Sant'Agnese Fuori le Mura

En 304, la Romaine Agnès mourut en martyre dans le stade de Dioclétien. Elle fut enterrée dans une catacombe située devant les murs de la ville. Pour l'honorer, Constance, la fille de l'empereur, lui fit élever une basilique. Au VIIe siècle, l'église fut restaurée, notamment l'autel principal. Les reliques de la martyre se trouvent maintenant juste au-dessus de la tombe de sainte Agnès.
Le plafond en bois superbement décoré date de l'an 1606. L'habillage

Ville mortuaire très riche: le plus grand cimetière de la ville, le campo Verano, merveilleux avec ses statues en marbre.

des corniches date du VIIe siècle.
Via Nomentana 389
Bus 36, 37

San Lorenzo

"Nato ai bordi di periferia"... Ce que le chanteur Eros Ramazotti chantait dans son premier succès, ce sont les quartiers ouvriers situés en bordure de la grande ville – des quartiers comme San Lorenzo. La magnificence de Rome jette de grandes ombres ici: des maisons mal construites, des disputes quasi quotidiennes, la drogue... Celui que cela n'effraie pas trouvera d'antiques bistrots, des

trattorie bon marché où la mamma est encore assise derrière le comptoir – et aussi une bonne dose d'amitié. Eros Ramazotti sait de quoi il parle, car ce chanteur de charme, qui vit maintenant dans une villa proche de Milan, est originaire de ce quartier situé devant les portes de Rome. Tram: 30 b

San Lorenzo Fuori le Mura

Saint Laurent mourut en l'an 258, martyrisé sur une grille chauffée. Il fut enterré en dehors des murs de la ville. L'empereur Constantin fit construire une chapelle funéraire dans les environs. Sous le pape Pélagius II, une nouvelle église fut construite, de 579 à 590, sur le tombeau de Laurent. Au XIIIe siècle, on y ajouta une basilique mariale qui fut reliée à l'ancienne église. Les murs du porche sont décorés de fresques du XIIIe siècle. L'espace intérieur est équipé de 22 colonnes. La tombe du saint se trouve sous le baldaquin de l'autel, qui avait encore été créé pour l'an-

Catacombes, les tombes souterraines

L'idée de se perdre dans ce sombre labyrinthe souterrain est une véritable vision d'horreur, qui hante les visiteurs, même s'ils se trouvent à côté du guide...

Ces couloirs souterrains ont quelque chose de sinistre et pourtant ce ne sont que des cimetières situés sous la terre, dans lesquels les chrétiens enterraient leurs morts. Les récits horribles au sujet de cachettes souterraines du temps des persécutions ont été éliminés. On admet maintenant plus couramment que les chrétiens se rassemblaient ici pour célébrer leur culte.

La loi romaine interdisait les enterrements à l'intérieur des murs de la ville. A l'époque, les terrains étaient déjà hors de prix aux portes de Rome, c'est pourquoi on creusait des tombes souterraines. Le labyrinthe se composait d'un couloir principal divisé en plusieurs branches latérales. On connaît actuellement 52 catacombes mais on suppose qu'il y en a encore plus qui se répartissent en un réseau de 600 kilomètres de long.

Les couloirs reliaient ce que l'on appelait des cryptes, dans lesquelles le corps d'un martyr était conservé. Cette crypte était richement décorée, souvent avec les symboles des premiers temps: poisson, olivier, pain, colombe, branche de palmier, bateau. Le long des couloirs étaient placées des niches, servant à enterrer un ou plusieurs morts. Chacune était refermée par une plaque de marbre ou d'un autre matériau, sur laquelle on pouvait lire le nom de la personne décédée. Des niches funéraires étaient aussi creusées dans le sol.

Il y avait aussi des arcosolia, c'est-à-dire des tombes finement travaillées et décorées, surmontées d'un arc. La plaque servant à fermer ces tombes était positionnée de manière horizontale et pouvait servir d'autel pour dire la messe. Les couloirs souterrains étaient illuminés par des lampes à huile ou des bougies. A partir du Ve siècle, les catacombes et les tombes n'ont plus été utilisées. Elles sont restées des lieux importants,

Rome extra

La tombe de sainte Cécile fut retrouvée dans les catacombes de San Callisto.

comme nous le montrent les nombreux témoignages laissés par les martyrs sur les cercueils. Au VIIe siècle, on a commencé à déplacer les tombes des martyrs dans les églises. Peu à peu, les cimetières souterrains sont tombés dans l'oubli et bientôt on ne sut même plus où se trouvait l'entrée du souterrain.

Les seules catacombes restées ouvertes et pour lesquelles on a toujours témoigné de l'attention, ce sont celles de San Sebastiano, San Lorenzo, San Pancrazio et San Valentino. On suppose que les reliques des apôtres Pierre et Paul étaient enterrées dans les catacombes de San Sebastiano, avant que les basiliques sur la colline vaticane et la via Ostense ne soient construites.

Dans les catacombes de San Callisto, on a trouvé la tombe de sainte Cécile, dont le cercueil a été conservé dans l'église du même nom. La crypte du pape est également célèbre car elle contient la sépulture des papes de 236 à 283 ap. J.-C., ainsi que celle de plusieurs cardinaux.

De plus, on y a découvert des peintures qui représentent l'eucharistie et le baptême.

Il y a quelques années, le cauchemar des visiteurs des catacombes s'est réalisé: un homme s'est trompé dans les couloirs et ne fut retrouvé qu'après une semaine. Il avait bien résisté à son voyage d'horreur dans le monde souterrain...

cienne église.
Une inscription du côté intérieur indique l'année 1148. Par le côté droit de la nef, on atteint la chapelle funéraire de Pie IX, qui mourut en 1870. Des fragments de dalles tombales, provenant des catacombes situées sous l'église, sont accolés aux murs du cloître (construit de 1187 à 1197).
Piazzale di San Lorenzo
Tram: 30 b

San Paolo Fuori le Mura

Elle représenta pendant un temps la grande église de la chrétienté – du moins jusqu'à la construction de la basilique Saint-Pierre. Au-dessus de la tombe de l'apôtre Paul, à l'extérieur de la ville, l'empereur Constantin érigea, au IVe siècle, un petit mémorial. La construction de la basilique ne commença qu'en 386. Par deux fois (441 et 1400), l'église dut être reconstruite après un incendie. La nef centrale et la nef latérale de l'ancienne basilique ont été séparées par 80 colonnes de granit. Sous l'autel, dans une tombe, devraient se trouver les ossements de l'apôtre car sur la dalle mortuaire figure l'inscription "Pauli Apostolo Mart". La lampe du XIIe siècle, à côté de l'autel – œuvre de Niccolo di Angelo et de Pietro Vassalletto – est, avec ses 5,6 mètres de haut, la plus grande de Rome.
Sous les fresques de la nef centrale, une bande de mosaïques déroule des représentations du pape, dont la première est un portrait imaginaire de l'apôtre Pierre. Les médaillons vides sont censés apporter de l'espoir. Selon la légende, la fin du monde serait proche lorsqu'il n' y aura plus de place de libre pour placer la représentation du prochain pape.

Via Ostiense 186
Métro: San Paolo Ostiense

Villa Ada

Le jardin de la Villa Ada, l'ancienne résidence privée de Vittorio Emanuele III, est parfois accessible au public, du moins certaines parties. Des bois, des lacs artificiels, des chutes d'eau, encombrés d'adeptes de la course à pied, de fanatiques du patin à roulettes et de paisibles promeneurs... tous profitent du parc. Des courses pour enfants s'y déroulent souvent. Avec un animateur, vous apprendrez à connaître les animaux, à différencier les plantes et à découvrir les sentiers de promenade.
Via Salaria
Bus 56, 57
De 7 h au coucher du soleil

Villa Doria-Pamphili

■ A 4/A 5, carte avant
L'ancien château de plaisance de Camillo Pamphili, un neveu du pape Innocent, construit en 1644 par Alessandro Algardi, est l'endroit rêvé pour un pique-nique au vert. Le parc le plus étendu de Rome, avec ses prairies, ses parterres de fleurs, ses statues, ses fontaines, ses bois de pin, ses chutes d'eau et deux lacs artificiels, sont une invitation tentante à une excursion dans la nature. Malheureusement le parc est traversé par la via Olimpica, une construction routière créée à l'occasion des Olympiades de 1960. Entrée par la via di San Pancrazio, via Aurelia Antica, via Viteli
Bus 44
De 7 h au coucher du soleil

Musées

Museo dell'Immagine fotografica e delle Arti visuali

Un musée sortant de l'ordinaire, dédié à la photographie moderne et aux artistes contemporains. Il n'y a pas d'exposition permanente. Cependant, sur demande chez le docteur Carlo Giovannella, les 150 œuvres peuvent être admirées gratuitement.
Terza Università di Roma di tor Vergata
Via Ricara Scientifica
Métro: Anagnina; bus 500

Museo delle Navi romane

■ a 3, p. 286

Lors de la construction de l'aéroport à Fiumicino, à la fin des années cinquante, on a trouvé les restes d'un port, que l'empereur Claude avait dû faire construire. Plus loin, les bulldozers découvrirent un deuxième port, que l'empereur Trajan avait fait construire vers les années 110. Le port de Trajan était relié par un canal artificiel au Tibre. On y trouva les restes de bateaux et d'autres moyens de transport, avec lesquels les Romains étaient partis à la conquête du monde.

Les objets provenant des fouilles sont exposés au museo delle Navi romane dans les environs de l'aéroport. On y voit les restes d'une petite flotte romaine avec laquelle les Romains prenaient le risque de naviguer.
Fiumicino, via Alessandro Guidoni
Départ: le mieux, avec le train de l'aéroport, à partir de la Stazione Termini (p. 26)
Lu et ve 9 h – 13 h, me et je aussi 14 h – 17 h
Entrée 4 000 lires

La plus grande, jusqu'à la construction de la basilique Saint-Pierre: San Paolo Fuori le Mura.

Rome et ses quartiers

Achats

Dans le centre-ville, il y a peu de grands centres commerciaux. C'est pour cette raison que les Romains traînent plutôt à la périphérie. Là, des centres commerciaux gigantesques, comptant plus de 100 magasins, des restaurants, des bars et des banques, ouvrent leurs portes. On peut y passer sans problème toute la journée et acheter tout ce dont on a besoin – à bas prix. C'est surtout le samedi soir que les gens s'y rendent. La famille romaine part faire ses courses, en grand – mais sans se presser. De temps en temps, on prend un apéritif, on essaie l'automate à cartes de visite, puis un peu de lèche-vitrine... Cette façon de faire ses achats ressemble plus à une excursion familiale d'une journée.

Cinecittà Due Centro Commerciale ■ b 2, p. 286

Appeler ce complexe un "supermarché" serait être bien en dessous de la vérité. Le terme "ville d'achats" semble plus approprié. On y trouve tout, aussi bien des spécialités locales qu'internationales, avec un coin réservé à la cuisine végétarienne. Avec, bien sûr, la mode, des chaussures, des banques et un parking géant juste devant. Si vous êtes venu à Rome en voiture et que vous désirez ramener quelques souvenirs typiques, il est vivement conseillé de s'arrêter ici avant de repartir. Tout ce que vous aurez du mal à dénicher dans le centre-ville, vous le trouvez ici, concentré dans un espace réduit et à des prix bien plus bas.
Via Palmiro Togliatti
Coin via Tuscolana
Métro: Cinecittà
9 h 30 – 20 h, fermé sa

Marchés

Mercato generale

Le commerce de gros de légumes et fruits italiens, dans toute sa splendeur. Ce marché dans le sud de la ville est bruyant, sale, rempli de courants d'air, mais c'est un spectacle haut en couleur. Dès 4 h 30 du matin, les fruits, légumes, viandes et poissons sont livrés. Les marchandages peuvent commencer. A partir de 10 h et jusqu'à environ 12 h, le marché est ouvert au public.
Via Ostiense
Métro: Garbatella

Ponte Milvio

Le marché très coloré d'aliments, à l'extrémité nord de la via Flaminia, est connu pour son excellent poisson. Si un repas de fête est prévu dans une famille romaine, les produits nécessaires viendront d'ici.
Piazzale di Ponte Milvio
Bus 201, 220
6 h – 13 h 30, fermé di

Tentation pour gourmets: le marché du ponte Milvio propose, aux amateurs de poisson, toute la richesse de la mer et tout ce qui va avec pour réaliser un repas de fête.

Rome différemment

LLO SU TELA (CANVA

Art éphémère: les rues de Rome sont une pépinière de jeunes talents. Qui sait, peut-être que l'un de ces artistes amateurs deviendra célèbre...

Rome différemment

Ces dernières années, les Romains ont quelque peu délaissé la légendaire dolce vita, préférant les soirées familiales plus tranquilles. Cependant, on assiste à un retour de la vie nocturne.

Ce sont les politiciens de la Deuxième République qui ont tiré la vie nocturne de Rome de son sommeil profond. Les nouveaux venus dans le palazzo Madama – dont la majorité n'a pas encore atteint l'âge de la retraite – se sont précipités avec le même enthousiasme sur leur environnement inaccoutumé que sur leurs devoirs politiques.

Retour du piano-bar

Que faut-il pour raviver la vie nocturne? Des lieux appropriés. Ceux-ci ont poussé comme des champignons depuis 1994. La nouvelle mode redécouvre le piano-bar: discret, confortable, procurant un fond musical agréable.

Les politiciens noctambules considèrent les prestations tardives comme une affaire personnelle: "Nous ne nous rencontrons pas dans des clubs privés comme le faisaient les politiciens des premiers temps et nous ne dépensons pas notre argent pour nous payer une accompagnatrice. Nous allons dans des discothèques, là où viennent les jeunes Romains qui nous ont élus".

Le plus grand obstacle sur le chemin des douces nuits romaines, du moins pour le visiteur ordinaire, c'est le portier qui veille à l'entrée des night-clubs. Habillé en jeans et tee-shirt, vous aurez bien peu de chance d'y entrer. Seul un aspect tout à fait convenable permet de passer devant le cerbère.

Disco-trips

Les nuits chaudes sont l'affaire de quelques discothèques, qui ont leur propre devise; on y parle alors de Nutella-party ou de la Nuit des dessous. Le thème de la soirée est annoncé dans le journal.

Les principaux centres d'amusement se trouvent dans le centre-ville, les lieux de rencontre un peu plus populaires dans le quartier du Testaccio. Pour de plus amples informations sur les expositions et les programmes de cinéma, consulter les quotidiens: "Il Messaggero", "La Repubblica" et "Il tempo"; les plus détaillées sont les éditions du week-end.

Bars et discothèques à la mode sur le monte Testaccio: atmosphère bunker ou autre...

Rome différemment

Bars

Antico Caffè della Pace
■ b 2, p. 100

Lieu de rencontre de style "rive gauche", à deux pas de l'appartement romain de Berlusconi, qui vient d'ailleurs volontiers y prendre un verre. Francis Ford Coppola et Naomi Campbell passent aussi lorsqu'ils sont en ville.
Via della Pace, 5
Bus 46, 62, 64
15 h – 2 h

Banana Café
■ b 3, p. 126

Le karaoké, le divertissement favori de nombreux Italiens. Au Banana Café, ils peuvent s'en donner à cœur joie. Le roi évident du karaoké est Fiorello, un ancien animateur de club, qui a entre-temps mis son propre show TV sur pied et qui passe dans les nuits romaines.
Via San Francesco a Ripa 100
Bus 780
22 h – 2 h, fermé le di en été

Bar del Fico
■ b 2, p. 100

Nouvel endroit décoré dans un style Art nouveau. Il a été ouvert par Carlo Rocco, une figure connue des nuits romaines. Le Cornacchie, le Gamela et le Calisé lui appartiennent également.
Piazza del Fico
Bus 62, 64
20 h – 2 h, fermé di

Bar Hemingway
■ c 1, p. 100

Un des lieux de rencontres préférés à l'époque socialiste, moins fréquenté actuellement. Il est donc plus facile de trouver une place.
Piazza delle Coppelle 10
Bus 119
21 h – 3 h, fermé sa

Caffè Latino
■ c 6, p. 187

Un local de nuit traditionnel, dans les grottes du Testaccio, "le village de Rome".
Via di Monte Testaccio 96
Bus 27, 92
Lu 22 h 30 – 2 h 30, ve et sa jusqu'à 4 h; fermé en juillet et août

The Onyx
■ a 1, p. 286

Night-club branché du monde romain du show. Les stars et les starlettes se rencontrent ici. Un samedi par mois, on y présente un "défilé de sous-vêtements": les plus belles Romaines participent à l'élection de "Miss Intimo" (les dates sont reprises dans les journaux). Attention: 3 000 personnes peuvent prendre place à l'Onyx.
Via Vallatrave
Anguillara Sabazia (env. 15 km du centre-ville; liaison par bus)
Ve-sa 22 h 30 – 3 h; en été uniquement ouvert le sa

Discothèques

Akab ■ c 6, p. 187
Le lieu de rencontre de la jeunesse
romaine du meilleur monde. La nuit
vibre de musique funk et black; le
D.J. ne passe pas de techno ou de
House.
Via di Monte Testaccio 69
Bus 27, 92
22 h – 4 h

L'Alibi ■ c 6, p. 187
Bonne sono, trois étages et une terrasse. Cette discothèque était avant
le club des homosexuels. Le public
est maintenant mélangé. Les vip
romains y viennent aussi à
l'occasion.
Via di Monte Testaccio 18
Bus 27, 92
23 h – 4 h, sauf lu

*Le Bar del Fico: ce qu'il y a de
plus beau par une belle nuit
d'été...*

Alien ■ F 1, carte avant
La représentation était difficile mais
la nuit ne vient encore que de commencer: des acteurs stressés viennent volontiers chez Alien –
discothèque genre underground.
Via Velletri 13/19
Bus 36, 61, 62
23 h – 4 h, fermé lu

Gilda ■ b 3, p. 61
Quand Claudia Schiffer est à Rome,
c'est ici qu'elle vient, une fois le
travail terminé.
Via Mario de'Fiori 97
Métro: Spagna
23 h – 4 h, fermé lu

Jackie O. ■ c 3, p. 61
C'est ici que les paparazzi réussis-
sent les meilleurs clichés et que la
chasse aux beautés et aux riches est
la plus réussie.
Via Boncompagni 11
Métro: Barberini; bus 52
23 h – 3 h 30,
fermé di et lu

Rome différemment

Lady Killer ■ b 2, p. 126
Un mélange de brasserie, taverne et discothèque. Possibilité de petite restauration. Les dames y sont aussi les bienvenues malgré le nom menaçant...
Via del Moro 37c
Bus 26, 44, 56
20 h 30 – 3 h, fermé lu

New Open Gate ■ c 4, p. 61
L'ancienne décoration a été retirée au profit d'une nouvelle basée sur le noir et le rouge. Depuis que la direction du New Open Gate se trouve complètement entre des mains féminines, l'établissement remonte la pente. Le thème est différent chaque soir – de la soirée Nutella jusqu'aux "sous-vêtements en folie", la fête des dessous capricieux – il est certain de faire le plein d'un public enthousiaste. Attention: entrée strictement interdite à ceux qui portent des fourrures!
Via San Nicola da Tolentino 4
Métro: Barberini
23 h – 4 h

Piper
Chaque vendredi soir est réservé aux femmes. Elles ont alors entrée libre et mènent la danse.
Via Tagliamento 9
Bus 56, 57
22 h – 5 h

Radio Londra ■ c 6, p. 187
Disco-bar avec possibilité de grignoter un petit quelque chose, le tout dans une ambiance d'abri anti-aérien: partout des sacs de sable et le barman porte un casque d'acier...
Via di Monte Testaccio 67
Bus 27, 92
23 h 30 – 4 h sauf ma

Cinémas

Azzurro Scipioni ■ B 1, carte avant
Le régisseur Claudio Agosti présente dans son cinéma, en plus des productions hollywoodiennes du jour, des films culturels italiens.
Via Degli Scipioni 82
Métro: Ottaviano; bus 19

C.G. Excelsior
Le nouveau complexe cinématographique comportant trois salles et 640 places, inauguré fin 1994 en présence de nombreuses stars.
Viale Beata Vergine del Carmelo 2
Bus 708

Maestoso
Projection dans quatre salles.
Via Appia Nuova 416
Bus 9, 85, 87

Metropolitan ■ b 2, p. 198
812 places pour les fans de grands films internationaux.
Via del Corso 7
Bus 119

Pasquino ■ b 3, p. 126
Films en langue anglaise.
Vicolo del Piede 19
Bus 23, 65

Concerts

Accademia filarmonica romana
Cette académie organise régulièrement des concerts classiques, notamment avec des artistes étrangers.
Teatro Olimpico
Piazza Gentile da Fabriano
Tél. 3 23 48 90
Bus 910

Congregazione di Santa Cecilia
■ e 3, p. 170

Une des plus anciennes académies de musique d'Italie (fondée en 1584). On y présente des opéras anciens et modernes. Le chœur y est extraordinaire mais malheureusement la salle de concert est trop petite, c'est pourquoi les artistes donnent souvent leurs représentations dans la salle de concert du Vatican, via della Conciliazione. Le premier coup de bêche pour le nouvel auditorium a été donné en novembre 1994, mais il ne sera pas terminé avant fin 1997.
Via della Conciliazione
Tél. 68 80 10 44
Bus 23, 34, 41

Palladium

C'est ici que les grands du rock se produisent.
Piazza B. Romano 8
Tél. 5110203
Bus 11, 92, 770

Salles de musique

Alexanderplatz ■ A 1, carte avant
Cabaret de jazz traditionnel.
Via Ostia 9
Bus 190, 907
21 h – 1 h 30, fermé di

Big Mama
■ b 4, p. 126

Le temple romain du blues: les meilleurs jazzmen ont donné une représentation sur la scène de ce night-club. Aussi bonnes, les improvisations des artistes anonymes ne laissent pas indifférents.
Vicolo san Francesco a Ripa 18
Bus 26, 44, 97
21 h – 1 h 30

Caffè Caruso
■ c 6, p. 187

Musique, danse et amusement dans deux salles. Roberto Nicas, un ancien photographe, dirige l'établissement et le portier Ronnie trie les invités.
Via Monte Testaccio 36
Bus 27, 92
21 h – 2 h, fermé lu

Carlsberg Pub
■ c 3, p. 61

Musique, clips vidéo et en plus un steak épais, peut-être pas typiquement romain, mais excellent.
Via Sant'Isidoro 5
Métro: Barberini
22 h – 2 h, fermé lu

Clochard
■ b 2, p. 100

Rythme et blues, musique soul en live tous les soirs.
Via del Teatro Pace 30
Bus 62, 64, 70
22 h – 1 h, fermé lu

Electronic Art Café
■ c 2, p. 208

Chaque vendredi soir, le jardin sur le toit du palazzo delle Esposizioni se transforme en night-club de style new-yorkais où l'art et la mode se rencontrent.
Via Nazionale 194
Bus 57, 170
Chaque vendredi 23 h – 2 h

Jazz Café
■ b 1, p. 100

Deux jeunes entrepreneurs romains se sont jurés de faire du Jazz Café un lieu de rencontre dans la ville – et avec quel succès! La haute société s'y rend volontiers ainsi que les acteurs. On y écoute de la live music, on y boit beaucoup et on y mange un peu.
Via Zanardelli 12
Bus 70, 81
21 h 30 – 2 h 30, fermé di

Rome différemment

Panthéon Club ■ c 1, p. 100
Boîte à live music comportant deux salles. On y écoute des mélodies originaires des Caraïbes, du reggae, des tubes des années soixante.
Via del Pozzo delle Cornacchie 36
Bus 70, 87
22 h – 2 h

Spago ■ c 6, p. 187
Les étudiants et les jeunes cadres viennent se détendre dans l'établissement d'Andrea Pugliese.
Via di Monte Testaccio 34
Bus 27, 92
22 h 30 – 3 h, fermé lu

Yes Brazil ■ b 3, p. 126
Rythmes de samba, servis avec un cocktail exotique, on s'y croirait...
Via San Francesco a Ripa 100
Bus 44, 97
18 h – 2 h

Pianos-bars

Bilbò ■ c 2, p. 100
Le lieu de rencontre privilégié des politiciens de droite, inauguré en octobre 1994 par le président du parti Forza Italia.
Via Salita dei Crescenzi
Bus 119
22 h – 2 h

Popp & Prue ■ b 2, p. 100
Ce piano-bar est une sorte de deuxième salle de séjour pour Valeria Marini, le nouveau sex-symbol italien. Ce que l'on peut comprendre, en voyant ces fauteuils confortables et ces boissons exquises...
S. Maria dell'Anima 24
Bus 70, 81
22 h – 2 h

Tartarughino ■ b 1, p. 100
Ce piano-bar, vieux de quelques années, est un vrai classique romain; un peu démodé mais certainement encore agréable.
Via della Scrofa 1
Bus 70, 119
22 h – 2 h

L'Uovo ■ c 1, p. 208
Nouvellement ouvert, lieu de rencontre très actuel de Serafino Barlese, le champion off-shore italien. Une atmosphère intime et discrète où les politiciens et les acteurs sont assis au coude à coude.
Via Giosuè Carducci 8
Bus 910
22 h – 3 h

Théâtre, opéra et ballet

Un programme détaillé de toutes les représentations se trouve par exemple dans les pages du "Roma/Spettacoli", dans l'édition du dimanche du "Messaggero". Pour vous faire livrer gratuitement à l'hôtel le billet d'entrée du théâtre, il suffit d'en faire la demande aux agences suivantes:
Antiprima
Tél. 8 07 39 33
Associazione culturale
Roma comoda
Tél. 3 72 39 56
Une tradition qui avait débuté il y a une soixantaine d'années vient de se terminer en 1995: les représentations musicales dans les termes de Caracalla. Les représentations de plein air, en été, continuent cependant sur la **"piazza di Siena",** dans le parc de la Villa Borghese, où il ne faut pas s'occuper de la préservation des ruines...

Teatro Argentina (Teatro di Roma)
■ c 2, p. 100
Prose et concerts dans un des théâ-
tres les plus fréquentés de la ville.
Largo di Torre Argentina 65
Tél. 68 80 46 01
Bus 44, 56, 60

Teatro Manzoni
Le haut lieu de la "commedia
brillante".
Via Monte Zebio 14
Tél. 3 22 36 34
Bus 90, 280

Teatro Nazionale
■ d 2, p. 208
Concerts et représentations théâ-
trales.
Via del Viminale 51
Tél. 48 54 98
Métro: Termini

Teatro Parioli
Théâtre et cabaret et aussi patrie du
show de Maurizio Constanzo, une
émission de télévision italienne très
populaire.
Via Giosuè Borsi 20
Tél. 8 08 82 99
Bus 19, 53

Salone Margherita
■ b 4, p. 61
A la fois spectacle de danse et show,
parfois retransmis en direct par TV 5.
Via Due Macelli 75
Tél. 6 79 82 69
Bus 119

*Vous n'entendrez pas jouer de
la mandoline au clair de lune
dans Rome, mais bien provenant des bistrots.*

Les 10 meilleures adresses pour le soir

L'Alibi   ■ c 6, p. 187
... parce que les trois étages
du plus ancien club d'homosexuels de Rome sont aussi
très recherchés par un public
hétérosexuel (→ p. 255).

Alien   ■ F 1, carte avant
... parce que, à chaque fois,
c'est une soirée différente qui
est organisée (→ p. 255).

Antico Caffè della Pace
          ■ b 2, p. 100
... parce que c'est ici que les
fils et les filles de bonne famille se donnent rendez-vous les
chaudes nuits d'été (→ p. 254).

Banana Café   ■ b 3, p. 126
... parce que le karaoké est
l'amusement absolu pour les
Italiens (→ p. 254).

Caffè Latino   ■ c 6, p. 187
... parce que tout le monde
perd la tête quand la live music est si forte (→ p. 254).

10x10

Gilda ■ b 3, p. 61
... parce que la high-society s'y rend en Ferrari (→ p. 255).

Jackie O. ■ c 3, p. 61
... parce que l'ancien night-club où régnait la Dolce Vita, vaut une visite, ne serait-ce que pour des motifs nostalgiques (→ p. 255).

Jazz Café ■ b 1, p. 100
... parce que, quand on regarde l'ancien mannequin new-yorkais dans le fond des yeux, on comprend pourquoi ses hamburgers et ses cheesecakes sont si bons (→ p. 257).

Lady Killer ■ b 2, p. 126
... parce qu'un **gelato** au parfum de martini rouge, dégusté à minuit, c'est vraiment le summum (→ p. 256).

Radio Londra ■ c 6, p. 187
... parce que la musique house, dans une froide ambiance de bunker, semble être la clé du succès (→ p. 256).

Pour augmenter vos chances de passer l'entrée, soignez votre apparence!

Rome différemment

Un spectacle de mode d'une journée en juillet sur l'escalier de la Trinité-des-Monts, une fête géante en juillet dans le Trastevere, quelques jours fériés religieux, Rome n'a pas grand-chose à offrir pour ce qui est de grandes fêtes.

Pour ce qui est des rendez-vous internationaux, le choix est plutôt maigre. Les organisateurs de kermesses regardent avec envie du côté de Milan. Mais, au fond d'eux-mêmes, les Romains n'ont pas besoin de dates fixes pour faire la fête. Ils célèbrent tous les jours la dolce vita et n'attendent pas un jour de fête pour festoyer avec un repas généreux. Le jubilée de l'an 2000 est déjà la grande date qu'ils ont en ligne de mire et qui pend comme une épée de Damoclès au-dessus de leur tête. A cette date, la ville doit être restaurée, nettoyée et purifiée, afin que Rome puisse fêter dignement le changement de millénaire. Mais jusque-là, les Romains devront se contenter des fêtes prévues au calendrier. La majorité de celles qui sont célébrées dans la Ville Eternelle a un fond religieux – ou au moins un "saint " qui les chapeaute. L'amuse-ment est cependant toujours prioritaire. C'est au mois d'août que les fêtes battent leur plein. La ville surchauffée fête l'été et la culture se déplace à l'extérieur.

Avec un peu de chance, vous pourrez voir un artiste à l'œuvre, car "Roma capitale" n'en oublie aucun. Les informations sur les organisations individuelles se trouvent dans les suppléments du week-end des quotidiens tels qu' "Il Messaggero", "La Repubblicca" et "Il Tempo". Des renseignements peuvent aussi être obtenus à l'office du tourisme.

Si les festivités romaines vous semblent insuffisantes, ou si l'envie vous prend soudain d'assister à une fête colorée, traditionnelle et surtout originale, faites alors le détour par la "Tore de Capitale".

Dans beaucoup de petits endroits des environs de Rome, on sait encore faire la fête comme dans le temps, sans trop sacrifier au tourisme. A Alatri par exemple, au mois d'août, c'est la fête **Tiro al Formaggio** qui offre son folklore abondant, en une sorte de fête du fromage.

A Tivoli, au milieu du mois d'août, **Il Salvatore incontra la Madonna,** une fête dédiée à la madone, est très pittoresque. Fin août, à Tolfa, ce sont les bergers qui se mesurent dans le **Torneo dei Butteri.**

Début septembre, à l'occasion de la **Festa di Santa Rosa,** des centaines de jeunes gens en costumes historiques portent une tour éclairée de 30 mètres à travers le village. Aux premières semaines d'octobre, se déroule à Marino, la **Sagra dell'Uva,** une fête du vin qui se termine par l'élection des "sette re di Roma", sept rois de Rome, qui permet d'honorer des personnalités de l'art et de la politique.

Il n'y a pas que des mariages qui ont lieu au Vatican: celui qui n'a pas la chance d'être invité à ces cérémonies trouvera sûrement un autre événement à fêter.

Janvier

La Befana

Les enfants italiens n'ont jamais cru à saint Nicolas mais bien à la sorcière: La Befana. Cette vieille dame apparaît le 6 janvier et offre des cadeaux aux petits. A Rome, sur la piazza Navona, on fait la fête entre des baraques remplies de jouets et de sucreries.
6 janvier

Festa di Sant'Agnese Fuori le Mura

Deux agneaux sont bénis dans l'église qui porte le même nom. Ils sont ensuite donnés aux sœurs bénédictines de Santa Cecilia qui, avec la laine des deux animaux, vont réaliser des "draps" que le pape offrira aux archevêques.
21 janvier

Mars

Festa di San Giuseppe

Sur les routes du quartier Trionfale, on prépare des beignets farcis à la crème, en l'honneur de saint Joseph.
19 mars

Mars-avril

Pâques

La fête de la Résurrection est placée à Rome sous le signe de la bénédiction "urbi et orbi". Des milliers de croyants se pressent sur la place Saint-Pierre, pour y recevoir la bénédiction du pape.
Dimanche de Pâques

Rome différemment

Avril

Festa di Primavera
Tout le mois, les marches de l'escalier de la Trinité-des-Monts sont décorées avec des azalées en fleur, pour fêter l'arrivée du printemps.

Mai

Concorso ippico internazionale
Derby international dans le parc de la Villa Borghese, plus précisément sur la piazza di Siena. Avec, pour terminer, le "Carrousel des carabiniers", une fête haute en couleur, qui permet aux policiers romains de se montrer sous leur plus beau jour.
Fin avril/début mai

Les Trasteverini, les habitants du Trastevere, savent comment s'y prendre pour s'amuser...

Foire des antiquaires
Exposition d'antiquités dans la via dei Coronari
Fin mai

Juin

Fiera internazionale di Roma
Le long de la via Cristoforo Colombo, plus de 1 300 exposants présentent leurs produits. Naturellement, l'accent est mis sur la mode, les chaussures et l'aménagement intérieur.
Tout le mois

Festa della Repubblica
La fête de la République italienne est célébrée par une parade militaire qui défile du Colisée à la piazza Venezia.
2 juin

Festa di sant'Antonio di Padova
Saint Antoine est honoré par une messe dans la Via Merulana.
13 juin

Procession du Saint-Sacrement
Une procession qui part de la basilique San Giovanni in Laterano pour se rendre à l'église Santa Maria Maggiore où le pape dit la sainte messe.
Fête-Dieu

Festa di San Giovanni
Une fête populaire est organisée en l'honneur du saint, dans le Latran. Le repas est composé de cochon de lait et d'escargots.
23-24 juin

Pietro e Paolo
A l'occasion de cet important jour de fête romain, dédié aux saints patrons de la ville, le pape célèbre personnellement une messe dans la basilique Saint-Pierre.
29 juin

Juillet

Festa dei Noantri
Atmosphère de fête dans le Trastevere. On danse dans les rues et sur les places, on y mange et boit beaucoup.
15 au 30 juillet

Août

Estate romana
Un programme culturel pour ceux qui sont restés chez eux: musique, danse, cinéma, mode. Le tout, en plein air. Pour terminer, un spectacle "Roma Alta Moda", un défilé de mode sur les marches de l'escalier de la Trinité-des-Monts.
Juillet/août

Ferragosto
A l'occasion de l'Assomption, Rome est une ville déserte, abandonnée aux touristes, car tous les Romains sont partis à la mer ou à la campagne.
15 août

Octobre

Une centaine de peintres locaux se rassemblent pour leur foire traditionnelle dans la via Margutta.
Mi-octobre

Décembre

Fête de l'Immaculée-Conception
Le pape vient dire la messe près des colonnes de Marie, sur la piazza di Spagna.
8 décembre

Fiera di piazza Navona
Marché de Noël traditionnel sur la piazza Navona, dans la vieille ville.
Mi-décembre jusqu'au 6 janvier

Noël
Les plus belles messes de minuit sont célébrées la nuit de Noël dans l'église Santa Maria Maggiore et Santa Maria d'Aracoeli. Le jour de fête suivant, le pape donne sa bénédiction sur la place Saint-Pierre.
24-25 décembre

Rome différemment

Vous voulez rafraîchir vos connaissances en italien, décrocher un diplôme d'œnologie et dénicher une sculpture en bronze pour Noël, allez suivre des cours à Rome!

Les cours de langue, d'informatique et même de mise en forme, ne connaissent pas du tout le même succès qu'ailleurs en Europe. Sans parler des cours de cuisine, car le meilleur professeur de cuisine italienne donne des cours gratuits chez elle, dans sa propre cuisine. Et pourquoi donc s'intéresser à la cuisine étrangère – pourquoi apprendre à cuisiner chinois quand les spaghettis sont si bons...? Pour tous les cours: absolument se renseigner avant (par téléphone).

Art et musique

IALS
Une des plus célèbres école de danse de Rome. Classique et moderne se trouvent au programme, mais aussi le tango, le flamenco et les danses sud-américaines.
Via Fracassini 60
Tél. 3 23 63 96
Bus 910

L'Officina dell'Arte
Ici, on découvre et apprend l'artisanat sous ses plus belles formes. Cela va de la restauration de meubles anciens jusqu'à la création de statues de bronze, en passant par des cours de peinture et de céramique.
Via Rocco Santo Liquidi 16
Tél. 30 36 53 23

Scuola d'Arti Ornamenti
◼ a 3, p. 61
L'art peut-il s'apprendre? On peut toujours essayer ici. Le choix va de la réalisation de fresques à la peinture traditionnelle, du tissage au cours de sculpture. Il n'est de toute façon pas facile d'avoir une place.
Via San Giacomo
Tél. 6 79 06 02
Métro: Spagna

Restauration

Istituto centrale Restauro
◼ c 3, p. 126
Ecole de restauration de meubles et de sculptures renommée qui accepte aussi les étudiants étrangers.
Via San Michele 23
Tél. 5 89 65 93
Bus 23

Istituto italiano Arte Artigianato e Restauro

Comment restaure-t-on des meubles antiques et des étoffes murales? Vous le découvrirez ici!
Viale Ardeatina 108/A
Tél. 5 75 71 85
Bus 94, 160

Cours de langue

Dante Alighieri ■ c 1, p. 100
Cours d'italien, de musique et d'art dans un beau palais.
Piazza Firenze 27
Tél. 6 87 37 22
Bus 90, 119

DI.L.IT ■ F 2, carte avant
Cours d'italien en groupe ou en cours particulier – la première leçon est gratuite.
Via Marghera 22
Tél. 4 46 62 26 02
Métro: Castro Pretorio

Il faut déjà pas mal de doigté si l'on veut suivre un cours d'art dans la Ville Eternelle.

Autres cours possibles

Corso di cultura enologica
Initiation au noble art du choix des vins. Les cours se terminent par un examen et l'attribution d'un diplôme de "goûteur de vin diplômé, spécialisé en vins latins".
Sezione Provinciale ONAV (Organizzazione Nazionale Assaggiatori di Vino)
Circonvallazione Ostiense 337
Tél. 5 78 03 65

New Service
Les dames de la noblesse romaine viennent personnellement donner des cours de maintien – par exemple l'art de recevoir, qui compte huit leçons. Pour connaître l'endroit où se donnent ces cours, composez le 37 51 50 22.

Les 10 marchés les plus typiques

Campo de'Fiori ■ b 2, p. 100
... parce que c'est le plus beau marché de produits frais de Rome, et qu'on y compte 10 touristes pour une ménagère (→ p. 120).

Mercato dei Fiori
...parce qu'ici on trouve tout ce qui transforme une terrasse en un océan de fleurs. Seul problème: le soleil...
(→ p. 183).

Mercato generale
... parce que l'ancien marché de gros ressemble davantage à la gare principale (→ p. 248).

Mercato delle Stampe
■ a 4, p. 61
... parce que, avec un peu de chance, on peut trouver ici une agréable effervescence
(→ p. 92).

Ponte Milvio
... parce que le poissonnier Lucrezio raconte les histoires les plus folles au sujet de ses poissons (→ p. 248).

Mercato di piazza di San Cosimato ■ b 3, p. 126
... parce que c'est ici que la mamma italienne, à grand renfort de mots et de gestes, achète ses ingrédients pour la sauce des spaghettis (→ p. 137).

Piazza Testaccio ■ c 5, p. 187
... parce que les fruits et les légumes sont une fête pour les yeux, et que le salami et le fromage ravissent les gourmets (→ p. 201).

Porta Portese ■ c 4, p. 126
... parce que, entre le chanteur de charme napolitain et le parfum épicé de porchetta, vous y trouverez absolument tout, du transistor aux sous-vêtements synthétiques (→ p. 137).

Mercato di via Sannio
... parce que ceux qui aiment fouiner sur les étals et les chasseurs d'instantanés se trouvent ici au septième ciel (→ p. 163).

Marché de Noël sur la piazza Navona ■ b 2, p. 100
... parce que, pour que l'ambiance de Noël soit parfaite, il ne manque plus que le vin chaud et le pain d'épice (→ p. 102).

La variété règne sur les marchés romains.

269

Rome différemment

Vous pouvez bien sûr jouer au tennis, nager, vous adonner au fitness ou, pourquoi pas, faire de la course à pied à travers les espaces verts romains. Courir tôt le matin dans les jardins de la Villa Borghese ou parcourir les allées du Circus maximus, voilà une manière originale de réunir culture antique et culture physique!

Un véritable sportif ne renonce pas pendant ses vacances à ses exercices favoris. Pas de problème: les opportunités de se faire des muscles ne manquent pas à Rome. Avec le premier marathon de Rome, en mars 1995, la Ville Eternelle s'est qualifiée dans une discipline classique et s'est hissée dans la lignée des organisateurs des grandes courses. Pourquoi ne pas venir y participer l'année prochaine?
Un vieil adage romain n'affirme-t-il pas "Mens sana in corpore sano: "Un esprit sain dans un corps sain"...

Parmi les sports passifs, c'est le football – comment pourrait-il en être autrement? – qui est le plus populaire. Jeunes et vieux, hommes et femmes sont pris chaque dimanche par la fièvre du **calcio** et, le cœur battant, regardent le match devant l'écran de télévision familial ou au stade. Victoire ou défaite, triomphe ou tragédie nationale.
Le tennis international déroule ses fastes au mois de mai, dans le **Foro italico**. Obtenir des cartes d'entrée – la pré-vente débute en janvier – est pratiquement impossible (si vous voulez néanmoins tenter votre chance, tournez-vous vers la Federazione italiana di Tennis, Via Eustachio 9).

La passion des chevaux

Les Romains étaient des passionnés de courses de chevaux et cet héritage s'est maintenu à travers les siècles. Tous les ans, au printemps, des masses de gens se pressent au **Concorso ippico internazionale**, sur la piazza di Siena (p. 264).
Dans les pages régionales des quotidiens, on trouve des renseignements sur les centres de prévente et les organisations sportives.

Les joggers s'exercent dans le Circo massimo, le plus ancien terrain de jeux de l'Antiquité.

Rome différemment

Bocce (boules)

Les Romains sont des grands fans des bocce.

C'est surtout en été qu'on y joue, dans beaucoup d'endroits, par exemple ici:

Bocciafila Monte Sacro Alto
Via Aleramo 1
Bus 37
15 h 30 – 21 h

Bowling

Le bowling est un sport de société à Rome. Il permet de se rencontrer, de discuter et de jouer.

Bowling Roma   ■ F 1, carte avant
Viale Regina Margherita 118
Bus 36, 38
10 h – 20 h

Jeux d'ordinateur

Club Obi Wan   ■ a 3, p. 208
Le premier "café de jeux" de Rome possédant plus de 200 jeux d'ordinateur.
Vicolo Margana 13/14
17 h – 23 h

Remise en forme

Iron Body System
La musculation pour pouvoir rivaliser avec Hercule ou Schwarzenegger.
Via Appia Nuova 464
Tél. 7 80 11 59
Bus 650, 663
11 h – 21 h

Sporting Palace
Musculation, aérobic, sauna.
Via Cargo Sigonio 21/A
Tél. 7 88 79 18
Bus 650
9 h – 22 h

Voler

Aeroclub Roma
Via Salaria 825
Tél. 8 12 02 90
Bus 135, 235

Football

Centro sportivo Silvestri
Centre de sport et de détente avec minigolf, tennis, ping-pong, billard et jeux vidéo.
Via Giorgio Zoega 6
Bus 98, 181
9 h – 23 h

Stadio Flaminio
Football, centre de remise en forme et piscine.
Viale Pilsudsky 16
Métro: 168
15 h 30 – 21 h

Golf

Vous serez accepté en tant qu'invité dans la plupart des clubs de golf romains, à condition de pouvoir prouver votre appartenance à un club et que vous possédiez un handicap.

Circolo Golf Roma
Le club de golf le plus ancien et le plus select.
Via Acqua Santa 3
Tél. 7 80 34 07
Bus 664, 765

Olgiata Golf Club
Largo dell'Olgiata 15
Tél. 30 88 91 41
Bus 201

Gymnastique

Si vous préférez vous dégourdir les jambes et vous entraîner plutôt que de faire la grasse matinée, c'est possible dans certains parcs romains. De fin avril à juillet, l'administration offre gratuitement des cours de gymnastique, chaque dimanche matin, dans les parcs de la Villa Ada et de la Villa Borghese.
Métro: Flaminio
Bus 53, 168

Kayak, bateau

Que diriez-vous d'une descente du Tibre en kayak?

Circolo Canottieri Lazio
Lungotevere Flaminio 25
Tél. 3 22 68 56
Bus 910

Pour les adeptes du calme, il est possible de faire du canotage sur le lac de la Villa Borghese; les bateaux sont loués sur place.
Autour du lago Bracciano, il existe des clubs de voile.

Equitation

Envie d'apprendre à monter à cheval à Rome? Adressez-vous à:

Centro ippico Kappa
Via Portuense 1939
Tél. 65 00 02 49
Bus 228, 773

Natation

Aldrovandi Swimming Pool
■ b 1, p. 61
Via Michele Mercati 11
Tram: 19 b, 30 b

Piscina coperta del Foro italico
Piscine couverte.
Foro italico, P. de Bosis
Bus 32

Piscina delle Rose ■ b 2, p. 286
EUR, Viale America 20
Métro: EUR/Fermi

Tennis

Près de 400 clubs de tennis sont à votre disposition. La location n'est pas trop chère, mais il faut réserver une semaine à l'avance.
La plupart des grands hôtels disposent de leur propre terrain de tennis.

Circolo del tennis dell'Acquasanta
Via Appia Nuova 716a
Tél. 7 84 30 79
Bus 650, 663

Circolo Tennis Roma
■ F 5, carte avant
Via Ipponio 11
Tél. 7 00 89 76
Tram: 90 b

Courses de lévriers

Cinodrome
Ponte Marconi, via della Vasca Navale 6
Tél. 5 56 62 58
Bus 170, 717

Le roi Calcio: le football à Rome

"Forza Lazio!", le maire de Rome Francesco Rutelli est un fervent supporter de ce club. Par contre, tous les employés de l'administration communale soutiennent les rivaux locaux de l'AS Roma. Ce n'est pas un problème tant que les deux équipes ne jouent pas l'une contre l'autre. Mais si un derby local se profile à l'horizon – **Lazio Roma** contre **AS Roma** – l'ambiance dans la commune devient rapidement explosive – et pas seulement là.

Lorsque les deux rivaux s'affrontent, toute la ville est sur le pied de guerre. Près de 75 000 spectateurs trouvent alors place au stadio Olimpico, la patrie de l'**Associazione sportiva Roma,** fondée en 1927 dans le quartier populaire du Testaccio. Ce type de rencontre est une bonne affaire pour l'association.

Pour les Italiens, ce qui compte avant tout, c'est leur championnat national – le roi Calcio règne en maître sur chaque dimanche. Les retransmissions en direct représentent les taux d'écoute les plus élevés de la télévision. Les joueurs sont mieux payés que les acteurs et ils sont traités comme des stars. Les passes réalisées par les joueurs sur le terrain constituent le sujet principal des discussions des gens de la rue pour le restant de la semaine. Le football est un sujet de conversation universel. Le petit ouvrier de San Lorenzo, le facteur, le parlementaire et même le chauffeur de bus d'habitude peu loquace, tous deviennent volubiles quand il s'agit du match de foot du dimanche.

Si soudain la paix dominicale est rompue par des cris, des hurlements et des coups de klaxon, c'est que l'un des deux clubs locaux a gagné le match qu'il disputait. Les fans (tifosi) de l'AS Roma agitent des drapeaux aux couleurs de la ville, jaune-rouge avec la louve romaine. Les partisans de la Lazio Roma se reconnaissent aux accessoires de couleurs bleu ciel-blanc.

Le temps où les matchs de football n'étaient qu'un simple divertissement est malheureusement révolu. Il y a à présent beaucoup d'agressivité et tout est affaire de tolérance réciproque. La violence est entrée dans les stades italiens. A Rome, une bataille rangée a eu lieu devant le sta-

Rome extra

Tous les Romains sont fous de football dès leur plus jeune âge et rêvent de devenir des Roberto Baggio.

dio Olimpico, le 6 octobre 1991, peu avant le derby local, entre les **tifosi** de la Lazio Roma et ceux de l'As Roma. Le photographe de presse du "Messaggero", Rino Barillari (→ Rino Barillari, le roi des paparazzi, p. 70-71), faisait partie des victimes. Il a été blessé à coups de couteau.

L'acte le plus grave a été perpétré le 29 janvier 1995 à Gênes. Lors de la rencontre à domicile contre l'AC Milan, un fan de Gênes, âgé de 19 ans, a été poignardé devant le stade. Par peur de représailles, les fans de Milan furent rapatriés en bus vers Milan.

Jusqu'à 10 h du soir, les spectateurs restèrent enfermés dans le stade.

Le dimanche suivant, tous les matchs furent annulés. Même le pape prit la parole: il en appela à la jeunesse et à l'absence de violence dans les stades...

Si vous désirez assister à un spectacle de football romain, il faut essayer de vous procurer rapidement des billets, car le nombre de places est limité. Les tickets se vendent de 15 000 à 200 000 lires. Les places les moins chères sont des places debout, les plus chères les places dans les tribunes.

Stadio Olimpico (AS Roma)
Curva Nord
Tél. 3 68 51
Bus: 32, 186

Lazio Point (Lazio Roma)
Via Cipro 4 e
Tel. 39 73 64 64
Métro: Ottaviano

Rome différemment

Mah che bell'bambino! Che carino! **Quel bel enfant! Quel amour! Tous les Italiens tombent en admiration devant les enfants même si ces derniers pleurent. Dans les hôtels et restaurants, on vous servira avec une attention toute particulière si votre enfant vous accompagne.**

Rome dispose de nombreux parcs dans lesquels les enfants peuvent se défouler. Dans le parc de la **Villa Borghese**, vous pouvez louer des vélos d'enfant. Ainsi, après s'être bien dépensés dans la nature durant la journée, vos enfants éprouveront une saine fatigue le soir et s'effondreront, épuisés, dans leur lit.

Si vous prévoyez une visite de musée un peu plus longue ou si vous désirez visiter la ville en paix, il y a de nombreuses possibilités d'activités d'un jour ou d'une semaine, où les enfants peuvent s'occuper en compagnie d'autres enfants de leur âge.

Si rien ne leur résiste, voici la solution de la dernière chance: une crème glacée colorée, sur une gaufre. Quel est l'enfant qui peut y résister?

Rome a aussi beaucoup de choses à offrir à ses petits visiteurs qui ne seront pas nécessairement attirés par le marathon parental à travers les musées et les vieilles pierres. Il existe une série de musées – comme le **Giardino zoologico** (p. 67) ou le **museo delle Navi romana** (p. 247) ou encore le **Museo nationale preistorico** (p. 279), qui font les yeux doux aux petits visiteurs.

A la découverte du parc sur le petit train

La visite de la basilique Saint-Pierre peut être intéressante pour les enfants plus âgés. L'entrée est interdite aux poussettes mais, juste à droite de l'église, il y a un "parking" gardé pour les entreposer.

Qui ne voudrait pas conduire la locomotive dans ce jardin de rêve? Le "trans jardin express" traverse les installations étendues de la Villa Borghese – et pas seulement pour la joie des enfants.

Rome différemment

Arcobaleno 93 ◼ B 2, carte avant
Des cours sont organisés ici en été
pour les enfants de 4 à 12 ans:
sports, jeux, amusements, gymnastique de plein air. Le séjour minimum
est d'une semaine, le repas de midi
est compris dans le cours.
Piazza Cavour 25
Tél. 3 21 25 78
Bus 49

Casa del Fumetto ◼ a 1, p. 170
Le royaume du comique: les aventu-
res dessinées pour les fans de
Donald, Mickey et Co.
Via Bragadin 8
Métro: Ottaviano (dans le futur
Mosca)

Centro Giovanile San Paolo
Chaussures de football pour jeunes à
partir de 5 ans.
Viale San Paolo 12
Tél. 5 59 33 68
Bus 170

**Commune di Roma Biblioteca
centrale per ragazzi** ◼ b 3, p. 100
Les enfants jusqu'à 16 ans peuvent
venir se plonger dans les livres et les
BD. Avec vidéothèque et différents
jeux.
Via San Paolo alla Regola 16
Tél. 6 86 51 16
Bus 60, 65

Crescere Insieme
Propose des baby-sitters qualifiées,
ainsi qu'un service d'accompagne-
ment pour enfants.
Via Brunacci 18
Tél. 5 56 51 33
Bus 170, 780

*On tombe parfois de manière
inattendue sur des activités pour
enfants – par exemple le
Gianicolo, la sortie dominicale
préférée des familles romaines.*

Curiosità e Magia ■ c 1, p. 100
Un véritable pays des merveilles pour les enfants, avec des objets humoristiques, des masques et des jouets antiques.
Piazza Montecitorio 70
Bus 52, 53, 119

Green Park
Tous les cours, jeux et excursions attractifs pour les petits. Green Park propose aussi des baby-sitters.
Via Cechov 12 a
Tél. 5 14 08 05
Bus 767

Infanta ■ a 4, p. 61
Organise des fêtes pour enfants, avec des clowns, des magiciens et des musiciens.
Via dei Prefetti 17
Tél. 6 87 35 08
Bus 90, 119

Museo nazionale preistorico
 ■ b 2, p. 286
La découverte de la côte africaine ouest, du continent noir et de l'art africain. Une exposition sur et autour de l'Afrique, le tout dans un musée, est toujours appréciée des jeunes et des moins jeunes. De ce fait, elle s'est transformée depuis peu en exposition permanente.
Casale G. Marconi 14 (EUR)
8 h – 14 h, di et ve 8 h – 13 h
Métro: Fermi; bus 671, 714
Entrée 8 000 lires, enfants jusque 16 ans, gratuit

Rita di Lorenzo ■ D 6, carte avant
Jeux créatifs sous la direction d'une psychologue. Les enfants fabriquent eux-mêmes leurs jouets chez Rita.
Via Santa Saba
Tél. 5 74 38 47
Bus 94

Squatriti ■ a 3, p. 61
Les artisans réparent les poupées antiques ici.
Via di Ripetta, 29
Bus 70, 81, 90

Teatrino del Clown Tata di Ovada
Chaque dimanche, blagues et amusement avec les clowns et Co.
Via Coppola di Musitani 20
Tél. 88 64 01 57
Bus 438

Teatro delle Marionette degli Accettella
Le monde des poupées qui tiennent à un fil. Comme actionnés par une main magique, les princes et les princesses se marient, les nobles chevaliers combattent les méchants monstres.
Piazza Gondar 22
Tél. 8 60 17 33
Bus 38, 135

Teatro Verde
Les enfants peuvent visiter le théâtre de marionnettes et une exposition qui leur est consacrée.
Circonvallazione Gianicolense 10
Tél. 5 88 20 34
Bus 181, 280

Villa Borghese ■ b 1/c 1, p. 61
Un train miniature, un petit lac avec des barques, beaucoup de verdure et le Giardino zoologico.
(voir p. 67)
Métro: Falminio/Spagna

WWF ■ b 3, p. 100
La World Wildlife Federation organise pour les enfants en âge scolaire des "semaines vertes" dans les parcs.
Via Trinita dei Pellegrini 1
Tél. 6 89 29 51
Bus 65

Les 10 glaciers irrésistibles

Fiocco di Neve ■ c 2, p. 100
... parce que nulle part ailleurs au monde, il n'existe un gelato alla birra, de la glace au goût de bière (→ p. 113).

Il Gelato di San Crispino
... parce que lorsque l'on a goûté le sorbet au calvados, on ne peut plus s'en passer (→ p. 163).

Albalonga
... parce que la crème des spaghettis n'est pas **al dente** mais **alla crema** (→ p. 162).

Alemagna ■ a 1, p. 208
... parce que la glace crémeuse au chocolat plaît vraiment à tout le monde (→ p. 224).

Giolitti ■ c 1, p. 100
... parce que c'est ici que les personnalités et "monsieur Tout-le-monde" se délectent de gaufres à la glace, côte à côte, jusque tard dans la soirée (→ p. 113).

Krechel ■ b 4, p. 61
... parce que la Sachertorte viennoise n'est rien en comparaison des glaces romaines (→ p. 85).

Maneschi ■ a 3, p. 61
... parce que, les jours d'été, il y a possibilité de se rafraîchir en choisissant parmi les 16 différents goûts de sorbet (→ p. 85).

Dal Freddo da Fassi
■ f 3, p. 208
... parce que le sabayon au choco et à la crème fraîche, à moitié glacé, aurait dû s'appeler non pas "Caterinetta" mais bien "La Grande Catherine" (→ p. 224).

Della Palma ■ c 1, p. 100
... parce que nous n'avons malheureusement pas encore réussi à goûter les cent différentes sortes (→ p. 114).

Pellacchia ■ e 1, p. 170
... parce le vrai connaisseur de **gelato** fait des kilomètres pour venir savourer la vraie glace à la fraise des bois (→ p. 183).

Un cornet garni de glace se demande: "Un cono da duemila (tremila) Lire per favore".

Rome différemment

Bien que Rome ne soit pas encore facile d'accès pour les moins valides, elle le devient progressivement. Les musées, églises et palais ne resteront plus fermés à certains visiteurs: des fonds ont été débloqués pour éliminer les barrières architectoniques de la Ville Eternelle et faciliter aux visiteurs en chaise roulante l'accès aux beautés de Rome.

Parallèlement, l'administration communale a mené une large campagne d'information. Le Vatican est certainement un précurseur en ce domaine, car il a déjà facilité l'accès aux installations avec des rampes et des ascenseurs.

Pour les **transports publics de proximité**, seule la ligne de bus 590 a été équipée pour accueillir les moins valides; elle suit la ligne du métro A. Tout comme chez nous, il y a des emplacements de parking réservés aux handicapés, qui se reconnaissent aussi à un sigle. Il est même possible de se garer dans des zones interdites, pour autant que le véhicule ne gêne pas la circulation.

Obstacles dans les hôtels

Passer la nuit à l'hôtel n'est pas toujours chose aisée, surtout dans les petits hôtels ou ceux de classe inférieure. Les chambres sont généralement situées dans les étages supérieurs et le seul moyen d'y accéder est un très ancien ascenseur déjà trop étroit pour transporter une valise.

Au **restaurant** aussi, il convient de téléphoner à l'avance pour réserver une table facile d'accès.

La personne handicapée qui se rend à Rome doit absolument se procurer la brochure "Rome accessible, obstacles touristiques et architectoniques". Elle est éditée en quatre langues, par l'Assessorato Turismo Regione Lazio, en collaboration avec le "Consortium des coopératives intégrées" et est également mise gratuitement à disposition à l'office du tourisme **ENIT** (p. 312). Sur 253 pages, vous trouverez une liste des hôtels, musées, restaurants, cinémas, installations sportives et autres de Rome, accessibles en chaise roulante.

Gare Roma Termini ■ e 2, p. 208
Depuis 1990, il existe, dans la gare principale de Rome, un service d'assistance pour voyageurs handicapés. Le bureau se trouve dans le hall des guichets, à côté de la centrale des taxis.

A l'intérieur de la gare, des voiturettes électriques sont disponibles et des chaises roulantes sont mises à disposition.

Près des quais 1 et 22 se trouvent des toilettes adaptées aux moins valides.

Aeroporto Leonardo da Vinci

■ a 3, p. 286

Sur demande, à l'intérieur de l'aéroport, possibilité de disposer de voiturettes électriques. En cas de problème, il faut s'adresser à la "Sala Amica", dans le bâtiment principal. Pour cela, suivre les flèches.

Centro informazione documentazione handicap

Ligne téléphonique pour tout renseignement utile ou nécessaire pour les moins valides et leurs accompagnateurs à Rome, sur les hôtels qui leur sont accessibles, sur les possibilités de loisirs et de sports et celle d'avoir un accompagnateur qualifié.
Tél. 06/238 2210/5
Lu-ve 9 h – 17 h

CO.IN.

Le centre de tourisme pour visiteurs moins valides renseigne, organise des excursions et propose des guides.
Via E. Gigliolo 54/A
Tél. 23 26 75 04, Fax 23 26 75 04
Bus 991, 999

Promenades secrètes

Chaque premier samedi du mois ou sur demande, l'agence organise des visites de la ville pour moins valides et visiteurs en chaise roulante. Il suffit de se mettre d'accord à l'avance, par téléphone, sur le lieu de rendez-vous dans la ville.
Viale Medaglie d'Oro 127
Tél. 39 72 87 28

Hôtels

Jolly

■ c 2, p. 61

La chaîne d'hôtels Jolly possède des hôtels dans chaque grande ville d'Italie, et donc naturellement aussi à Rome. Il se trouve au centre, près de la via Veneto, possède 7 salles de conférence, un restaurant et un piano-bar – et surtout 4 chambres avec un bain conçu pour des personnes handicapées.
Corso d'Italia 1
Tél. 84 95, Fax 8 84 11 04
Bus 95, 490
Classe de prix élevée (EC, Visa, DC, Amex)

Royal Santina

■ e 2, p. 208

Un service amical et une situation centrale rendent un séjour au Royal Santina très agréable. Il y a cinq chambres adaptées aux voyageurs en chaise roulante.
Via Marsala 24
Tél. 4 45 70 57, Fax 4 94 12 52
Métro: Termini
Classe de prix élevée (EC, Visa, DC, Amex)

Sicilia

■ c 3, p. 61

Hôtel sympathique, bien que d'une classe moindre que les deux autres. Cependant, il jouit aussi d'une situation centrale et dispose d'un équipement adapté aux moins valides.
Via Sicilia 24
Tél. 4 82 19 13, Fax 4 82 19 43
Métro: Barberini; bus 52, 58
Classe de prix moyenne (EC, Visa, DC, Amex)

A la mer? Ou à Ostie l'Antique? La plage de Rome fait découvrir l'ancienne ville portuaire et la métropole commerciale tout en donnant un aperçu de la vie telle qu'elle se déroulait à l'époque.

Excursions

Rome a tellement à offrir à ses visiteurs qu'on ne quitte le centre qu'à regret. Cependant, les alentours de la Ville Eternelle regorgent de curiosités.

A un jet de pierre des autoroutes et des usines, une campagne idyllique, avec des prairies, des troupeaux de moutons et d'anciennes cavernes de tuf, vous attend. La **campagna**, l'arrière-pays de Rome, s'étend à l'ouest jusqu'à la mer Tyrrhénienne, au nord jusqu'aux montagnes du Tolfa et la vallée du Tibre, à l'est jusqu'aux Abruzes et au sud-ouest jusqu'aux montagnes d'Albe.

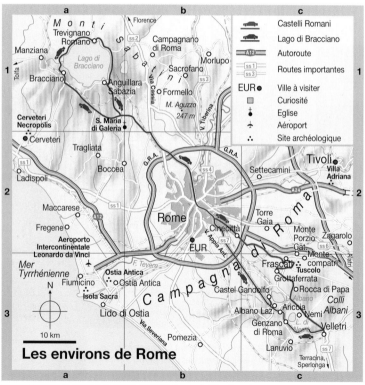

Les environs de Rome

Les combinaisons de lettres et de chiffres dans le texte renvoient à cette carte.

Lorsque l'Empire romain s'effondra, les grandes familles prirent peur et s'enfuirent à la campagne. Dans les collines d'Albe, les petits villages se transformèrent en camps fortifiés: les castelli romani. Les Romains d'aujourd'hui se retirent pour d'autres raisons sur les collines: ils fuient chaque week-end le bruit et la pollution de la grande ville.

Pour contraster avec la partie campagne, avant d'arriver dans les montagnes et les vignobles des Castelli Romani, jetez un coup d'œil à l'usine de rêves **Cinecittà**, qui se trouve sur le chemin.

C'est là que de grands classiques virent le jour, sur une superficie de 140 kilomètres carrés, le long de la via Tuscolana. (Fellini et compagnie: le rêve à Cinecittà, p. 290-291).

La patrie des Frascati

De retour dans la réalité des douces collines, on arrive en quelques minutes à un endroit qui n'est pas seulement apprécié que par les amateurs de vin: **Frascati** – le vin du même nom est originaire de ces Castelli Romani. Depuis 2 000 ans, la jeunesse dorée de l'antique Rome s'amuse ici. Et, même si l'amusement n'est plus le même, on jouit sur la piazza Marconi d'une superbe vue.

Le regard va de Monte Porzio Catone et le Montecompatri vers **Tuscolo**. Lors d'une bataille en 1191, cette petite ville fut complètement détruite. Depuis, elle n'a jamais été entièrement reconstruite. C'est ici que l'orateur romain Cicéron tenait ses célèbres conférences.

Visite chez Cicéron et Caligula

Dans la **Grottaferrata**, à quelques minutes en voiture, des moines grecs ont érigé un couvent en 1004, sur les restes d'une villa antique. Il s'agit probablement des ruines de la villa de Cicéron. La balade se poursuit par la Rocca di Papa joliment placée entre une colline et la mer, sur la via dei Laghi menant à **Nemi** et le **lago di Nemi**. Sur cette étendue d'eau, le bois sacré, dédié à la déesse de la chasse Diane, se reflète. C'est pour cette raison que ce lac est aussi nommé le "specchio di Diana", le miroir de Diane.

Ecoutez donc l'histoire de ce lac, en attendant votre assiette de spaghetti, attablé au restaurant du même nom. L'empereur Caligula, de très mauvaise réputation, avait décidé d'épouser Diane. Fou de colère parce que la belle déesse ne lui était pas accessible, il fit amarrer deux énormes bateaux au bord du lac et s'y faisait amener les plus jolies filles des environs.

A l'époque de Mussolini, on a voulu vérifier l'exactitude de cette légende.

Excursions

On fit baisser le niveau de l'eau et, au grand étonnement de tous, on trouva les deux bateaux de Caligula! Les pièces retrouvées furent disposées dans un musée au bord de l'eau, malheureusement détruit par un mystérieux incendie, une nuit de 1944. Les copies des yachts impériaux sont maintenant visibles au museo delle Navi.

Résidence estivale du pape

De retour sur la via dei Laghi, on arrive, après **Velletri**, à une étape importante de l'histoire italienne et du bon vin. En passant Ariccia, avec sa jolie piazza Bernini, et Albano Laziale, on atteint finalement **Castel Gandolfo**, la résidence d'été du pape.
Comme tout citoyen romain, le pape aussi tourne le dos à la Ville Eternelle pendant les mois les plus chauds de l'été, de mi-juillet à mi-septembre.
Le dimanche, occasionnellement, il reçoit des pèlerins dans sa villa à la campagne, pour l'angélus.
A partir de Castel Gandolfo, une route mène vers le **lago Albano.** En empruntant la via Appia Nuova, qui permet d'admirer le paysage environnant, on redescend rapidement vers Rome.

Musée

Museo delle Navi   ■ c 3, p. 286
Expose le yacht de plaisance de Caligula, du moins sa copie.
Via di Diana 9
Nemi
9 h – 14 h
Entrée 4 000 lires

Manger et boire

Specchio di Diana
En été, les gens viennent s'asseoir sur les terrasses pour déguster les excellentes fraises sauvages avec une sauce au vin blanc – un délice!
Via Vittorio Emanuele 13
Nemi
Tél. 9 36 80 16
13 h – 15 h et 19 h 30 – 23 h
Classe de prix moyenne (DC, Amex)

Départ: quitter Rome par la via Tuscolana. Après avoir passé Cinecittà, vous arrivez à Frascati.
Durée: excursion d'une journée
Carte: p. 286

Dommage d'aller à Frascati seulement pour y goûter le vin! Situés dans un superbe paysage de collines, les Castelli Romani sont impressionnants.

Fellini et compagnie:
le rêve à Cinecittà

Les courses de chars de Ben Hur, les derniers jours de Pompéi, le regard de Robert Taylor dans "Quo Vadis", l'amour prenant entre Liz Taylor et Richard Burton dans "Cléopâtre"... Ce que nombre de professeurs de latin ont essayé d'inculquer en vain, l'industrie du cinéma l'a réussi. Les grands films historiques ont rapproché la Rome antique d'un large public – même si c'est au prix d'une certaine liberté artistique. Toutes ces fresques ont été réalisées dans l'Hollywood italien de Cinecittà, en bordure de la ville. L'histoire de cette "ville du cinéma" commence avec la fin d'un autre studio. Dans la nuit du 26 septembre 1935, les studios de cinéma de Santa Maria Maggiore brûlent entièrement. Benito Mussolini est prêt à les remplacer rapidement – avec l'arrière-pensée d'employer le cinéma comme instrument de propagande. Quelques semaines après, le Duce pose la première pierre sur le terrain de 60 hectares de ce qui sera la "Città del Cinema". Déjà, le 28 avril 1936, un monde de rêve voit le jour: 16 studios, une piscine pour les scènes aquatiques, un espace réservé aux bureaux et au découpage. Durant la première année, une vingtaine de films sont produits – avec bénéfice.

En 1939, la majorité des actions des studios sont vendues pour 15,3 millions de lires à l'Etat italien pour faciliter le travail de Cinecittà.

Au début, la guerre n'a pas influencé les activités artistiques de la ville du film. Cependant, plus tard, les riverains sont venus piller les studios, à la recherche de métal et de bois. Les Allemands ont envahi Rome et se sont appropriés le matériel pour filmer. Le coup suivant fut porté par les bombardements alliés, qui ont touché et fortement endommagé Cinecittà. Avec la chute du régime fasciste en 1945, 1 000 travailleurs se sont attelés à sa reconstruction et doivent être remerciés. Après la guerre, il n'y avait plus que des soldats américains qui hantaient les décors.

Mais Cinecittà renaît de ses

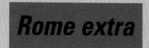

cendres. En 1947, Vittorio De Sica guide le cinéma italien vers ses premiers succès de l'après-guerre. Le rêve du Duce se réalise finalement – un deuxième Hollywood se crée à Rome. Les Américains occupent Cinecittà pour la deuxième fois – mais cette fois avec des caméras et des projecteurs – car les frais de production italiens sont moins élevés que ceux d'Hollywood. Les années cinquante deviennent des années d'or pour la ville italienne du cinéma. Federico Fellini tourne "La Dolce Vita" et élève ainsi un monument à Cinecittà et à Rome. C'est l'époque des films néoréalistes de Vittorio De Sica et des classiques de Roberto Rossellini. En 1963, la première de "Cléopâtre" a lieu. Ce film

Le cinéma italien a beaucoup de difficultés à survivre.

entrera dans la légende des films-fleuves américains. Cependant, dès la fin des années soixante, les temps changent. La crise du film engendre la nécessité d'économiser, les Américains restent chez eux. Cinecittà ne travaille pratiquement plus que pour la télévision d'Etat italienne, la RAI.

En 1981, la vente de douze hectares de terrain du "pays du film" à des spéculateurs immobiliers a rapporté 20 milliards de lires. L'Etat accorde aussi des subventions. Les studios ont été modernisés. Le principal se fait à Cinecittà, sous forme de productions destinées à la télévision, de séries et spots publicitaires. Pas de visite possible

■ b 2, p. 286

Excursions

Quand le mercure grimpe, les Romains filent en direction d'Ostie vers la plage locale toujours bondée. Les fouilles: Scavi di Ostia valent le détour.

Virgile fait arriver Enée à l'embouchure du Tibre; Livius attribue la fondation d'Ostie à Ancus Martius, le quatrième roi de Rome, après Romulus; les archéologues estiment que la ville fut fondée au IVe siècle av. J.-C. Ce qui est certain, c'est qu'Ostie (du latin Ostium – embouchure) était à l'époque, avec ses 100 000 habitants, le port le plus important de la Rome antique. Pendant la guerre, il fut le point de départ de la conquête de la Méditerranée. En temps de paix, c'est une plaque commerciale importante. Mais, tout comme pour Rome, dès le IVe siècle, l'âge d'or d'Ostie était révolu. Le port s'ensabla. La malaria et les pilleurs régnaient dans la ville.
Les premières découvertes archéologiques d'Ostie furent mises au jour en l'an 1909. Les fouilles ne sont pas encore terminées, car l'on suppose que le sol recèle encore des témoignages de l'ancienne Ostie. Parmi les découvertes les plus récentes, on compte la nécropole **necropoli del porto di Traiano**, sur l'**isola Sacra**. La mer s'est retirée au cours des siècles et l'île n'existe plus maintenant.

Philosophies commerciales antiques

On arrive à l'ancienne Ostie par la via delle Tombe, la route des tombeaux, ce qui est une manière de flâner dans l'Ostie antique. En voici quelques hauts lieux:
La **via della Fontana** avec les fontaines de la ville et l'Osteria di Fortunato encore assez bien conservée. Sur le sol en mosaïque de l'Osteria, on peut lire l'inscription suivante: "Dicit Fortunatus: vinum cratea quod sitis bibe". Fortunatus, l'hôtelier, donne manifestement de bons conseils à ses clients: "Bois du vin aussi longtemps que tu as soif".
Le théâtre, probablement construit sous Auguste, était le siège de la vie sociale, alors qu'autour du **piazzale delle Corporazioni** se rassemblait la vie commerciale: on dénombrait jusqu'à 70 bureaux commerciaux avec des représentants de l'ensemble du monde romain! Le sol en mosaïques témoigne du métier et de l'origine des commerçants: ils venaient d'Alexandrie, d'Arles, de Carthage...
Un temple, dont il reste un podium et deux colonnes, avait été construit, au centre de la place. A côté de la **casa di Apuleio**, se trouve le Mithreum, qui est l'un des 18 lieux les mieux conservés, dédiés au culte de Mithra. On peut aussi voir de belles mosaïques dans la **casa dei Dipinti**, un bâtiment avec jardin et cour intérieure.

Des maisons à louer, des bureaux, des thermes et des temples, les ruines d'Ostia Antica témoignent encore aujourd'hui d'un système économique très organisé.

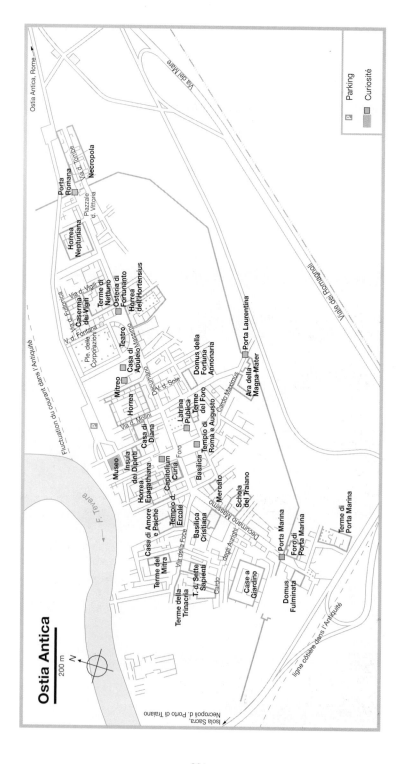

Ostia Antica

200 m

N

Ostia Antica, Rome

Via del Mare

Fluctuation du courant dans l'Antiquité

F. Tevere

Isola Sacra, Necropoli d. Porto di Traiano

Viale dei Romagnoli

Parking
Curiosité

Porta Romana
Via d. Tombe
Necropola
Piazzale d. Vittoria
Horrea Neptuniana
Via d. Fullonica
Via d. Vigili
Terme di Nettuno
Osteria di Fortunanto
Horrea dell'Hortensius
V. d. Fontana
Caserma dei Vigili
Ple. delle Corporazioni
Teatro
Casa di Apuleio
Decumano
Via V. d. Sole
Massimo
Domus della Fortuna Annonaria
Porta Laurentina
Mitreo
Horrea
Via d. Molini
Latrina Pubblica
Terme del Foro
Cardo Maximus
Ara della Magna Mater
Casa di Diana
Tempio di Roma e Augusto
Museo
Insula dei Dipinti
Horrea Epagathiana
Capitolium
Curia
Foro
Basilica
Decumano Massimo
Mercato
Schola del Traiano
Casa di Amore e Psiche
Tempio d. Ercole
Basilica Cristiana
degli Aurighi
Porta Marina
Foro di Porta Marina
Terme di Porta Marina
Via della Foce
Terme del Mitra
T. d. Sette Sapienti
Cardo
Casa a Giardino
Domus Fulminata
Terme della Trinacria
ligne côtière dans l'Antiquité

294

Le Capitole était le plus grand temple d'Ostie, construit au IIe siècle et dédié à la "triade capitolina" – Jupiter, Junon et Minerve. Du "**forum**", il reste seulement quelques arcades. C'est ici que s'élevait le tempio di **Roma e Augusto**, un superbe temple de marbre datant du Ier siècle, qui devait symboliser la nouvelle Ostie. Comme tous les forums romains, il disposait d'une basilique et d'une curie, qui était le siège de l'administration communale.

Les marchés d'antan

La ville avait bien entendu son marché. On faisait ses courses sur la **piazza Mercato** avec son podium bordé de colonnes. Tout en faisant son marché, les langues allaient bon train, comme en témoigne l'inscription située sur la troisième colonne à partir de la gauche: "Lis et sache qu'on parle de tout au marché…" Lorsque vous aurez visité les fouilles, vous pourrez rendre visite à la **Necropoli del porto di Traiano**. La nécropole est une impressionnante oasis de calme sous les pins et les cyprès. Les habitants des environs du port enterraient ici les membres de leur famille.

Les règles d'inhumation étaient déterminées par la richesse des défunts: une simple amphore mise en terre pour les pauvres. Plus le défunt était fortuné, plus sa dernière demeure était imposante.

Pour terminer ce chapitre d'histoire de manière agréable, vous pouvez vous rendre au restaurant "Il Monumento" et couronner l'excursion dans la ville portuaire par un plat de poisson…

Curiosités

Necropoli del porto di Traiano
A la rue S 296, prendre la direction de l'aéroport de Fiumicino ou, avec le bus n° 2, celle de la gare Ostia Antica jusqu'à la via Cima Cristallo.
9 h – 16 h 30, fermé ve
Entrée 8 000 lires

Scavi di Ostia
Via del Mare
9 h – 16 h 30; fermé 1er janv., 1er mai et 25 déc.
Entrée 8 000 lires

Manger et boire

Il Monumento
Petit restaurant confortable disposant d'une belle terrasse.
Piazza Umberto Primero 8
Tél. 5 65 00 21
12 h 30 – 15 h et 19 h 30 – 23 h; fermé le lu, du 20 août au 6 sept.
Classe de prix moyenne (EC, Visa, DC, Amex)

Départ: en auto sur la via del Mare jusqu'à Ostia Antica
Métro: Ligne B, direction Laurentina, arrêt Magliana; continuer avec le train jusqu'à la gare d'Ostia Antica. En été, on peut aussi y aller avec l'aquabus (p. 31).

Durée: excursion d'une journée ou d'une demi-journée

Excursions

Dans l'Antiquité, une grande activité régnait sur les côtes entre Terracina et Sperlonga. Des nymphes, des sirènes et des monstres marins s'en donnaient à cœur joie. Les anciens Romains aimaient se retrouver en si bonne compagnie et ils construisirent leurs villas patriciennes le long du rivage.

L'empereur Tibère (42 av. J.-C.) était certainement un des empereurs les plus férus d'amusement. Il choisit Sperlonga comme siège de sa villa Praetorium. Ce n'est qu'en 1954 que les archéologues découvrirent le palais et les grottes avoisinantes. Trois années plus tard, les découvertes furent identifiées comme étant le palais de Tibère. Les fouilles furent rendues plus difficiles à cause de la présence de mines, déposées là pendant la Deuxième Guerre mondiale. Parmi les découvertes les plus célèbres, il faut citer les grottes, dans lesquelles l'empereur Tibère avait l'habitude de venir s'amuser. Ce qui n'était pas sans danger car à l'époque, comme maintenant, les chutes de pierre étaient fréquentes. A partir des grottes, les archéologues ont découvert des pièces de marbre qui, rassemblées, représentent une statue de Laocoon. Selon l'avis des experts, cette dernière est encore plus finement travaillée que le groupe de statues Laocoon du musée du Vatican. On peut l'admirer dans le Musée archéologique national de Sperlonga.

Des piranhas dans la piscine

Mais revenons au Tibre. Pour ses distractions, l'empereur choisissait aussi bien des filles que des garçons. Si un compagnon de jeu voulait lui résister, il ou elle était jeté(e) dans une des deux piscines où nageaient des crocodiles et autres piranhas... L'empereur aimait le confort. Certaines chambres de son palais étaient tellement proches de la mer que Tibère pouvait de son lit jeter les filets pour attraper le poisson. Lorsque vous aurez suffisamment admiré les singularités de l'empereur, vous aurez le choix entre un repos bien mérité sur la plage ou rentrer en direction de Terracina. Un petit peu au-dessus de cette ville côtière colorée – et lieu de vacances très apprécié – se trouve le gigantesque temple de **Jupiter Anxur**. Cet endroit jouit d'une vue superbe. Par beau temps, on voit même l'île d'Ischia.

Et le saviez-vous? De Terracina, il y a un bac qui fait la liaison entre le groupe d'îles **isole Ponziane** – au cas où vous aimeriez faire une excursion sur l'eau.

Musée

Museo archeologico nazionale di Sperlonga

Vous y verrez des statues et des fragments trouvés près des grottes de la villa de Tibère.
Via Flacca
9 h – 18 h (en hiver 9 h – 16 h);
fermé le 1er jan, le 1er mai et à Noël
Entrée 4 000 lires

Manger et boire

Il Fortino

Du poisson frais et une vue inattendue sur la mer – l'idéal pour une belle soirée d'été sur la côte des sirènes.
Via Flacca
Tél. 07 71/ 54 97 87
En été, 12 h 30 – 15 h 30
et 20 h – 24 h, fermé en général en hiver
Classe de prix moyenne

El Sombrero

Si vous désirez passer une longue soirée d'été inoubliable sur la côte de Sperlonga, vous pourrez terminer cette nuit à la discothèque de la plage: danse et amusement sous la brise estivale. Pour reprendre des forces, il y a aussi des sandwichs et des panini.
Via Flacca, km 18,5
22 h – 3 h

Départ: avec la voiture, vous empruntez la via Pontina jusqu'à Terracina, puis par la via Flacca vers Sperlonga (env. une heure et demie). Avec le bus: de l'arrêt métro EUR Fermi, des bus partent vers Terracina et Sperlonga.

Durée: excursion d'une journée

Excursion pour romantiques: les côtes de Sperlonga sont souvent représentées en cartes postales.

Excursions

Un quartier surfait au sud de la ville imaginé par Mussolini en 1937: c'est l'exposition universelle de Rome, en bref EUR. La construction planifiée de ce quartier devait être achevée pour l'exposition de 1942, véritable apothéose du vingtième anniversaire de la prise de pouvoir par les fascistes.

■ b 2, p. 286

En 1939, les premiers bâtiments étaient construits. Mais, avec le début de la Deuxième Guerre mondiale et la fin du fascisme, les travaux de construction furent interrompus. Ce n'est qu'en 1950, avec les Jeux olympiques et la liaison métro de Rome, que le quartier se mit à revivre. Un palais des sports vit le jour – un des endroits réservés aux Jeux olympiques. Des centres commerciaux immenses, des centres administratifs gigantesques et des logements furent bâtis.
Les rues rectilignes et les blocs entourés de verdure de l'EUR ont longtemps servi d'exemple de l'architecture moderne. Le détour en vaut la peine, surtout pour les musées qui ont été établis dans l'EUR, comme le **museo della Civiltà romana,** qui conduit les visiteurs en voyage dans l'Antiquité (voir Les 10 musées les plus passionnants, p. 78-79). Il faut voir les maquettes de l'Empire romain et les dossiers – une documentation complète sur l'ancienne Rome. Un enseignement pratique des traditions et du folklore est donné dans le **museo delle Arti e Tradizione popolari.**
Il ne faut absolument pas manquer le **palazzo della Civiltà del Lavoro,** de forme carrée et érigé en 1938. C'est un des bâtiments caractéristiques de l'EUR, appelé tendrement "Colisée carré" par les Romains.
De la **chiesa dei Santi Pietro e Paolo,** située au plus haut point du quartier, vous aurez une belle vue sur la périphérie romaine.
Mais pour la jeunesse romaine, les initiales EUR signifient surtout **Luna-Park:** le parc d'attraction géant qui attire toute la jeunesse avec ses manèges, ses jeux de hasard et d'adresse, ses stands de sucreries, ses autos tamponneuses et ses roues gigantesques. Le week-end, la foule s'y presse.

Curiosité

Luna-Park
Via delle Tre Fontane
Lu-ma 15 h – 20 h, ve et sa 15 h –
1 h, di 10 h – 13 h et 15 h – 22 h,
fermé le je; Métro: Magliana

Musées

Museo delle Arti e Tradizione populari
Di et ve 9 h – 13 h
Entrée 4 000 lires

Museo della Civiltà romana
Piazza Giovanni Agnelli
9 h – 13 h 30, ma et je aussi 16 h –
18 h, di 9 h – 13 h; fermé lu, le 21
avril, 1er mai, 15 août et le 25 déc.
Entrée 3 750 lires

Il n'expose aucune œuvre originale, rien que des copies, et pourtant le museo della Civiltà romana se conçoit comme une documentation passionnante sur Rome.

Museo storico delle Poste e Telecomunicazioni
Le musée de la Poste et des Télé-
communications.
Viale Europa 160
9 h – 13 h, fermé ve
Entrée 1 500 lires
Départ: ligne de métro B jusqu'à
l'arrêt EUR Marconi ou EUR Fermi

Durée: excursion d'une demi-journée

Manger et boire

Il Fungo
D'excellents plats de champignons
pour reprendre des forces entre deux
visites de musées, mais aussi une
vue superbe sur l'EUR.
Piazza Pakistan 1
Tél. 5 92 19 80
12 h 30 – 14 h 30 et 19 h 30 –
22 h 30, fermé sa et di
Classe de prix moyenne

A tavola, un dîner
de famille à la romaine!

Ce soir, nous sommes invités à dîner! La famille au grand complet attend. La **nonna (grand-mère)** trône avec son ouvrage au crochet dans un fauteuil, la grande sœur montre fièrement ses nouvelles bottes de chez Magli, le **nonno** teste depuis le début de l'après-midi déjà le vin rouge et les petits-enfants mangent une **merenda** après l'autre. Franco, le cousin de notre ami Toni, a vidé son living, à l'exception du divan et des verres de Murano, pour laisser la place à deux longues tables recouvertes de nappes en papier. Le vin rouge est sur la table, ainsi que l'eau.

A tavola ! La **cena**, le repas du soir, peut commencer! Cocktail de crevettes présentées dans des coquilles de moules et servies avec du pain blanc, comme il se doit – très croustillant à l'extérieur et si tendre à l'intérieur, comme une éponge. Comme amuse-gueules, Franco offre des olives (qu'il a cueillies lui-même), des artichauts marinés dans de la sauce à l'ail, épicée et luisante d'huile et des champignons. A peine la dernière crevette est-elle mangée que le chef refait son apparition. Sur les deux bras, en équilibre, il porte des assiettes avec de la **pasta mare e monti "mer et montagne"**, c'est-à-dire des pâtes aux moules et autres crustacés, petits pois et lard. Pour terminer, après un apport rapide d'assiettes vides, il apparaît avec une immense cocotte car tout le monde doit au moins une fois goûter son "**risotto alla marinara**". De temps à autre, le cousin de Toni jette un regard méfiant à sa sœur qui raconte, avec toujours plus de détails à chaque nouveau verre de vin, sa liaison avec un juge marié. Le nonno, sur sa chaise en bois, donne déjà quelques signes de faiblesse mais essaie de se maintenir. Le service suivant, trois plats de **scampi** grillés ainsi que trois plats de **fritto misto** sont apportés par l'épouse de Franco car lui-même est trop occupé dans la cuisine avec le prochain plat. Après le poisson, on fait une courte pause, arrosée d'une tournée de vin rouge. Mais le chef ne peut pas attendre plus longtemps. Malgré les signes évidents d'une certaine saturation, il place devant chacun une assiette parfumée d'**abbacchio**, de la viande

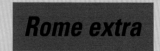

A Rome, on comprend pourquoi les Italiens prétendent avoir la meilleure cuisine au monde.

d'agneau. Avec une assiette séparée pour la **puntarelle**, la salade.

La conversation, l'intensité du bruit et l'amplitude des gestes atteignent leur sommet. C'est le moment de présenter une assiette de fromages: un morceau de **parmigiano**, du **gorgonzola** bien frais avec du céleri – ou de la **mozzarella di bufala.**

Les **dolci**, Franco les a commandés à la "Svizzera siciliana" sur la piazza Pio XI, sa pâtisserie favorite. **Cannoli profiterole** – un assortiment de petites pâtisseries diverses qui sont distribuées à la cuillère. Tout le monde veut goûter à tout. Et que diriez-vous maintenant d'un verre de **grappa**? Ou préférez-vous un **amaro**? En entendant ce mot, le nonno se réveille soudain et lève son doigt. Franco prend déjà les commandes pour le **caffè**. Ensuite, on passe au dernier service: une montagne de fruits, des raisins délicieux, petits et rosés, au goût sucré.

La tournée est devenue nettement plus facile, car le nonno a été terrassé par la fatigue après l'amaro, la nonna s'est remise dans son fauteuil pour reprendre son ouvrage. La **mamma** brosse les cheveux de sa petite-fille, son fils en profite pour regarder un film sanguinaire et le chef retourne une dernière fois dans sa cuisine pour se chercher une assiette de mare e monti. Car Franco n'a pas encore eu le temps de goûter ses pâtes…

Lago di Bracciano

Vous en avez assez de la grande ville, du bruit, de la saleté et du brouillard? Partez vite pour le lago di Bracciano. C'est le refuge des citadins. D'origine volcanique, d'une profondeur maximale de 160 mètres très poissonneux, il est magnifiquement entouré de palmiers et de cyprès et bordé de petites villes côtières.

Les anciens Romains se soignaient dans le "Sabatinus lacus" avec de l'eau. En l'an 109, l'empereur Trajan fit construire un aqueduc pour amener l'eau de Bracciano jusqu'au quartier du Trastevere.

Notre première étape est l'**Anguillara Sabazia**, une petite ville avec des ruelles étroites, qui conduisent jusqu'à la mer. La via Trevignanese vous amène finalement jusqu'à **Trevignano Romano**, un joli village de pêcheurs. Dans la **chiesa dell'Assunta,** se trouvent de belles fresques.

Plus loin, on se dirige vers **Brac**-ciano. Cette place importante près de la mer se reconnaît de loin grâce au majestueux **castello Orsini-Od**escalchi, qui ombrage littéralement les ruelles étroites et les petites maisons. Le château peut être visité. Les visites guidées ont lieu à partir de 10 h, toutes les heures (excepté le midi) jusqu'à 17 h, le jeudi et le samedi toutes les demi-heures. Avant de retourner vers Rome, pourquoi ne pas faire une petite pause à la mer – ou organiser un pique-nique dans la nature?

Curiosité

Castello Orsini　　　■ a 1, p. 286
Bracciano
9 h – 12 h et 15 h – 18 h, fermé lu
Entrée 10 000 lires

Manger et boire

La Trattoria del Castello
　　　　　　　　■ a 1, p. 286
L'air de la mer vous a donné faim? C'est le moment d'aller goûter une spécialité de poissons du lac Bracciano.
Tél. 99 80 43 39
12 h – 15 h et 19 h – 24 h, fermé me

Départ: en voiture sur la via Cassia direction Viterbo, puis prendre la via Braccianese direction Bracciano-Anguillara. Après environ huit kilomètres, prendre la via Anguillara vers Anguillara Sabazia.
Un autobus "Acotral" part de la station de métro Lepanto.

Durée: excursion d'une journée
Carte: p. 286

Tivoli, l'antique Tibur, c'est aujourd'hui la superbe Villa Adriana, la grande résidence d'été qui fut construite pour un empereur, et la Villa d'Este, dont les jeux d'eau artificiels sont célèbres.

■ c 2, p. 286

L'empereur Hadrien était un empereur qui avait beaucoup voyagé et qui aimait les arts. Lorsqu'il est rentré en l'an 126 d'un voyage en Orient, il s'est fait construire une villa sur base d'exemples architecturaux et de styles artistiques qu'il avait remarqués: le Canope de Nitale, le Pecile d'Athènes, les terrasses de Tempé et d'autres beautés raffinées par un peu de fantaisie et des idées personnelles.

En 134, la **Villa Adriana** fut terminée. C'était la plus belle des villas impériales. Mais Hadrien n'a pas profité longtemps de sa maison de rêve. Il tomba malade et mourut en l'an 138. Sa dépouille fut conservée dans le mausolée d'Hadrien. Des descendants d'Hadrien ont encore profité de cette magnifique villa pendant quelque temps, mais l'ensemble se dégrada rapidement. A partir du XVe siècle, des fouilles furent entreprises. Cela permit de mettre plus de 300 œuvres d'art au jour, exposées maintenant dans des musées de Rome, Londres, Berlin et Léningrad. En 1870, les ruines du palais devinrent propriété de l'Etat italien, les fouilles continuèrent rapidement. On découvrit de superbes colonnes, souvent décorées de mosaïques. Des voûtes et des restes de mur furent trouvés aussi. La Villa Adriana est un des plus beaux paysages de ruines d'Italie.

Un jardin comme au pays des merveilles

La deuxième villa de Tivoli, la **Villa d'Este,** est impressionnante par la mise en scène de la nature qui l'entoure. C'est l'œuvre du cardinal Ippolito d'Este. Il était tombé en disgrâce à Rome et décida en 1550 de se retirer à Tivoli. Très rapidement, un architecte néo-napolitain réalisa une résidence adaptée sur les ruines d'un ancien couvent bénédictin. La villa elle-même est plutôt petite, mais le jardin avec ses fontaines magnifiques n'en est que plus beau – il semble que le cardinal ait éprouvé beaucoup de plaisir à créer des jeux d'eau.

La maison du cardinal a accueilli de nombreux invités illustres. A l'époque des Ippolito, les papes Pie IX et Grégoire XIII lui rendirent visite. Après sa mort, Paul IV et Paul V s'y rendirent également. Parmi les artistes qui furent invités, on compte le Titien et Franz von Liszt. En 1944, la Villa d'Este fut fortement endommagée par les bombardements. Les travaux de restauration ne sont pas encore terminés.

Excursions

La route aux 100 fontaines

De l'eau à n'en plus finir! La via delle Cento Fontane, la route des cent fontaines est certainement la partie la plus réussie du jardin. La **fontana dell'Organo** est un superbe jet d'eau, qui s'accompagne parfois d'un fond sonore. La **fontana dell'Ovato** avec la statue de **Sibille**, la **fontana della Madre Natura** couronnée par la statue de la déesse de la fertilité et la **fontana dei Draghi** en l'honneur de Grégoire XIII qui avait été reçu dans la villa et qui fut érigée en 1572. Les dragons rappellent les armes de la famille Boncompagni, de laquelle est originaire le pape. Et pour terminer la **spinata dell'Peschiere**, où les poissons nageant dans les bassins ont fini en période de disette dans l'assiette du cardinal...

En été, le jardin est illuminé jusqu'à 23 h. Il faut absolument prévoir une visite le soir car les jeux de lumière sous les jets d'eau sont inoubliables. Au centre de la ville de Tivoli, le **temple de Sibylle** attend votre visite. On raconte qu'un vieux devin aurait prédit du temps d'Auguste la naissance du Christ, la naissance d'un "grand empereur"...

Pas besoin de devin pour sentir que vous commencez à avoir faim. Dans le restaurant "Sibilla", Maria vous

Fabuleux: cent fontaines et sources font encore de nos jours de la Villa d'Este un des plus beaux fleurons de la Renaissance italienne.

attend avec des tas de bonnes choses comme des **ravioli alla ricotta** ou du **pollo alla diavolo**.

Curiosités

Villa Adriana
A environ six kilomètres de Tivoli, à droite de la via Tiburtina.
Via di Villa Adriana 204
9 h – 17 h 30
Entrée 8 000 lires

Villa d'Este
Tivoli
Piazza Villa d'Este (à droite, à côté de Santa Maria Maggiore)
9 h – 18 h 30 (en hiver de 9 h – 17 h 30)
Fermé 1er janv., 1er mai et à Noël
Entrée 8 000 lires

Manger et boire

Sibilla
Du vin blanc pétillant, avec du jambon et des figues fraîches – quel délice par une chaude journée d'été!
Via della Sibilla 50
Tél. 07 74 / 2 02 81
12 h 30 – 14 h 30 et 19 h 30 – 21 h 30
Fermé lu
Classe de prix moyenne (EC, Visa, DC, Amex)

Départ: avec la voiture à partir de Rome sur la via Tiburtina jusqu'à Tivoli; en métro jusqu'à Rebibbia et de là continuer avec le bus.

Durée: excursion d'une demi-journée ou d'une journée entière.

Excursions

Cerveteri, la Caere romaine, fut du VIIe au VIe siècle av. J.-C. une des plus riches villes de la Méditerranée connaissant un commerce florissant et une vie culturelle intense. Une nécropole raconte aujourd'hui l'histoire des vivants: les documents sur les Etrusques ont disparu, la nécropole de Cerveteri est restée.

■ a 2, p. 286

L'ascension de Rome a coïncidé avec la décadence de la ville étrusque. En l'an 90 av. J.-C., Caere fut incluse dans Rome et, à partir de ce moment-là, elle vécut à l'ombre de la Ville Eternelle.

Ce n'est que dans la première moitié du XIXe siècle que Cerveteri refit parler d'elle. Autour de la ville, les archéologues ont découvert la nécropole étrusque, une cité des morts datant de l'Antiquité, qui renseigne sur la vie de cette époque. L'intérieur de la colline funéraire circulaire, placée entre des cyprès et des buissons, est une copie des maisons étrusques avec ses colonnes, ses ornements et ses décorations artistiques qui la font plus ressembler à un second "séjour". Chaque tombe est une œuvre d'art en soi. Les collines portent le nom de leur principale décoration: "tombe du relief", "tombe du sarcophage", "tombe des boucliers et des chaises", "tombes des animaux peints", "tombe des ouvriers du stuc"...

Pilleurs de tombes sans scrupules

Les fouilles ne sont pas terminées, beaucoup de tombes ne sont pas encore analysées. Cela fait de Cerveteri un "objet du désir" pour les **tombaroli**, les pilleurs de tombe qui travaillent sans hésiter à la bêche et pillent les sépultures. Acheminés par des chemins de contrebande, les objets réapparaissent soudain aux Etats-Unis ou en Suisse.

Pour compléter votre incursion dans l'époque étrusque, il faut visiter le **Museo nazionale** au **palazzo Ruspoli**. De nombreux objets trouvés dans les tombes étrusques y sont gardés. La découverte la plus célèbre, le "sarcophage des époux", peut être admirée dans le musée national de la Villa Giulia à Rome (p. 80). Et si votre estomac vous rappelle à d'autres réalités, allez goûter les spécialités locales à la petite trattoria du coin, par exemple du pain cuit au feu de bois, des **fettuccine** à la sauce de sanglier ou des **tonnarelli** aux truffes.

Sur les traces des Etrusques: Cerveteri fut un jour une des cités les plus florissantes de la Méditerranée.

Curiosité

Nécropole de Cerveteri
A deux kilomètres à l'extérieur de Cerveteri
9 h – 18 h (en hiver 9 h – 16 h), fermé lu, Pâques, 1er mai, 15 août et 25 déc.
Entrée 8 000 lires

Musée

Museo nazionale Cerite
Plans de certaines tombes ainsi que leur contenu et leur coupe.
Palazzo Ruspoli
Piazza Santa Maria
9 h – 14 h, fermé lu
Entrée libre

Manger et boire

L'Oasi da Pino
Ici vous pourrez goûter les délices locaux de l'ancienne citadelle étrusque.
Via Morelli 2
Tél. 9 95 34 82
12 h – 14 h 30 et 18 h 30 – 22 h 30, fermé lu
Classe de prix moyenne

Départ: avec la voiture par la via Aurelia, passer Ladispoli, prendre la prochaine bifurcation à droite, vers Cerveteri (à env. 45 km de Rome); ou avec le bus "Acotral", départ à la station de métro Lepanto.

Durée: excursion d'une demi-journée.

Informations

Le journal, s'il vous plaît !
Sur le Campo de'Fiori, vous trouverez
la presse internationale.

Informations

Pompiers (pompieri)
Tél. 115

Police (carabinieri)
Tél. 112

Police communale (Polizia)
Tél. 6 76 91

Ambulance (ambulanza)
Tél. 118

Aide médicale urgente
Tél. 4 74 98

Aide aux drogués
Tél. 4 38 23 79 et 86 48 64

Hôpital pour les enfants
■ a 1, p. 126
Ospedale dei Bambini del Gesù
Piazza San Onofrio
Tél. 6 85 91

Dépanneuses ■ a 2, p. 142
Commando dei Vigili urbani
Via della Consolazione 4
Tél. 6 76 98 38

Vol de voiture
Adressez-vous au poste de police le
plus proche.

Service de dépannage du ACI
Tél. 116

ADAC Rome
Tél. 4 45 47 30

Population

Dans l'Antiquité, Rome comptait plus
d'un million d'habitants. Au XIVe siècle, ce chiffre descendit à 30 000 mais
remonta ensuite. Le million d'habitants
fut dépassé en 1871, lorsque la ville
devint la capitale italienne. Après la
Deuxième Guerre mondiale, Rome a
connu le flux des immigrants originaires du Sud, ce qui a fait exploser sa
population. A cela, il faut encore ajouter jusqu'à présent des dizaines de
milliers d'immigrants illégaux en provenance d'Afrique.
Est considéré comme "vrai" Romain
celui qui peut se prévaloir d'au moins
sept générations précédentes de Romains. Ce qui est vrai pour environ
170 000 d'entre eux...

Représentations diplomatiques

En Belgique
Ambassade italienne
Rue Emile Claus, 28
1050 Bruxelles
Tél. 02/649 97 00/6/7/8/9

Consulat italien
Rue Nationale 5, boîte 36
2000 Anvers
Tél. 03/233 81 60 et 233 81 75

En France
Ambassade d'Italie
51, rue de Varenne
7e arrondissement
Tél. 01 49 54 03 00

Consulat italien
5, bd. E. Ogier
16e arrondissement
Tél. 01 44 30 47 00

A Rome
Ambassade de Belgique
49, via dei Monti Parioli
00197 Roma
Tél. 6 322 44 41-5

Consulat de France
Via Guila 251
Tél. 657 21 52

Douane

Depuis 1993, les contrôles internes entre les pays de l'Union européenne ont été abolis mais des contrôles de sécurité sont quand même effectués. Les limitations au niveau de l'importation et de l'exportation au sein de l'UE font partie du passé. Si les biens ne sont pas destinés à un usage privé, il faudra s'acquitter d'un droit.

Jours fériés

jour de l'An
6 jan.   La Bafana
dimanche de Pâques
lundi de Pâques
25 avril   jour de la libération
1er mai   jour du travail
2 juin   jour de la fondation de la
                République
29 juin   fête des saints patrons de
                la ville: Pierre et Paul
15 août   jour de l'Ascension
                "Ferragosto"
1er nov.   Toussaint
8 déc.   Immaculée Conception
25/26 déc.   Noël
Le lundi de Pentecôte n'est pas un jour férié.
Le 15 août, toute la ville part à la campagne ou à la mer, se mettre à l'ombre. C'est la période des vacances. La ville étouffe sous la chaleur et est pratiquement abandonnée. Les magasins restent fermés. Rome appartient aux touristes et aux chats. Les buts d'excursion situés autour de la ville et les rues qui y conduisent sont bouchés.

Pourboires

Donner un pourboire, et de combien, dépend bien sûr de votre propre décision. Il ne faut cependant pas oublier que les petits employés, pour augmenter leur maigre salaire, attendent une petite gratification pour leur service. Dans les restaurants, le pourboire représente environ 10 à 15 % du montant.
Sinon, une somme de 2 000 à 3 000 lires, selon le service, est une bonne moyenne. En général, les gardiens de musée et d'église qui ouvrent une salle normalement interdite à la visite s'attendent à une petite récompense.

Argent

Après la chute de la lire italienne sous le gouvernement de Berlusconi, l'Italie est devenue un but de voyage accessible. La monnaie se compte avec des pièces de 50, 100, 200 et 500 lires, ainsi que des billets de 1 000, 2 000, 5 000, 50 000 et 100 000 lires. Les anciens billets à l'effigie de Marco Polo sont périmés depuis juillet 1995 et ne sont plus acceptés.
Les jetons de téléphone, appelés **gettoni**, d'une valeur de 200 lires sont parfois encore utilisés mais, à l'époque des cartes téléphoniques, leurs jours sont comptés.
Les opérations de change dans les banques italiennes sont peu commodes et très lentes. Pour échanger le moindre billet en lires, il faut montrer son passeport.
Les banques sont généralement ouvertes du lundi au vendredi de 8 h 35 - 13 h 35 et de 14 h 45 - 16 h.
En dehors des heures de bureau, on peut aussi changer son argent dans des bureaux de change (ufficio Cambio), par exemple dans la gare.

Informations

Objets perdus

Bureau des objets trouvés de la ville (Ufficio oggetti smariti)
■ b 6, p. 187

Via Bettoni 1
Tél. 5 81 05 83
9 h – 13 h, fermé di

Bureau des objets trouvés des transports publics (Ufficio del Atac)
■ d 1, p. 208

Via Volturno 65
Tél. 46 95
9 h – 12 h, fermé di

Renseignements

A Rome

EPT (Ente Provinciale del Turismo)
Des renseignements, des prospectus, des plans de la ville et une liste des hôtels sont disponibles dans les filiales suivantes du syndicat d'initiative:
– Via Pargi ■ d 1, p. 208
00185 Roma
Tél. 48 89 91, Fax 4 81 93 16
Ouvert de 9 h – 13 h et de 14 h – 19 h

– Stazione termini ■ e 2, p. 208
En face du quai 3
Tél. 4 87 12 70
Ouvert de 9 h – 19 h
– Aéroport Leonardo da Vinci
■ a 3, p. 286

Fiumicino
Tél. 65 95 44 71
Ouvert 8 h– 19 h

Kiosque d'Informations
L'administration de la ville a disposé trois caravanes – sur la Via Nazionale, au Largo Goldoni et au Largo Corrado Ricci –, où on peut renseigner.

Associazone Turistica Giovani
■ c 2, p. 100
Informations pour des jeunes visitant Rome.
Via di Torre Argentina 47
Tél. 68 30 77 83, Fax 68 30 78 63

Commune di Roma (administration communale) ■ b 3 , p. 208
Piazza del Campidoglio
Tél. 6 71 01

Bureau des pèlerins au Vaticans
■ d 3, p. 170
Via della Conciliazione 10
Tél. 6 89 71 97-8 et 6 89 71 97

Office de tourisme ATAC
■ d 1/e 2, p. 208
Indicateurs, cartes, plans et renseignements au sujet des moyens de transport publics.
Piazza dei Cinquecento
Tél. 46 95 44 44

Renseignements sur les trains
■ e 2, p. 208
Gare Termini
Renseignements sur les indicateurs, tous les jours de 7 h – 22 h
Tél. 45 75

En Belgique
ENIT
Av. Louise 176
1050 Bruxelles
Tél. 02/647 11 54

En France
23, rue de la Paix
75002 Paris
Tél. 01 42 66 66 68

Climat

Rome étant proche de la mer (à peine 30 km), le climat y est relativement doux durant toute l'année. La meilleure période pour visiter la Ville Éternelle reste cependant le printemps ou l'automne. Dès mars, les températures douces sont attirantes et la floraison abondante. En automne, jusqu'en octobre, on peut admirer les couchers de soleil sur la ville. Par contre, l'été, la chaleur peut être infernale: la température moyenne au mois d'août est de 30 degrés. Tout Romain qui peut se le permettre fuit la ville aux mois de juillet et août. En guise de consolation, ceux qui sont restés profitent de l'"été romain", un ensemble de manifestations musicales et de défilés de mode organisés par la ville. L'hiver est doux mais souvent pluvieux. Visiter Rome à la période de Noël est cependant fort agréable car, dans les églises, on présente de superbes crèches.

Soins médicaux

Dans les hôpitaux publics, vous recevrez gratuitement les premiers soins, mais il faut présenter une carte ou une feuille de maladie internationale (E111). Dans les cliniques privées, le paiement se fait immédiatement et en liquide. En cas d'urgence, adressez-vous d'abord à votre portier ou concierge ou à votre ambassade. Les pharmacies de garde (farmacie notturne), sont répertoriées dans les journaux, notamment dans "Il Messaggero" sous la rubrique "Roma/Citta".

Voltage

A quelques rares exceptions près, le voltage est partout de 220 volts. Si votre matériel électrique ne s'adapte pas, demandez un adaptateur (spina) à la réception.

Exemple de températures à Rome

	Température en °C		Heures de soleil	Jours de pluie
	Jour	Nuit	par jour	
Janvier	11	3,9	4,1	8
Février	12,5	4,5	4,7	9
Mars	15,6	6,9	5,9	8
Avril	19,2	9,9	7,1	8
Mai	23,3	13,4	8,6	7
Juin	28,3	17,2	9,4	4
Juillet	31,2	19,9	10,8	2
Août	30,6	19,7	10	2
Septembre	27,1	17,3	8,3	5
Octobre	21,4	13	6,5	8
Novembre	16,2	8,7	4,2	10
Décembre	12,1	5,3	3,5	10

Source: Deutscher Wetterdienst, Offenbach

Informations

Poste

De quelle manière mystérieuse la poste fait-elle parvenir son courrier? Cela, personne ne le sait. C'est de toute manière très tortueux et très lent, et il n'est pas rare de devoir attendre quatre semaines avant de recevoir sa lettre. Il est donc sage et conseillé de poster vos cartes postales dès votre arrivée. Cela va un peu plus vite si vous utilisez la poste vaticane sur la place Saint-Pierre. Les bureaux de poste sont ouverts en général de 8 h – 14 h et le samedi jusqu'à 12 h.

Poste centrale ■ b 4, p. 61
Piazza San Silvestro
Lu-ve 8 h 30 – 20 h, sa 8 h – 12 h

Mandat postal
lu-ve 8 h 30 – 14 h 30

Télégrammes
jour et nuit, Tél. 1 86

Documents de voyage

Les ressortissants de l'UE n'ont besoin que de leur carte d'identité. Les jeunes à partir de 16 ans doivent disposer de leur carte d'identité. Les automobilistes doivent disposer d'un permis de conduire et d'une assurance.

Visites de la ville

Circuito turistico ATAC
■ d 1/e 2, p. 208
Le bus ATAC (ligne 110) part de la piazza dei Cinquecento devant la gare Termini pour un circuit de la ville d'une durée de 3 heures - sans guide.Les cartes sont disponibles devant la Stazione Termini. Tous les jours, à 15 h 30. En hiver, seulement les sa, di, et le ve à partir de 14 h 30.

CIT
■ d 1, p. 208
Avec l'électrobus (ligne 119), à travers le centro storico: départ devant le mausolée d'Auguste, toutes les 15 minutes.
Piazza della Repubblica 68
Tél. 4 79 41

Secret Walks
Organise des visites de la ville sortant de l'ordinaire, par exemple les "Etrangers célèbres de Rome" ou les "Statues parlantes". Les guides parlent principalement anglais mais, sur demande, on peut avoir un guide parlant français.
Viale Medaglie d'Oro 127
Tél. 39 72 87 28
Circuits guidés dans les quartiers romains sponsorisés par les "Gruppi Archeologici d'Italia". Informations par téléphone (Tél. 39 73 37 86).

Téléphone

Les cabines téléphoniques à carte apparaissent en Italie. Il est de toute façon plus difficile de trouver une cabine (à pièces) qui fonctionne qu'une cabine avec carte. Les cartes téléphoniques (**scheda telefonica**) se vendent 5 000 ou 10 000 lires dans les bureaux de tabac, les kiosques à journaux et dans beaucoup de bars. Une communication locale revient à 200 lires; à partir de 18 h 30, c'est moins cher.
Il y a également moyen de téléphoner ou de faxer, à partir des bureaux de la compagnie de téléphone (anciennement SIP) de la poste centrale (piazza San Silvestro) et de la Stazione Termini.

Indicatifs téléphoniques
B: 32
F: 33

Données de base sur l'Italie

Drapeau: vert-blanc-rouge

Nom officiel: Repubblica Italiana

Fondation de l'État: 1er janvier 1948

Type d'État: démocratie parlementaire représentative (république) **Chef d'État:** Président de la République (élu pour 7 ans). Chef de gouvernement: Président du Conseil.

Population: la province de Naples est la plus peuplée, suivie par Milan, Gênes et Rome.

Langue d'État: italien, avec des langues administratives locales: allemand (Tyrol du sud), français (Val d'Aoste), slovène (Trieste).

Capitale: Rome, siège du gouvernement et du Vatican, centre du monde chrétien.

Les cinq villes les plus importantes:

Rome	2 775 000 habitants
Milan	1 369 000 habitants
Naples	1 067 000 habitants
Turin	962 000 habitants
Palerme	698 000 habitants

Frontières: à l'ouest 513 km vers la France, au nord 718 km vers la Suisse et 415 km vers l'Autriche, à l'est 165 km vers l'ancienne Yougoslavie.

Religion: 99,6 % de la population est catholique romaine; le reste est protestant, juif ou orthodoxe.

Ressources naturelles: manque de ressources naturelles, surtout en charbon et fer.

Industrie: l'Italie appartient au groupe des sept nations les plus industrialisées de l'Occident. La majeure partie de l'industrie se concentre dans le Nord, la Lombardie, le Piémont et la Ligurie.

Agriculture: la surface agricole, sans les bois, représente 57 % de la surface totale. Chaque année, environ 27 millions de tonnes de fruits frais et de légumes sont produits.

Taux de chômage: il existe encore toujours de grandes différences entre le nord et le sud de l'Italie en ce qui concerne la répartition de l'emploi. 7,2 % de la population du nord de l'Italie et 20 % du sud de l'Italie sont sans emploi.

Importance du tourisme: le chiffre d'affaires global annuel du secteur touristique italien se monte à 110 000 milliards de lires.

Rome extra

Index

Index